TUDO PELO AMOR DELE

TUDO

PELO

AMOR

DELE

Sandie Jones

TUDO PELO AMOR DELE

Diretora
Rosely Boschini

Gerente Editorial
Carolina Rocha

Assistente Editorial
Audrya de Oliveira

Controle de Produção
Fábio Esteves

Preparação
Amanda Oliveira

Capa
Thiago Barros

Projeto Gráfico e Diagramação
Márcia Matos

Revisão
Andrea Vidal e Vero Verbo

Impressão
Assahi

Copyright © 2018 by Sandie Jones
Publicado em acordo com a Pan Books, uma marca da Pam Mcmillan.
Todos os direitos desta edição são reservados à Editora Gente.
Rua Wisard, 305, sala 53, São Paulo, SP
CEP 05434-080
Telefone: (11) 3670-2500
Site: http://www.editoragente.com.br
E-mail: gente@editoragente.com.br

Dados Internacionais de Catalogação na Publicação (CIP)
Angélica Ilacqua CRB-8/7057

Jones, Sandie
  Tudo pelo amor dele / Sandie Jones. - São Paulo: Única, 2019.
  352 p.

ISBN 978-85-9490-050-0
Título original: The other woman
1. Ficção inglesa 2. Mãe e filho - Ficção 3. Relação homem-mulher - Ficção
I. Título

19-1302   CDD 823

Índice para catálogo sistemático:
1. Ficção inglesa

Oi! Para deixar este thriller ainda mais arrepiante, criamos uma playlist especial do *Tudo pelo amor dele* no Spotify para você ouvir enquanto lê. Acesse o link **http://twixar.me/qt6n** e dê o play.

Ah, e não se esqueça de seguir a Única nas redes sociais para ficar por dentro das novidades e participar de nossas promoções.

Boa leitura!

Para Ivy Rolph
Minha avó – que sempre me encorajou a ser
quem eu queria ser.

Prólogo

Ela está linda em seu vestido de noiva. A peça lhe cai com perfeição e é exatamente como imaginei que ela escolheria: elegante, subestimado e único – como ela. Parte o meu coração saber que seu grande dia nunca acontecerá, mas ela não precisa saber disso ainda.

Penso nos convidados que não vão comparecer, nas molduras sem fotografias, na primeira dança sem música, no bolo que não será comido, e sinto minha determinação enfraquecer. Mas eu me recomponho. Não é hora para dúvidas.

Ainda há muito o que fazer, tanta dor para infligir, mas nada vai me deter. Falhei antes, mas desta vez vou conseguir.

Há muita coisa em jogo para errar.

1

Não houve muita coisa que eu não tenha gostado em Adam quando o vi pela primeira vez no bar lotado do Hotel Grosvenor, em Londres, exceto pela sua falta de empatia. Eu tinha acabado de sair de um evento incrivelmente chato, um seminário sobre "O futuro da seleção de pessoal", e precisava muito de uma bebida, mais do que ele ou o barman puderam notar.

Eu estava em pé no bar pelo que já parecia ser uma eternidade, acenando dramaticamente com uma nota de dez libras amassada na mão quando, bem ao meu lado, um homem musculoso forçou sua passagem até o balcão, segurando um cartão de crédito.

— Ei. Aqui, amigo — chamou ele, com uma voz ressonante.

— Ah… desculpe-me — eu disse, minha voz saiu um pouco mais alta do que eu gostaria. — Acho que eu estava aqui primeiro.

Ele deu de ombros e sorriu.

— Desculpe, mas estou esperando há séculos.

Fiquei lá parada, de boca aberta, observando-o trocar um aceno de cabeça furtivo com o barman e, sem ele dizer uma palavra, uma garrafa de Peroni[1] se materializou na sua frente.

— Inacreditável — murmurei, enquanto o homem me encarava. Ele abriu aquele sorriso mais uma vez e se virou para o grupo de homens ao seu lado, para perguntar o que eles queriam.

---

[1] Marca de uma famosa cerveja italiana. (N.T.)

— Você deve estar de brincadeira — rosnei, e apoiei minha cabeça nos braços para esperar. Tinha certeza de que ia demorar um tempo enorme até chegar a minha vez.

— O que eu posso trazer para você? — perguntou o homem atrás do balcão. — O moço ali acha que você é uma garota do tipo rosé, mas eu aposto que está mais para um gim-tônica.

Sorri, apesar de tudo.

— Adoraria provar que ele está errado, mas uma taça de rosé seria maravilhoso, obrigada.

Estendi a nota de dez quando ele colocou a taça na minha frente, mas o barman balançou a cabeça em negativa.

— Não precisa — disse ele. — Por favor, aceite isso com os cumprimentos do cavalheiro que furou a fila.

Não sei do que gostei mais: do barman, que na minha opinião deveria ser promovido a *sommelier-chefe*, ou do cara muito simpático que sorria para mim do outro lado do bar. Ah, o poder do vinho rosé gelado.

Meu rosto também ficou rosé quando ergui minha taça na direção dele, antes de voltar para o canto onde meus colegas de seminário estavam reunidos, bebericando suas respectivas preferências alcoólicas. Éramos todos perfeitos desconhecidos até sete horas antes, então o consenso era que cada um deveria buscar a própria bebida, sem se preocupar com os outros.

O sr. Peroni obviamente não compartilha o acordo com seus acompanhantes, pensei, sorrindo para mim mesma ao levantar os olhos e ver que ele continuava fazendo seus pedidos.

Tomei um gole de vinho e quase consegui ouvir minhas papilas gustativas me agradecendo quando o líquido gelado as acariciou, antes de chegar à minha garganta. Por que esse primeiro sabor nunca se repete? Algumas vezes fico adiando o primeiro gole só por medo de perder essa sensação.

Devo estar parecendo uma alcoólatra furiosa, mas na verdade só bebo nos fins de semana, ou em quartas-feiras de um tédio entorpecente, depois de passar o dia todo na companhia de duzentos outros empregados da área de recursos humanos. Fomos diligentemente informados, em uma palestra chamada "Ninguém gosta de nós. Nós não nos importamos", que uma pesquisa recente revelou que os consultores de recrutamento estão rapidamente se tornando os profissionais mais odiados do mercado, superados apenas pelos corretores de imóveis. Eu gostaria de poder desafiar essa gente, provar que não somos um bando de negociadores sem ética e imorais. Mas observando meus acompanhantes, um grupo de aspirantes a executivos impertinentes e espalhafatosos, com seus cabelos lustrosos e suas expressões falsas, preciso aceitar os fatos.

Apesar de já ter me apresentado mais cedo naquele dia no "fórum", ao me aproximar achei melhor me apresentar de novo.

— Oi, sou Emily — disse, desajeitada, para o cara mais afastado do círculo. Não era alguém com quem eu estava particularmente interessada em conversar, mas precisava conversar com alguém, pelo menos para conseguir terminar meu vinho sem dar a impressão de ser uma esquisitona solitária. — Sou consultora na Faulkner — continuei.

Estendi a mão e ele a apertou, chacoalhando-a de forma brusca, de um modo levemente territorialista. "Esse é meu feudo e você está nos meus domínios" foi a mensagem que ele passou, apesar de termos passado o dia aprendendo a fazer exatamente o contrário.

"Seja aberto. Seja acessível", tinha insistido, mais cedo, o palestrante nº 2. "Empregados e empregadores querem ver um rosto amigável. Precisam sentir que podem confiar em você. Que você está trabalhando para eles, e não o contrário. Lide com seus clientes nos termos *deles*, não nos seus, mesmo que isso fira o seu orgulho. Ou seja, analise cada situação individualmente e reaja de acordo".

Sempre me orgulhei de fazer exatamente isso, e por isso era a melhor consultora da Faulkner há sete meses. Eu era a antítese do que qualquer um pudesse esperar: honesta, atenciosa e comedida sobre meus sucessos. Enquanto ganhasse o bastante para comer, pagar o aluguel e a conta de energia elétrica, estava feliz. Mas nos relatórios de performance eu estava arrasando. Os clientes estavam pedindo para trabalhar exclusivamente comigo, e eu havia trazido mais contratos novos do que qualquer um nos nossos cinco escritórios. Minhas comissões não paravam de aumentar. Talvez *eu* é que devesse estar no palco do seminário mostrando a eles o que fazer.

O homem, de uma agência desconhecida em Leigh-on-Sea, fez uma vaga tentativa de me trazer para o grupo. Ninguém se apresentou, todos preferiram me medir de cima a baixo, como se estivessem vendo uma mulher pela primeira vez. Um deles até balançou a cabeça de um lado para o outro e deixou escapar um assovio lento. Eu o olhei com desdém, antes de perceber que era Ivor, o diretor gordo e careca de uma pequena firma de Balham, que para meu azar tinha sido meu parceiro no exercício de vivência de novos papéis pouco antes do almoço. Seu hálito cheirava ao *curry* do jantar da noite anterior, que eu o imaginei devorando impacientemente em uma embalagem descartável em seu colo.

— Venda-me esta caneta — vociferou durante a nossa tarefa de "Como vender neve para um esquimó". Uma nuvem de açafrão rançoso invadiu o ar e eu franzi o nariz de desgosto. Então peguei sua esferográfica barata e comecei a falar sobre as qualidades excepcionais daquela caneta: o maravilhoso invólucro de plástico, a ponta macia, o fluxo de tinta. E fiquei pensando, não pela primeira vez, qual seria o objetivo daquilo tudo. Meu chefe, Nathan, insistia que essas conferências eram boas para nós, que elas nos mantinham afiados.

Se ele tinha esperança de que eu ficasse motivada e fascinada com maneiras novas e excitantes de fechar negócios, tinha me mandado aqui no dia errado. E eu, com certeza, tinha sido escalada para o parceiro errado.

Continuei a falar sobre as qualidades da caneta, mas de repente me toquei de que os olhos de Ivor não estavam nem tentando prestar atenção no objeto na minha mão, preferindo se fixar na sugestão de decote logo além.

— *Ham-ham* — pigarreei, tentando chamar a atenção dele de volta para nossa tarefa, mas ele tinha apenas sorrido, como se saboreasse sua própria fantasia. Instintivamente fechei a blusa, lamentando a decisão de não usar uma camisa polo.

Seus olhinhos brilhantes estavam sobre mim agora.

— É Emma, não? — perguntou ele, dando um passo à frente. Verifiquei o crachá colado do lado esquerdo do meu peito, só para ter certeza.

— E-mi-ly — eu disse, como se estivesse falando com uma criança pequena. — É Emily.

— Emma, Emily, é tudo a mesma coisa.

— Não, na verdade não é.

— Nós formamos uma dupla hoje de manhã — disse ele, orgulhoso, para os outros homens do grupo. — Nós nos divertimos, não foi, Em?

Senti minha pele arrepiar.

— É Em-i-ly, não Em — respondi, exasperada. — E não acho que tenhamos trabalhado bem juntos, de forma alguma.

— Ora, vamos — disse ele, olhando em volta, o rosto traindo a confiança que sua voz tentava passar. — Formamos um bom time. Você deve ter percebido isso.

Eu o encarei de volta, meu olhar vazio de emoção. Não havia palavras para responder, e, mesmo que existissem, eu não gastaria saliva. Balancei a cabeça, enquanto o resto do grupo, embaraçado, olhava para o chão. Não tinha nenhuma dúvida de que assim que virasse as costas, eles dariam tapinhas nas costas de Ivor e o congratulariam pelo bom trabalho.

Apanhei meu copo de vinho ainda pela metade e fui para um local vazio no fim do balcão. Não precisei nem de dois minutos para descobrir a razão pela qual ninguém mais queria ficar ali − a todo instante eu era atingida por um cotovelo pontudo ou empurrada para fora do caminho pelos atendentes ocupados em pegar as bebidas e trazer de volta os copos vazios.

— Essa é a *nossa* área — vociferou uma jovem, com uma expressão cansada e sarcástica. — Deixe a passagem livre.

— Por favor — murmurei, mas ela era importante demais para ficar parada para me ouvir. De qualquer forma, eu me movi para o lado para sair da "área dela" e comecei a procurar meu celular na bolsa. Só me restavam três pequenos goles ou um grande trago de vinho. Em no máximo quatro minutos poderia ir embora.

Fingi ler meus e-mails, na esperança de a) não ser incomodada por ninguém e b) dar a impressão de estar esperando alguém. O que será que fazíamos antes dos celulares e de suas vastas ofertas de informação? Será que eu estaria aqui lendo o *Financial Times* ou, melhor ainda, será que me sentiria inclinada a conversar com alguém que poderia até se mostrar interessante? De um jeito ou de outro, no fim eu estaria definitivamente mais bem informada. Por que, em vez disso, entro no Twitter para ver o que Kim Kardashian anda fazendo?

Rosnei internamente quando ouvi alguém gritar:

— Emily, você quer outra bebida?

Sério? Será que ele não entendeu a deixa? Encarei Ivor, mas ele estava conversando com os outros sujeitos. Dei uma olhada rápida em volta, embaraçada por saber que a pessoa que tinha me chamado estaria observando minha confusão. Meu olhar por fim parou no sr. Peroni, que exibia um sorriso largo, mostrando seus dentes retos e brancos. Sorri para mim mesma, lembrando do antigo conselho da minha mãe: "Está tudo nos dentes, Emily", disse ela após conhecer meu último namorado, Tom. "Você sempre pode confiar em um homem com dentes bons."

Sim, claro – é só ver como aquela história acabou.

Dou mais importância em verificar se o sorriso de alguém chega aos olhos, e, no caso deste cara, observei, certamente chegava. Eu o despi mentalmente, sem nem notar o que estava fazendo, e vi que seu terno escuro, sua camisa branca e sua gravata levemente frouxa cobriam um corpo bem torneado. Imaginei seus ombros largos assentados em costas fortes, que desciam até uma cintura afinada. Uma forma triangular. Ou talvez não. É difícil dizer o que um terno esconde; ele poderia estar ocultando uma multidão de defeitos, mas eu esperava estar certa.

Um calor subiu pelo meu pescoço quando ele me encarou propositalmente, sua mão ajeitando o cabelo. Abri um pequeno sorriso, antes de girar minha cabeça novamente por trezentos e sessenta graus, procurando a voz.

— Isso é um sim ou um não? — perguntou a voz novamente, um pouco mais perto agora. O sr. Peroni tinha se movido, então subitamente estava ao lado do meu vizinho de balcão. *Que jeito engraçado de falar*, pensei comigo, sem perceber que ele agora estava em pé ao meu lado. Será que dava também para ser vizinho do quarto vizinho a contar do meu primeiro vizinho?

— Quanto você já bebeu? — riu, pois eu continuava a olhar com a expressão vazia, mas não sem notar que de perto ele parecia mais alto.

— Ah, desculpe, achei que tinha ouvido alguém chamar meu nome — respondi.

— Eu sou o Adam — ele se apresentou.

— Oh. Emily — eu disse, estendendo a mão, que tinha subitamente ficado pegajosa. — Eu sou a Emily.

— Eu sei, está escrito em letras bem grandes aí na sua blusa.

Olhei para baixo e me senti enrubescer.

— Ah, assim fica difícil brincar de mulher misteriosa.

Ele inclinou a cabeça para um lado, um brilho malicioso no olhar.

— Quem disse que estamos brincando?

Eu não sabia se estávamos ou não. Nunca fui muito boa em flertar, não saberia por onde começar, então, se ele queria jogar, ia ter que jogar sozinho.

— Mas, então, por que o crachá com o nome? — perguntou o sr. Peroni, também conhecido como Adam, da forma mais sedutora de que um homem é capaz.

— Eu estou participando de um seminário para a elite — respondi bem mais ousada do que me sentia de verdade.

— É mesmo? — sorriu ele.

Eu assenti.

— Posso dizer que faço parte da nata da minha área. Uma das profissionais mais bem avaliadas do ramo.

— Uau — disse ele sorrindo. — Então você estava no seminário dos vendedores de papel higiênico? Eu vi o cartaz quando entrei.

Contive um sorriso.

— Na verdade, é um encontro secreto de agentes do MI5[2] — sussurrei, olhando em volta para me certificar de que ninguém estava ouvindo.

---

[2] Agência de contraespionagem do Reino Unido. (N.T.)

— E foi por isso que eles escreveram o seu nome bem grande sobre o seu peito, para ter certeza de que ninguém saiba quem você é?

Eu tentei me manter séria, mas os cantos da minha boca estavam virando para cima.

— Este é meu disfarce — disse, tocando no plástico barato. — Meu codinome no seminário.

— Entendo, agente Emily — disse ele, puxando a manga e falando com seu relógio. — Então, o cavalheiro às três horas também é um agente?

Ele esperou até eu entender, mas eu não sabia sequer para que lado olhar. Fiquei me virando para todas as direções, tentando sem sucesso encontrar as três horas na minha bússola interna. Ele deu uma gargalhada e me segurou pelos ombros, fazendo com que eu girasse até olhar para Ivor, que gesticulava cheio de animação enquanto falava com um colega, ao mesmo tempo que lançava um olhar de desejo para uma mulher com uma calça de couro justa, sentada atrás de seu interlocutor. Ela parecia imersa em uma alegre inconsciência da presença de Ivor, que a comia com os olhos. Estremeci involuntariamente.

— Negativo — respondi, colocando uma mão na orelha. — Ele não é nem um agente nem um cavalheiro.

Adam riu quando eu entrei na brincadeira.

— Podemos classificá-lo como o inimigo?

— Afirmativo. Pode eliminá-lo, se você quiser.

Ele apertou os olhos, se esforçando para ler o crachá do suspeito.

— Ivor? — perguntou.

Eu assenti.

— Ivor Biggun? — Ele ficou me olhando, esperando minha reação. Demorei um pouco – muito, na verdade – para entender, mas até eu chegar lá Adam ficou ali me encarando.

2

Eu não estava procurando um namorado. **Nem sabia que desejava um até Adam aparecer. Pippa, minha** colega de apartamento, e eu estávamos transbordando de felicidade por ir trabalhar, voltar para casa, tomar chá juntas no sofá com bandejas sobre o colo e então devorar chocolates enquanto assistíamos a vários episódios de *Prison Break*, um atrás do outro. Eu me sentia no paraíso por algumas horas, mas, na manhã seguinte, subia na balança e amaldiçoava os quatro quilos a mais que ganhara no inverno. É a mesma coisa todo ano – e não frequentar a academia pela qual eu pago setenta e duas libras por mês também não ajuda. Não consigo mais entrar no jeans tamanho quarenta e dois que usei no verão passado, mas, em vez de comprar uma calça tamanho quarenta e quatro, prefiro vasculhar as lojas em busca de um par de jeans tamanho quarenta e dois mais generoso, no qual ainda caiba. Tinha passado o verão inteiro em negação, e *ainda* estava me enganando que no veranico de outono minha motivação voltaria.

Saio de vez em quando, especialmente perto do dia do pagamento, mas essas saídas noturnas não são mais o que costumavam ser. Talvez porque eu esteja ficando mais velha, ou porque todo mundo está ficando mais jovem, mas não vejo muita graça em ficar em pé em um pub lotado, tendo que abrir caminho a cotoveladas até o bar para conseguir um drinque. Pippa me arrastou, sob protesto, para alguns shows, mas nenhum, infelizmente, no

O2.[3] Ela prefere inferninhos underground, onde bandas cujos integrantes parecem já terem dormido com ela se esmurram no palco e encorajam a audiência a fazer o mesmo. Sou aquela sozinha no fundo, com fones de ouvido ocultos tocando *Os Grandes Sucessos dos Musicais* a todo volume.

Agradeço a Deus por Seb, meu melhor amigo e minha versão masculina. Teria casado com ele há anos, se achasse que existia um único pelo no corpo dele que eu pudesse transformar em hétero. Mas não. Infelizmente preciso me contentar com noites em cabines de karaokê à prova de som, competindo com ele para ver quem canta melhor as canções de *Os miseráveis*. A gente tinha se conhecido durante o que ele chama de a minha "fase de cabeleireira". Infeliz com meu trabalho de secretária, tinha me inscrito em um curso noturno de cabelo e beleza. Obviamente, tive delírios de me tornar a Nicky Clarke[4] feminina, com salões chiques no centro da Mayfair e celebridades reservando seus horários com meses de antecedência. Em vez disso, passei três meses lavando os cabelos dos outros e desenvolvi eczema nas mãos por causa do shampoo cáustico. Eu costumava ter essas ideias malucas e correr para colocá-las em prática, mas sofria de ilusões de grandeza. Como na vez em que me matriculei em um curso de decoração de interiores na universidade perto de casa. Nunca foi minha intenção aprender a fazer almofadas bonitas ou passar horas lixando gavetas para tirar cinco demãos de tinta *off-white*. Não, eu ia ser a nova Kelly Hoppen[5] e pular todo o trabalho duro e o suor envolvidos em aprender uma nova habilidade. Eu estava indo direto para Nova York, onde seria imediatamente contratada para decorar um imenso loft para o Chandler de *Friends*. Nem preciso dizer que a almofada nunca ficou pronta e que todas as amostras de papel de parede e de tecidos que comprei nunca mais foram usadas.

---

[3] Famoso espaço de entretenimento londrino. (N.T.)
[4] Famoso estilista e cabeleireiro inglês. (N.T.)
[5] Designer de interiores sul-africana que participa de programas de TV e *realities* de decoração da BBC. (N.T.)

Seb tinha acompanhado pelo menos quatro das minhas mudanças de carreira e nunca tinha demonstrado menos do que um entusiasmo desmedido por elas, assegurando-me que "eu tinha nascido para fazer aquilo". E depois, quando cada uma daquelas fases passava e eu deitava no sofá e lamentava minha inutilidade, ele me convencia de que eu nunca serviria para aquilo. Mas agora eu finalmente tinha encontrado minha vocação. Demorou um pouco mais que o planejado, mas vender pessoas é meu dom, eu sei o que fazer e sou boa nisso.

— Então, ele é analista de desenvolvimento analítico? — repetiu Seb, desconfiado, enquanto dividíamos um sanduíche e uma salada da M&S na Soho Square, no dia seguinte. — O que quer que isso signifique.

Assenti, entusiasmada, mas lá no fundo eu estava me fazendo a mesma pergunta. Imagino pessoas reais trabalhando em empregos reais: assistentes de vendas em lojas de departamento, secretárias em escritórios, enfermeiras em cirurgias. O setor de TI era outro mundo, uma indústria monstruosa, uma indústria que nós, da Faulkner, deixávamos para os especialistas.

— Bem, ele parece ser uma graça mesmo — disse Seb, tentando não rir. — O que ele fez? Hipnotizou você com os megabytes dele?

Eu ri.

— Ele não é como você imagina.

— Ah, então ele não usa óculos nem usa o cabelo repartido bem no meio da cabeça?

Balancei a cabeça, sorrindo.

— E o nome dele não é Eugene?

— Não — murmurei, enquanto mastigava pão com rosbife. — Ele é alto, moreno e tem dentes lindos.

— Ah, sua mãe vai ficar satisfeita.

Eu dei um soco no ombro de Seb.

— E ele tem uma voz muito sexy. Profunda e misteriosa. Como Matthew McConaughey, mas sem o sotaque texano.

Seb ergueu as sobrancelhas, zombando.

— O que o faria completamente diferente de Mc-Conaughey.

Insisti.

— Você sabe o que quero dizer. E mãos grandes… mãos enormes, com unhas muito bem cuidadas.

— Por que diabos você estava olhando para as mãos dele? — perguntou Seb, cuspindo a limonada. — Você esteve com ele por uns quinze minutos e conseguiu checar até as cutículas?

Ergui os ombros, petulante.

— Só estou dizendo que ele obviamente se cuida, e gosto disso em um homem. É importante.

Seb estalou a língua.

— Isso tudo soa muito bem, mas, em uma escala de um a dez, qual é a chance de você voltar a vê-lo?

— Sinceramente? Um ou dois. Para começar, ele tinha cara de quem tem namorada. Além disso, acho que ele já tinha bebido um bocado.

— Ele estava bêbado ou só alegre?

— Difícil dizer. Era a despedida de alguém, e acho que ele disse alguma coisa sobre ter vindo de outro pub no centro, então já estavam bebendo há um tempo. Adam parecia bem, talvez um pouco desgrenhado, mas nem sei como ele é normalmente. Um ou dois de seus amigos estavam certamente mais pra lá do que pra cá, mal conseguiam ficar em pé.

— Aposto que o Grosvenor estava adorando ter *esse tipo* de cliente — disse Seb, rindo.

— Acho que pediram que eles fossem embora mais ou menos na hora em que eu saí — respondi, sorrindo. — Os clientes mais finos estavam começando a chegar, e o bar parecia mais com os da Magaluf Strip[6] do que com os da Park Lane.[7]

— Não parece nada bom, menina — disse Seb.

Torci o nariz.

---

[6] Avenida da ilha de Majorca, na Espanha, destino popular para ingleses em férias, famosa pelos bares, pelas casas de *striptease*, pela prostituição e pelas drogas. (N.T.)

[7] Uma das áreas mais valorizadas e ricas de Londres, com muitos hotéis famosos e restaurantes finos. (N.T.)

— Não, acho que as chances de cruzar com ele de novo são bem pequenas.

— Você olhou para ele daquele jeito? — perguntou Seb.

— Que jeito?

— Você sabe. A sua cara de me-leve-para-a-cama-ou-me-perca-para-sempre? — Ele mexeu os cílios e lambeu os lábios da maneira menos sexy possível, como um cachorro depois de ganhar um biscoito. Uma vez, um de meus candidatos a pretendente dissera a ele que eu tenho um "olhar de sexo" e "lábios voluptuosos", e depois disso eu nunca mais tive paz. — E aí, olhou ou não?

— Ah, cala a boca!

— O que você estava vestindo? — perguntou Seb.

Franzi a testa.

— Minha saia lápis preta e uma blusa branca. Por quê?

— Ele vai ligar — sorriu Seb. — Se fosse aquele vestido que parece um saco, aquele que você comprou na liquidação da Whistles, então diria que não tinha chance. Mas com a saia lápis? Probabilidade de moderada a alta.

Dei uma gargalhada e joguei uma folha de alface murcha nele. Toda mulher devia ter um Seb. Ele dá conselhos brutalmente honestos, que algumas vezes podem me desequilibrar completamente e me fazer reavaliar toda a minha vida, mas hoje eu consigo lidar e ficar feliz por ele estar aqui para avaliar a situação, porque Seb está sempre certo.

— E então, o que você vai fazer quando ele ligar? — perguntou ele, tirando a folha de alface da barba e jogando-a na grama.

— *Se* ele ligar — enfatizei —, vou fazer como sempre faço. Serei modesta e recatada.

Seb riu alto e se jogou para trás, batendo nas costelas para aumentar o efeito cômico.

— Você é tão modesta e recatada quanto eu sou macho.

Fiquei tentada a esvaziar o resto da tigela de salada na cabeça dele enquanto ele se contorcia na grama, mas sabia que, se fizesse isso, nosso almoço ia acabar em uma violenta guerra de comida. Eu tinha a agenda cheia naquela tarde e queria poupar minha saia de seda de um ataque de molho de vinagre balsâmico. Por isso dei só um pequeno chute nele, com o bico da minha sapatilha de couro.

— E você diz que é meu amigo? — eu disse, arrogante, enquanto me levantava para ir embora.

— Ligue para mim quando ele ligar para você — gritou Seb para mim. Ele ainda estava rindo quando eu comecei a me afastar.

— Eu ligo para você *se* ele ligar — gritei de volta ao chegar ao limite da praça.

Naquela tarde, eu estava no meio de uma reunião quando meu celular começou a tocar. Meu cliente, um empresário chinês que, auxiliado por um tradutor, estava precisando de novos funcionários para sua empresa em expansão, gesticulou, liberando-me para atender. Sorri educadamente e balancei a cabeça de maneira negativa, mas a mensagem de "número privado" na tela chamou minha atenção. Na terceira chamada seguida, o cliente implorou com o olhar que eu atendesse.

— Com licença — eu disse, antes de sair da sala. — É bom que seja importante.

Deslizei o dedo pela tela do iPhone e atendi:

— Emily Havistock.

— Havistock? — repetiu a voz.

— Sim, em que posso ajudar?

— Por isso eles não colocam seu sobrenome no crachá — riu ele.

Uma onda vermelha subiu pelo meu pescoço, ameaçando chegar ao rosto.

— Infelizmente estou em uma reunião no momento. Posso ligar de volta para você mais tarde?

— Eu não me lembro de você soar assim tão fina e elegante também. Ou essa é sua voz de telefone?

Eu fiquei em silêncio, mas sorri.

— Está bem, me ligue mais tarde — disse ele. — Aliás, aqui é o Adam. Adam Banks.

Para quantos homens ele acha que eu dei meu número?

— Eu te mando uma mensagem — ele disse — para o caso de meu número não aparecer.

— Obrigada, eu retorno sua ligação assim que possível — respondi, desligando, mas ainda ouvi a gargalhada do outro lado da linha.

Eu não consegui mais me concentrar na reunião e me vi tentando terminá-la prematuramente. Mas também não queria parecer oferecida demais, ligando de volta para ele tão rápido. Então, quando o tradutor disse que meu cliente gostaria de me mostrar seu novo escritório, alguns andares acima, eu aceitei agradecida.

No jantar, uma semana depois, precisei explicar a Adam porque tinha demorado três horas para ligar.

— Você sinceramente espera que eu acredite nisso? — perguntou ele, incrédulo.

— Eu juro. Não fico enrolando só para me fazer de difícil. Faria você esperar uma hora, talvez. Mas três? Seria muito rude — disse, rindo.

Seus olhos franziram quando ele tentou suprimir um sorriso.

— E você estava realmente presa em um elevador todo aquele tempo?

— Sim, por três horas *muito* longas, com um homem que mal falava inglês e dois celulares muito caros e incapazes de completar uma ligação para alguém que pudesse nos tirar dali.

Ele engasgou com seu Sauvignon Blanc, cuspindo um pouco.

— A impressionante tecnologia chinesa.

Quando eu apresentei Adam a Seb, um mês depois, já tínhamos saído outras dezoito vezes.

— Você está falando sério? — lamentou Seb quando eu disse, pela terceira noite consecutiva, que não podia me encontrar com ele. — Quando você acha que vai ter espaço na agenda para mim?

— Ah, não comece a ficar com ciúmes — provoquei. — Quem sabe amanhã à noite?

— Se ele não quiser ver você de novo, suponho?

— Eu prometo, amanhã à noite é sua e só sua. — Mas, mesmo falando isso, senti um pouco de ressentimento.

— Está bem, o que você quer fazer? — perguntou ele, amuado. — Tem aquele filme do livro que a gente adorou.

— *A culpa é das estrelas*? — perguntei, sem pensar. — Adam e eu vamos assistir hoje.

— Ah. — Eu podia sentir o desapontamento dele, e imediatamente quis me estapear.

— Mas não tem problema — continuei, alegre. — Eu vou de novo amanhã com você. O livro é maravilhoso, então o filme também vai ser bom, não é? Nós *temos* de assistir juntos.

— Se você tem certeza… — disse Seb, com a voz mais animada. — Tente não gostar demais do filme hoje com seu namorado.

Não tinha muita chance de aquilo acontecer de verdade. Adam passou o filme todo inquieto ao meu lado, mexendo no celular.

— Bem, foi uma historinha com final feliz — disse ele quando saímos do cinema, um par de horas depois.

— Para você acabou — disse eu, fungando e limpando meu nariz discretamente. — Eu preciso passar por isso de novo amanhã.

Adam parou de andar e olhou para mim.

— Por quê? — perguntou.

— Porque prometi ao Seb que ia assistir com ele.

Adam ergueu as sobrancelhas, para que eu explicasse melhor.

— Nós dois adoramos o livro e juramos que, quando fizessem o filme, assistiríamos juntos.

— Mas você acabou de assistir — disse ele. — Missão cumprida.

— Sim, eu sei, mas era uma coisa que nós dois queríamos fazer juntos.

— Preciso conhecer esse Seb que está afastando você de mim — disse Adam, me puxando para perto e respirando nos meus cabelos.

— Se ele fosse hétero, você realmente teria um problema — respondi, rindo. — Mas você não tem com o que se preocupar.

— Mesmo assim. Vamos marcar alguma coisa nós três na semana que vem, aí podemos discutir os méritos e as falhas do filme idiota que acabamos de ver.

Eu bati de brincadeira no ombro dele, e ele me beijou na cabeça. Parecia que estávamos juntos desde sempre, mas a excitação só de estar perto dele borbulhava dentro de mim, eriçando cada nervo do meu corpo. Eu não queria que aquela sensação passasse nunca.

Ainda era cedo para ter certeza, mas havia algo crescendo dentro de mim, algo que ninguém via, uma esperança de que isso *fosse* alguma coisa a mais. Eu não tinha coragem o suficiente, ou talvez não fosse idiota o suficiente, para sair cantando pelos telhados que Adam era "o escolhido", mas era como me sentia. Era diferente, eu estava com todos os dedos dos pés e das mãos cruzados, torcendo para meu palpite estar certo.

Nós nos sentíamos confortáveis um com o outro. Não a ponto de eu deixar a porta do banheiro aberta, mas não ficava obsessivamente preocupada em combinar a cor do esmalte com a do batom, e muito poucos homens duraram o suficiente para ver as duas coisas acontecendo.

— Você tem certeza de que não é cedo demais para a minha avaliação? — perguntou Seb, enxugando as lágrimas quando saímos do cinema vinte e quatro horas depois. — Quero dizer, não tem nem um mês ainda, não é?

— Bem, obrigada pelo voto de confiança — respondi. Eu estava fungando de novo, mas como estava com Seb isso não tinha importância. Passei meu braço pelo dele, unindo nossas tristezas com o modo como o filme terminara.

— Sem querer soar negativo, mas está indo um pouco rápido demais, você não acha? Vocês estão se vendo quase todas as noites. Tem certeza de que isso tudo não vai passar tão rápido quanto começou? Não esqueça que sei como você é.

Sorri, apesar de me sentir um pouco magoada com a insinuação de que o que havia entre Adam e mim podia ser só um flerte rápido.

— Nunca me senti assim, Seb. Preciso que você o conheça, porque acho que o que temos pode estar indo para algum lugar. E é importante para mim que você goste dele.

— Mas você sabe que minha avaliação vai ser completamente honesta — continuou ele. — Você está preparada para ouvir?

— Acho que você vai gostar dele — eu disse. — E se você não gostar, finja.

Ele riu.

— Tem algum assunto proibido? Como aquela vez em que você me pediu em casamento, ou quando você jogou a calcinha no palco no show do Take That?

Eu ri.

— Não, tudo bem. Pode falar o que você quiser. Não tem nada que eu não queira que Adam saiba.

— Espera um segundo — disse Seb, inclinando-se para a frente e fingindo vomitar. — Isso. Agora está melhor. Onde estávamos mesmo?

— Sabe que você consegue ser um grande pé no saco quando quer? — respondi, gargalhando.

— E você me adora por isso mesmo.

— Mas, sério, Adam é bem descontraído, então não acho que você vai conseguir perturbá-lo tão fácil assim.

Tinha isso com o Adam: se ele fosse mais despreocupado, flutuaria no ar. No mundo dele, tudo estava sempre tranquilo e sob controle, como um mar sem ondas. Adam não se exaspera quando ficamos presos no tráfego atrás de um motorista dolorosamente lerdo. Não xinga os trens da Southeastern de todos os nomes possíveis quando falhas nos trilhos causam atrasos, e não culpa as redes sociais por tudo de errado que há no mundo. "Se você não gosta do que aquilo representa, por que continua acessando?", perguntou ele, quando reclamei de antigas amigas de colégio postando cada arroto, cada peido e cada palavra que seus filhos emitiam.

Nenhuma dessas coisas triviais – que me faziam cuspir fogo quase todos os minutos do meu dia – parecia afetá-lo. Talvez Adam estivesse esperando, navegando cautelosamente pelas minhas próprias ondas e correntes antes de revelar as suas, mas eu queria que ele me desse mais. Precisava saber que corria sangue em suas veias e que ele sangrava quando se cortava.

Tentei provocar reações nele várias vezes, só para ver se seu coração ainda estava batendo, mas não consegui nenhuma explosão. Ele parecia se contentar em caminhar ao meu lado, sem necessidade ou desejo de oferecer mais nada. Talvez eu esteja sendo injusta, talvez seja apenas o jeito dele, mas de vez em quando gosto de ser desafiada, mesmo que seja apenas uma discussão sobre um artigo no *Daily Mail*. Não interessa o quê, só queria alguma coisa que me permitisse ver algo do mundo dele. Mas não importava quanto eu me esforçasse, sempre acabávamos conversando sobre mim, mesmo quando era eu quem fazia as perguntas. Não nego que isso às vezes era uma mudança agradável, já que o último cara com quem saí tinha passado a noite tagarelando sobre sua obsessão por videogames. Mas as evasivas constantes de Adam me deixavam em dúvida: o que *realmente* sei sobre ele?

Por isso eu precisava de Seb. Ele é do tipo que consegue rapidamente escavar um túnel através das camadas complexas do caráter de alguém, e, muitas vezes, apenas alguns minutos depois de conhecê-lo, a pessoa já está desnudando a alma. Uma vez ele perguntou a minha mãe se meu pai tinha sido seu único homem. Eu imediatamente tampei os ouvidos com as mãos e comecei a cantarolar, mas ela confessou ter tido um caso maravilhoso com um americano, que conhecera logo antes de ela e meu pai se encontrarem. "Bem, não foi um caso no sentido que vocês, jovens, têm hoje em dia", disse ela. "Nós não tivemos encontros clandestinos e sexo ilícito, e nenhum de nós dois era casado, então não foi um caso do jeito que *vocês* entendem. Foi só um lindo encontro entre duas pessoas em harmonia uma com a outra."

Meu queixo caiu. Além do choque de descobrir que minha mãe obviamente tinha feito sexo mais do que duas vezes, aquelas que geraram meu irmão e eu, ainda por cima tinha sido com *outro homem*, e não com meu pai? Como filha, você raramente descobre essas preciosidades de tempos antigos, e antes que se dê conta, é tarde demais para perguntar. Mas quando você está perto de alguém como Seb, cada detalhe acaba aparecendo, sem você nem perceber.

No fim de semana seguinte, Adam, Seb e eu combinamos de nos encontrar em um bar em Covent Garden. Não quis sugerir um jantar, para não parecer forçado e embaraçoso, mas era como esperava que a noite terminasse, naturalmente. Não tínhamos nem terminado o primeiro drinque quando Seb perguntou a Adam onde ele tinha crescido.

— Perto de Reading — respondeu Adam. — Nós nos mudamos para Sevenoaks quando eu tinha nove anos. E você?

Aí vai ele de novo.

Mas Seb não ia se desviar facilmente de seu objetivo.

— Eu nasci no hospital Lewisham e fiquei por ali para sempre. Não no hospital, claro, mas literalmente a dois quarteirões, ao lado da High Street. Estive em Sevenoaks uns anos atrás, um cara com quem estava saindo tinha um escritório de consultoria de design lá. Muito bonito. Por que vocês se mudaram de Reading para lá?

Adam se mexeu na cadeira, desconfortável.

— Ah... Bem, meu pai morreu. Minha mãe tinha amigos em Sevenoaks e precisava de ajuda comigo e meu irmão menor. Não tinha motivo para ficar em Reading. Meu pai tinha trabalhado na Microsoft por anos, e quando ele se foi... — Adam ficou em silêncio.

— Sim, perdi meu pai também — disse Seb. — Uma droga, não é?

Adam assentiu, triste.

— E então, sua mãe ainda está sozinha ou encontrou alguém? — perguntou Seb, antes de acrescentar, se sentindo um pouco culpado. — Desculpe, presumo que sua mãe ainda está viva?

Adam balançou a cabeça.

— Sim, graças a Deus. Ela ainda mora em Sevenoaks e continua sozinha.

— É difícil quando elas moram sozinhas, não é? — perguntou Seb. — Você se sente mais responsável, apesar de você ser a criança e elas serem, supostamente, as adultas.

Adam ergueu as sobrancelhas e assentiu, concordando. Eu não tinha o que acrescentar à conversa, já que meu pai e minha mãe ainda estão vivos, então me ofereci para ir buscar mais bebida.

— Não, eu vou — disse Adam, sem dúvida aliviado em escapar das perguntas invasivas de Seb. — A mesma coisa para todo mundo?

Seb e eu concordamos.

— E então... — perguntei assim que Adam deu as costas.

— Muito bom — disse Seb. — Muito bom.

— Mas...? — continuei, sentindo a objeção chegando.

— Não sei — disse ele, enquanto meu coração ficava pequeno. — Tem alguma coisa, mas não sei direito o que é.

Naquela noite, depois de transar, quando estávamos deitados lado a lado, acariciando as costas um do outro, eu voltei ao assunto dos pais dele.

— Você acha que a sua mãe ia gostar de mim? — perguntei.

Ele se virou, apoiado sobre um cotovelo.

As luzes estavam apagadas, mas as cortinas estavam abertas e a lua brilhava no céu. Eu podia ver sua silhueta perto de mim, sentir sua respiração em meu rosto.

— Claro que ia. Ela acharia você perfeita.

Eu não pude deixar de notar o condicional: "acharia", em vez de "vai achar". Há uma grande diferença entre as duas formas – uma é hipotética, a outra é intencional. A sentença dizia muito.

— Ah, então você não tem planos de nos apresentar tão cedo, não é? — perguntei, tão suavemente quanto podia.

— Só estamos juntos há um mês — suspirou ele, sentindo a importância da pergunta. — Não precisamos ter pressa. Vamos ver para onde vai nossa relação.

— Então eu sou boa o bastante para levar para a cama, mas não para conhecer a mãe?

— Você é boa o bastante para as duas coisas — respondeu Adam, rindo. — Vamos devagar. Sem pressão. Sem promessas.

Lutei contra a sensação da garganta se fechando e virei de costas para ele. *Sem pressão. Sem promessas?* O que significava isso? E por que era tão importante? Eu podia contar nos dedos das mãos quantos amantes tivera. Cada um deles tinha significado alguma coisa, exceto pelo atípico sexo casual que tive com um estranho no aniversário de vinte e um anos de uma amiga.

Mas apesar de ter estado apaixonada e atraída sexualmente antes, eu não me lembrava de ter me sentido tão segura. Era como Adam me fazia sentir. Todas essas coisas. Todos os quadradinhos tinham sido marcados. Pela primeira vez na minha vida adulta eu me sentia inteira, como se todas as peças do quebra-cabeças estivessem finalmente no lugar.

— Está bem — concordei, incomodada pela minha própria carência. Eu teria alegremente apresentado Adam ao primo em segundo grau da tia-avó de minha mãe. Ele claramente não se sentia assim e, apesar de tudo, isso me machucava.

3

Uma buzina soou.

Pippa, que estava na janela, fumando um cigarro, gritou:

— Seu namorado chegou, em seu carro fino e elegante.

— Sshh! — respondi. — Ele vai ouvir você.

— Ele está três andares abaixo. E metade da droga do quarteirão pôde ouvi-lo buzinando, então acho que não preciso me preocupar com isso.

Eu me espremi com ela na mesma janela e acenei. Ele buzinou de volta e Bill, nosso vizinho do lado, parou de lavar o carro para olhar.

— Está tudo bem, Bill — gritou Pippa para ele. — É o namorado chique da Emily.

Bill deu de ombros e voltou a lavar o carro. Ele era o melhor tipo de vizinho que alguém poderia ter: sempre ficava de olho ou fingia que não via, dependendo da situação.

Pippa e eu não éramos a demografia típica da vizinhança; jovens casais, com dois filhos ou mais, eram a regra. Todos diziam adorar Lee, esse enclave diversificado entre Lewisham e Blackheath, mas todos sabíamos que eles estavam apenas dando um tempo ali até poderem subir aquele grande degrau até Blackheath. O código postal de Blackheath, SE3, era onde todos queriam estar, com aquele ar peculiar de vilarejo e seus grandes espaços abertos. Dizem que as vítimas da peste negra do século XVII foram enterradas ali e, por isso, o lugar recebera aquele nome, que significava literalmente "Brejo negro", mas isso não incomoda quem se reúne lá para churrascos improvisados. Muitas vezes Pippa e eu fingimos morar ali e nos juntamos à multidão, acendendo um fogo embaixo de um recipiente descartável de alumínio comprado às pressas no posto de gasolina. A gente sempre acabava chegando tarde demais para pegar os melhores lugares, perto do pub. Em geral, quando finalmente acreditávamos que o tempo ia ficar firme, eram quatro da tarde e a geladeira de carnes da Sainsbury já estava vazia.

— Oh, você está linda — disse Pippa.

Alisei a frente do vestido, apesar de não ter nenhum amassado para alisar.

— Você acha?

Eu tinha passado quase uma hora escolhendo a roupa, agonizando entre a casualidade de uma camisa linda com um jeans branco e o look mais formal de um vestido estruturado. Não queria parecer que tinha me preocupado demais, mas parecer não ter feito esforço algum era provavelmente ainda pior, então o vestido azul ganhou. Ele afinava na cintura, alargava de novo sobre os quadris e caia até abaixo dos joelhos. Tinha um decote sutil e o tecido modelava meus seios com perfeição. Como diria minha mãe, "Um vestido que realça todos os pontos certos".

— Nervosa? — perguntou Pippa.

— Na verdade, estou bem — menti. Ela não precisava saber que outra hora tinha sido gasta secando meu cabelo, arrumando--o para cima, depois tentando colocá-lo para baixo, aí para cima de novo. Fazia tempo que não deixava meu cabelo tão comprido, abaixo dos ombros, e eu tinha feito algumas luzes sobre o avermelhado natural, para realçar um pouco. Acabei prendendo-o para cima e deixando alguns cachos soltos caindo de cada lado do meu rosto, suavizando a aparência geral. As unhas, feitas uns dias atrás, estavam aguentando bem, e eu passei uma maquiagem bem leve e natural. Naturalmente chique, era a imagem que eu estava tentando passar – afinal, eu ia conhecer a mãe do meu namorado – mas, na verdade, eu teria me arrumado mais rápido para o casamento de uma amiga.

— Boa sorte — gritou Pippa quando eu abri a porta da frente. — Ela vai adorar você.

Eu queria ter toda essa certeza.

Vi Adam me observando enquanto eu andava até o carro, com um buquê nas mãos e rebolando.

— Uau, você está linda — disse ele, quando cheguei perto e me inclinei para beijá-lo. O beijo foi mais longo que o esperado, e eu o repreendi por arruinar meu batom.

— Sim, acho que você vai precisar reaplicar — disse ele, sorrindo enquanto limpava os lábios. — Você tem um par de meias-calças extra? — continuou ele, enquanto suas mãos subiam entre as minhas pernas. — Para o caso de eu rasgar estas.

Olhei para Bill, que estava polindo a capota do carro, e tirei a mão de Adam dali, sorrindo.

— Quer parar com isso? Aquele pobre homem já teve um infarto, não quero que ele tenha outro.

— Esta é possivelmente a maior diversão que ele teve em anos — riu Adam.

Estalei a língua e coloquei as flores no banco traseiro, cuidadosamente.

— Estamos tentando impressionar alguém, não é? — perguntou Adam, sorrindo.

— Dá para notar? — perguntei.

— Como você se sente sobre isso? — perguntou ele, pegando minha mão.

— Um pouco enjoada — respondi, honestamente. — Só conheci a mãe de alguém antes uma vez.

Adam riu.

— Bem, não deve ter sido muito bom, já que você está aqui comigo.

Deu um empurrãozinho nele.

— É importante. Se ela não gostar de mim, estou perdida. Você provavelmente não vai me dar nem uma carona para casa.

— Ela vai adorar você — disse ele, tentando tocar meu cabelo.

Interceptei sua mão no meio do caminho.

— Nem pense nisso. Tem ideia de quanto tempo demorou para deixar meu cabelo assim?

— Porra, você não tem tanto trabalho nem quando vai sair *comigo*. Acho que devia apresentar você para a minha mãe mais vezes — disse ele, rindo.

— Eu não preciso mais impressionar você — respondi. — Você está aqui, na palma da minha mão, bem onde quero. É sua mãe que preciso enfeitiçar agora. Com ela ao meu lado posso dominar o mundo — disse eu, soltando uma gargalhada sinistra.

— Eu disse a ela que você era normal. Melhor você começar a se comportar normalmente.

— Você disse a ela que eu sou normal? — gritei, fingindo protestar. — Isso não me faz parecer muito excitante. Você podia ter dito algo mais interessante, não é? — vi o sorriso aparecer no rosto dele. — O que mais você disse?

Adam pensou por um instante.

— Que você é engraçada, inteligente e faz um café da manhã inglês maravilhoso.

— Adam — gemi. — Só isso? É só o que eu sou para você? Uma fornecedora de salsichas?

Nós rimos.

— Você acha que ela vai gostar de mim? Honestamente?

— Honestamente, acho que ela vai adorar você. Não há como não amar.

Se essa era a forma de ele dizer que me amava, eu aceitaria. Não era perfeito, mas servia. Adam ainda não tinha dito de verdade, mas não estávamos juntos nem há dois meses. Então escolhi ver o amor nas coisas que ele fazia, como aparecer no meu escritório na hora do almoço com um sanduíche nas mãos. Ou quando ele veio ficar comigo quando eu estava com gripe, e se deitou ao meu lado enquanto eu dava fungadelas e espirrava em cima dele. Coisas que certamente valiam mais que três palavrinhas estúpidas, não é? Qualquer um pode dizer as palavras sem sentir nada. Ações falam mais alto, era minha filosofia, e eu estava me fiando nela. Pelo menos até que ele dissesse a imortal frase "Eu amo você", quando então ações não significariam droga nenhuma.

Seguimos pela A21 ouvindo a Smooth Radio; era a estação favorita da mãe dele, disse Adam. Ajudaria a me colocar no espírito. Eu teria preferido alguma coisa que tirasse o encontro com a mãe dele da minha cabeça, em vez de ficar ouvindo as músicas favoritas dela.

— Como ela é? — perguntei.

Adam considerou a questão por alguns momentos, coçando os pelos do queixo.

— Ela é como qualquer mãe, acho. Dona de casa, pacificadora, ferozmente leal e protetora com seus filhos. Espero que minha lealdade a ela seja também tão grande. Não admito que quem quer que seja fale mal dela. Ela é uma boa mulher.

Se a pressão criada pela minha necessidade de que a mãe de Adam gostasse de mim já não tivesse me soterrado, o comentário dele me enterraria. E que Deus me protegesse se eu não gostasse *dela*, tinha certeza de que estaria sozinha. Precisava fazer aquilo funcionar, pelo bem de nós duas.

Fiquei agradecida quando o rádio começou a tocar "Summertime", de Will Smith, e nós dois cantamos juntos, palavra por palavra, até o verso *e o aroma da carne traria lembranças.*[8]

— Não é *o aroma da carne*. — Ele soltou uma gargalhada. — É *garota, seu charme*.

— Ah, não seja ridículo — respondi. — *Garota, seu charme*? Eles estão em um churrasco, assando linguiças na grelha e falando do charme de uma garota que nem apareceu na história? De jeito nenhum.

Ele olhou para mim como se eu estivesse maluca.

— Que corte de carne traz lembranças?

— Eu não acredito que estamos discutindo esse assunto. Todo mundo sabe que é *o aroma da carne*.

— A gente olha no Google quando chegar na casa da mamãe.

Eu gostei do modo como ele disse "na casa da mamãe" em vez de "na casa da *minha* mãe". Fez eu me sentir mais incluída.

---

[8] No original, "The smell from a grill could spark up nostalgia".

— Essa *Smooth Radio* é uma descoberta — eu disse. — Eu não imaginaria que sua mãe era fã de *Big Willie Style*. Quem diria?

A expressão dele mudou e o ar dentro do carro pareceu gelar.

— É da minha mãe que você está falando — disse ele, com a voz um pouco tensa. — Não achei muito apropriado dizer isso, você achou?

Eu ri, supondo que ele estivesse brincando. Mas ao ver sua expressão mudar de suave para fechada, devia ter percebido que não era brincadeira.

— Oh, pode ir descendo desse pedestal — falei sorrindo, esperando que o riso também aparecesse no rosto dele, mas Adam continuou tenso.

— Você foi desrespeitosa.

Eu contive um risinho.

— Meu Deus, eu estava só…

— Você estava só o quê? — explodiu Adam. Ele deu sinal e mudou para a faixa lenta, e meu peito apertou enquanto eu previa os próximos minutos. Podia vê-lo pegando o próximo retorno. Eu, largada na calçada em frente ao meu prédio, enquanto ele acelerava e desaparecia. Como é que a gente foi tão rápido de brincadeiras para isso? Como tudo podia ter dado tão errado em tão pouco tempo?

Os nós de seus dedos estavam brancos, pela força com que ele se agarrava com as duas mãos ao volante. Eu estendi o braço e coloquei gentilmente minha mão sobre a dele.

— Desculpe-me — eu disse, sem saber direito porque estava me desculpando.

— Você quer fazer isso ou não? — perguntou ele, com a voz mais suave. — Se você não estiver pronta, podemos simplesmente cancelar…

Adam fez aquilo soar como se fosse algum tipo de teste pelo qual eu tinha que passar. Talvez fosse.

— Desculpe — continuei, com a voz suave. Eu não queria que minha voz soasse tão conciliadora, mas estava tão chocada que não consegui evitar.

Ele mudou o rádio para a Kiss FM e passamos o resto do caminho em silêncio.

4

Eu sempre prometi a mim mesma que não seria este tipo de mãe, mas me deixa mostrar essa aqui para você.

Adam gemeu quando sua mãe começou a folhear o grande álbum de fotografias de couro marrom assentado em seu colo.

— Oh, pare de reclamar — replicou ela. — Você foi um bebê lindo.

Ela apontou para o tecido floral do assento ao seu lado, e eu me acomodei ali.

— Veja aqui — apontou ela. — Esses são Adam e James, no jardim de nossa casa lá em Reading. Eles têm treze meses de diferença, mas não dá para dizer quem é quem, não é? Eles foram bebês tão bonzinhos. Todos os vizinhos falavam de como tinham rostos rechonchudos e rosados e nunca choravam. Eram perfeitos.

Olhei para Adam, que tinha estalado a língua e se afastado, com as mãos nos bolsos, até a estante de livros do outro lado da sala. Sua cabeça estava inclinada, enquanto ele lia as lombadas de uns vinte álbuns enfileirados nas prateleiras, cada um cuidadosamente catalogado por ano.

— É encantador ter tantas fotos — comentei. — Fotos de verdade, que você pode olhar e pegar na mão.

— Ah, você tem razão, querida. Ninguém mais imprime as fotos, não é? As pessoas só tiram e largam em seus telefones, e nunca mais olham para elas. Um desperdício. É assim que fotos devem ser mostradas.

Ela acariciou o filme plástico que separava a foto de um Adam radiante, aos quatro anos, exibindo orgulhosamente um peixe, que visivelmente era um filhote. Atrás, um homem sorria para as lentes da câmera.

— Este é o pai de Adam? — perguntei, hesitante.

Adam tinha se desculpado por explodir comigo mais cedo, mas eu ainda me sentia caminhando sobre gelo fino. Nunca tinha visto esse lado dele antes. Fiquei pensando se estava sendo "imprópria" perguntando sobre seu pai, mas ele não se virou para me olhar. Continuou imóvel, os ombros eretos.

Houve uma pausa momentânea antes de a mãe dele responder.

— Sim — respondeu ela com a voz abafada. — Esse era o meu Jim. Ele era um homem tão bom, um verdadeiro pilar da comunidade. "Lá vêm Pammie e Jim", todos diziam, onde quer que fôssemos. Éramos um casal perfeito.

Seu peito começou a arfar e ela rapidamente tirou um lenço da manga da blusa.

— Desculpe-me, querida — disse Pammie, assoando o nariz. — Ainda me afeta, mesmo depois de todos esses anos. Sei que é bobo, mas não consigo evitar.

Estendi a mão e apertei a dela, levemente.

— De jeito nenhum. Deve ter sido terrivelmente difícil para você. Nem consigo imaginar. E seu marido era tão jovem, não era?

— Está tudo bem, mamãe, tudo bem — disse Adam, gentil, aproximando-se e ajoelhando na frente dela. Ela imediatamente soltou minha mão e segurou o rosto dele, seus dedos acariciando a barba de duas semanas. Lágrimas correram pelo rosto dela, e ele as enxugou gentilmente.

— Está tudo bem, mamãe. Está tudo bem.

— Eu sei, eu sei — disse ela, aprumando-se, como se a mudança de posição lhe desse mais força. — Não sei por que ainda fico assim.

— É perfeitamente normal — eu disse, removendo minha mão de onde ela a tinha soltado, sobre seu joelho.

Passei um cacho solto por trás da orelha e, olhando para Pammie, senti uma onda de culpa me afogar. Tinha gasto boa parte dos últimos três dias planejando todo esse evento em minha cabeça: o que ia vestir, como eu queria ser vista, como deveria agir e o que devia falar. Como fui egoísta. Essa mulher, independentemente do quanto se cuidava, não tinha como esconder os anos de dor e luto, cujo peso literalmente fazia seus ombros afundarem. O cabelo repicado, cortado de forma a emoldurar seu rosto e seu pescoço, com seus reflexos cinza tão *en vogue*, tão bem distribuídos que só podiam ter sido feitos em um salão, não tinha como disfarçar sua dor. Nem a pele lisa como porcelana, que se transformava em rugas profundas em torno de seus olhos tristes e vazios, enquanto me olhava mordendo o lábio inferior. O choque e o pesar de perder seu adorado marido há tantos anos, pouco depois de se tornarem pais, ainda estavam esculpidos em seu rosto. Lá estava um casal embarcando em um novo e excitante capítulo de suas vidas, mas aí ela enviuvara e ficara sozinha para cuidar de duas crianças. A importância da minha aparência e do que eu deveria vestir agora parecia pateticamente trivial. Bem como as palavras duras de Adam mais cedo. Havia uma história bem maior aqui e, se eu quisesse ser parte dela, tinha que perceber o que era e o que não era importante.

— E suponho que precisamos agradecer a essa moça adorável aqui por esta novidade? — perguntou ela, forçando um sorriso enquanto acariciava a barba de Adam.

Eu levantei as mãos, fingindo remorso.

— Culpada — declarei. — Adoro. Acho que fica muito bem nele.

— Ah, fica, fica sim — concordou ela. — Faz você ficar ainda mais bonito. — Ela o puxou para perto e se aconchegou em seu peito. — Meu lindo menino. Você sempre vai ser meu lindo menino.

Adam, desajeitado, se soltou dela e olhou para mim, seu rosto corado.

— Vamos almoçar? Podemos ajudar em alguma coisa?

Pammie estava parando de fungar. Ela puxou as mangas do casaco e alisou a saia.

— De jeito nenhum — declarou, balançando um dedo. — Está pronto. Preparei tudo pela manhã. Talvez, Adam, você possa me ajudar a trazer as coisas da cozinha.

Eu comecei a me levantar do sofá.

— Não, não — insistiu ela. — Você fica aqui.

Ela deitou o álbum de fotos cuidadosamente sobre a almofada ao meu lado e seguiu Adam até o outro cômodo.

— Demoramos só um segundo.

Eu não queria continuar olhando as fotos sem Pammie e Adam – de alguma forma me pareceu uma intromissão –, mas me permiti olhar para a página que estava aberta na minha frente. No canto superior direito, havia uma foto de Adam, seus braços envolvendo firmemente uma mulher, seus lábios roçando levemente o rosto dela. Meu coração oscilou, e eu peguei a foto para olhar melhor. O casal exalava felicidade quando a câmera capturou o flagrante indiscreto. Não era uma foto posada ou ensaiada, era um momento espontâneo fotografado, o casal estava alheio à câmera bisbilhoteira. Lutei contra o aperto no peito e repeli sua tentativa de subir por minha garganta.

Sabia que Adam tivera namoradas antes de mim – claro que teve –, mas isso não evitava que a insegurança aparecesse. Ele parecia tão descontraído e inteiro; eu achava que ele era feliz quando estava comigo, mas a expressão na foto era diferente, algo que eu não tinha visto antes. Seu cabelo estava mais longo, seu rosto mais cheio, mas acima de tudo ele parecia despreocupado, sorrindo para a vida. A garota também estava igualmente à vontade, cachos castanhos macios caíam em volta de seu rosto, e seus olhos riam enquanto os braços fortes de Adam a envolviam.

Será que nós também pareceríamos assim se tirassem uma foto nossa? Nossos rostos mostrariam o mesmo desamparo? Nossos sentimentos um pelo outro estariam assim aparentes para todos verem?

Eu me repreendi por permitir que a dúvida e o ciúme infantil aflorassem. Se fossem felizes, não teriam se separado, não é? Ainda estariam juntos e meu caminho jamais teria cruzado o do Adam.

— É a vida — tinha dito Adam quando perguntei, na terceira semana de nossa relação, por que ele e sua última namorada tinham se separado. — Algumas vezes as coisas acontecem e você não tem nem como entender. Você tenta achar uma razão para justificar as coisas, mas nem sempre acha uma resposta. É a vida.

— Você soa como se não quisesse ter se separado — eu disse. — Foi ela quem quis acabar o relacionamento? Ela traiu você?

— Não, não foi assim — disse ele. — Não vamos falar sobre isso. Aquilo é passado, o presente somos nós. — Adam colocou seus braços em volta de mim e me puxou para perto. Ele me abraçou como se não quisesse nunca mais soltar, respirando no meu cabelo e beijando minha cabeça. Olhei para ele, examinando seu rosto: seus olhos castanho-claros, manchados de pontos verdes, cintilavam sob as luzes da Borough High Street, e aquele queixo forte, que uma vez chamei de esculpido, o que fez ele rir e dizer: "Você faz parecer que eu saí de uma caixa de ferramentas". Ele segurou minha cabeça entre as mãos e me beijou, primeiro suavemente, depois mais fundo, como se isso fosse impedir qualquer coisa de ficar entre nós. Para sempre.

Naquela noite, o sexo pareceu diferente. Ele me levou pela mão quando subimos as escadas para seu apartamento sobre o mercado. Raramente passávamos do vestíbulo sem perder pelo menos duas peças de roupa, mas naquela noite esperamos até chegarmos ao quarto, onde ele me despiu devagar. Estendi o braço para apagar o abajur na mesa de cabeceira e deixar as partes de mim que eu não gosto no escuro, mas Adam segurou minha mão.

— Não. Deixe aceso, quero ver você.

Ainda assim minha mão permaneceu parada, minhas inseguranças lutando contra o desejo de fazer o que ele pedia.

— Você é absolutamente linda — sussurrou Adam, enquanto seu dedo percorria meus lábios. Ele beijou meu pescoço e seus dedos desceram pelas minhas costas nuas, em toques leves que faziam meu corpo pulsar. Seus olhos não se desviaram dos meus enquanto fazíamos amor. Eles me perfuravam, procurando algo oculto dentro de mim. Pela primeira vez, Adam me deu algo que nunca tinha dado a ninguém. Não consigo explicar o que era, exatamente, mas senti uma conexão profunda entre nós. Um compromisso mudo, garantindo que o que havia entre nós era real.

Agora, olhando novamente para a foto à minha frente, eu me pergunto se era ela a mulher que ele estava tentando esquecer naquela noite. Será que ele estava se libertando das algemas que o prendiam a ela? Tinha escolhido aquele momento para cortar os últimos laços?

Pammie e Adam voltaram à sala, Adam se curvando para conseguir passar pela viga superior da porta.

— Aqui está — disse Pammie, colocando uma bandeja sobre a mesa em frente à janela. — Isso vai fazer você engordar.

Eu fechei o álbum ao me levantar, mas não antes de ver de relance a legenda abaixo da foto: *Querida Rebecca – sinto sua falta todos os dias.*

5

Você só pode estar brincando — engasgou Pippa, enquanto enfiava um pedaço de pizza na boca.

Balancei a cabeça em negativa.

— E você tem certeza de que eles eram um casal? Assim, um casal de verdade, e não apenas bons amigos? Talvez fossem só companheiros, parte de um grupo maior.

Balancei a cabeça mais uma vez.

— Acho que não. Eles pareciam muito próximos. Como você imaginaria que são os casais apaixonados.

Pippa parou de mastigar e uma faixa de franja tingida de rosa caiu sobre seu olho esquerdo.

— Ela pode não estar morta.

— Precisa estar. Senão, como explicar o "sinto sua falta todos os dias"? Ninguém escreve isso sobre alguém que está levando a vida feliz a um quilômetro dali.

— Talvez a mãe dele... Pammie, não é?

Assenti.

— Talvez ela gostasse muito da moça, e quando eles se separaram Pammie ficou triste, e sentiu muita saudade dela? — Ela sabia que estava se agarrando a fios soltos muito finos.

Dei de ombros. A bem da verdade, uma pequena parte de mim gostaria, egoisticamente, que a mulher *estivesse* morta, em vez de estar viva e ser objeto daquela "saudade" de Pammie, forte o bastante para ela sentir a necessidade de escrever aquela legenda sob uma foto. Seria muita expectativa para preencher.

— Por que você não perguntou ao Adam quando vocês estavam voltando? — perguntou Pippa.

— Não quis forçar a barra — respondi. — A gente teve uma conversa estranha na ida, e ele obviamente é muito protetor com a mãe, então preciso tomar cuidado.

— Mas você não estaria perguntado sobre a mãe dele, estaria perguntando sobre a possibilidade de ele ter tido uma namorada que morreu. É importante, Em. E, se isso for verdade, deveria já ter aparecido antes em alguma conversa... Você não acha? — Ela acrescentou essa última pergunta gentilmente, como que para suavizar a brutalidade da sentença anterior.

Eu não sabia o que pensar. Toda vez que eu tentava responder à pergunta, precisava me lembrar de que nós só estávamos juntos há pouco mais de dois meses. Parecia mais porque tinha sido intenso, mas como você pode querer contar a alguém tudo sobre as décadas anteriores da sua vida em oito semanas? Mencionamos ex-parceiros e ex-parceiras, claro, mas ainda estávamos, até certo ponto, contornando esses assuntos para não deixar as coisas muito profundas rápido demais. Todas as vezes que falávamos do passado, nós dois tomávamos cuidado para manter a leveza. Uma namorada morta não era algo que teria entrado naturalmente em qualquer uma das conversas que tivemos até agora. Nem o meu ex, Tom. Mas não tive problema em dividir o pequeno delito da minha noite com Graham ou Giles – ou como quer que ele se chamasse.

— Isso é um choque! — riu Adam, nós dois sentados um de frente para o outro, dividindo um Rocky Road Sundae na TGI Friday's de Covent Garden, algumas semanas atrás. — Você transou com um homem e nem sabe o nome dele?

— Ah, isso nunca aconteceu com você? — esbravejei.

— Confesso já ter passado a noite com uma estranha, mas eu com certeza perguntei o nome dela primeiro, e ainda me lembro do nome até hoje.

— Então me diga, pessoa melhor que eu, qual era o nome dela?

Ele pensou por um instante.

— Sophia — exclamou, orgulhoso.

Eu ri da presunção.

— E então vieram Louisa, Isabelle, Natalie, Phoebe...

Eu pesquei um pedaço de marshmallow com a ponta do canudo e lancei contra ele.

— Mas então o que você vai fazer? — perguntou Pippa, trazendo-me de volta ao presente. — Você acha que é algo que precisa saber ou consegue deixar como está?

— Eu gosto mesmo dele, Pip. E, exceto por isso, tudo está indo muito bem. Nunca me senti assim antes, e não quero fazer nada para estragar as coisas. É só um pequeno ponto no radar. Tenho certeza de que uma hora se resolve.

Ela assentiu e estendeu o braço para tocar minha mão, para me tranquilizar.

— E como era a mãe dele? Você acha que ela gostou de você?

— Ah, ela foi um doce. Se esforçou ao máximo para fazer eu me sentir em casa. Tive um pensamento horrível, após o incidente no carro, de que eu era só a última de uma longa fila de mulheres que ele já tinha levado para conhecer a mãe. Mas no fim, quando a gente estava indo embora, ela me chamou de lado e me disse: "Você é a primeira garota que ele traz em casa em muito, muito tempo...".

— Certo, isso é muito positivo — disse Pippa, prática, tentando me fazer esquecer da coisa da ex. — A mãe dele adora você. Dizem que o caminho para o coração de um homem sempre passa pela mãe dele.

— Eu achava que era pelo estômago — ri.

— Ah, por aí também, mas nós todas sabemos que na verdade é pelo pau!

Engasguei com meu vinho, e ela caiu do sofá.

Os dias nunca eram monótonos quando Pippa estava por perto. Sua habilidade em mandar a vida para o inferno quando as coisas não iam bem foi o que me aproximou dela, quando nós duas nos conhecemos trabalhando em uma loja de sapatos. Nossa chefe lá, Eileen, não gostava nada do mau humor de Pippa, e era só uma questão de tempo antes de elas baterem de frente.

— Acho que não vou ter essa bota tamanho trinta e oito — ela ouvira Pippa dizer para uma cliente —, mas tenho essa sapatilha de balé tamanho trinta e três, se você preferir.

Lágrimas de riso rolaram dos meus olhos, e pedi licença à minha cliente para correr até o estoque. Pippa veio atrás, Eileen logo atrás dela.

— Um certo nível de profissionalismo é esperado quando lidamos com as clientes — tinha dito ela, apontando o dedo para nós. — Vocês duas passaram dos limites hoje, e vou conversar sobre isso com meu superior.

— Ora, Eileen, vamos lá — tinha dito Pippa, com uma voz esganiçada. — Acho que o que você quer dizer é...

Eu mal pude respirar, meu rosto ficou vermelho e minha bexiga ameaçou soltar quando Eileen, que por acaso tinha um cabelo encaracolado escuro, encarou Pippa.

— Se você acha que isso é engraçado... — tinha começado ela.

— Você já considerou usar um macacão...? — tinha perguntado Pippa, educadamente, antes de pedir demissão. Só sobrevivi mais uma semana ali antes de sair também, mas pelo menos cumpri meu aviso prévio. Adoraria ter a ousadia de Pippa, mas não era tão corajosa ou tão feroz quanto ela. Acreditava que precisava das referências para conseguir outro trabalho, mas Pippa nem ligava. Em sua defesa, ela estava certa. Foi contratada para todas as vagas para as quais se candidatou em bares e estava no meio do curso de saúde da Open University.

Éramos muito diferentes, mas ao mesmo tempo muito parecidas. Eu não conseguia pensar em nada pior que sair à noite para trabalhar, e preferia furar meus olhos com agulhas a voltar a estudar, mas assim tínhamos um esquema perfeito. Eu trabalhava em período integral de segunda a sábado, com as quartas de folga, e ela trabalhava todas as noites no All Bar One, em Covent Garden, e estudava de dia. Nunca nos encontrávamos e, por isso, era ótimo quando passávamos os domingos juntas para conversar sobre os acontecimentos da semana. Invariavelmente, era eu quem precisava de orientação e de um porto seguro, pois a maioria das atribulações da vida pareciam escorrer como água pelas costas de Pippa, sem nunca grudar. Ela era muito mais despachada que eu, descartando homens a torto e a direito por mero capricho, e nunca se curvava às regras do jogo ou impostas pela sociedade. Eu gostaria de ter um pouco mais dessa despreocupação dela, em vez de me atolar com a necessidade obsessiva de analisar detalhadamente cada situação. Mas nas raras vezes em que eu tinha deixado a cautela de lado, sempre tinha me machucado, então talvez isso não fosse tão bom assim. Foi o fato de querer ser mais como Pippa que tinha me levado a agir de forma tão diferente com Grant ou Gerry – com certeza começava com G – na festa de vinte e um anos da Beth.

— Por que você não me conteve? — lamentei no dia seguinte, quando estávamos as duas na cama, assistindo à Netflix e me lembrando dele me erguendo em seus braços e me carregando para fora, minhas pernas cruzadas em volta da sua cintura. — Deve ter sido óbvio. Todo mundo deve ter notado.

— Isso é que foi fantástico — disse ela. — Uma vez na vida você não se preocupou com coisa alguma. Você fez o que desejava fazer, sem se importar com o que as pessoas iam pensar.

Esse era o problema.

— Eu nunca mais vou sair de casa — grunhi, enterrando o rosto nas mãos, e ali, naquele momento, eu falava sério.

6

Por mais que eu tentasse, não conseguia evitar que Rebecca entrasse em meus pensamentos. **Queria** saber quem ela era e o que tinha acontecido entre eles, mas tinha medo de abrir uma caixinha que não estava certa se queria mesmo que fosse aberta. Adam estava estranho desde nossa visita à sua mãe, há duas semanas, então acabei presa naquele círculo de "sinto sua falta todos os dias", na esperança que de alguma forma tropeçássemos no assunto.

Minha primeira chance veio quando Adam e eu montamos a árvore de Natal no meu apartamento. Ele ficou preocupado de estar tomando o lugar de Pippa, mas ela não tinha a menor paciência para essa tarefa delicada. Por três anos, eu tinha feito aquilo sozinha, enquanto ela passava a maior parte do tempo observando, sentada no sofá jogando bolinhas de amendoim cobertas de chocolate para cima e pegando com a boca. Mas ela sempre ficava agradecida e me pagava pelo esforço com uma garrafa de Advocaat.[9] Acabou se tornando uma espécie de tradição, apesar de nenhuma de nós saber por que ela fazia isso.

— Deve haver uma boa razão para a gente não tomar isso o ano inteiro — disse a ela no Natal passado. Estávamos no terceiro *snowball*,[10] e nem estávamos mais interessadas na cereja do drinque.

---

[9] Um licor de ovos e conhaque de origem alemã. (N.T.)
[10] Drinque feito com Advocaat e limonada. (N.T.)

— Eu sei — concordou ela. — Mas ele fica lá, na prateleira de produtos de Natal do mercado, todo esperançoso, otimista, implorando a quem passa "Por favor, me leve. Só vou estar aqui por pouco tempo. Você sabe que vai se arrepender se não me comprar".

Eu ri e continuei.

— "E se alguém aparecer de surpresa durante as festas, querendo *eggnog*? Como você vai se virar sem mim?"

Era uma tradição ancestral, mas, ainda assim, nunca tivemos uma visita pedindo Advocaat e limonada. Nem quando os vizinhos apareciam na casa de meus pais durante minha infância. Ninguém por pelo menos trinta anos. Nunca.

Mas não havia nada como Advocaat para me deixar em clima natalino, e eu fui buscar a garrafa no fundo do armário da cozinha. Voltei balançando o líquido coagulado dentro da garrafa.

— Que tal essa belezinha? — perguntei a Adam – bem, ao traseiro dele, a única parte de seu corpo que não estava embaixo da árvore – enquanto ele arrumava o fio da extensão.

— Suponho que isso seja do ano passado, não? — perguntou ele, saindo de dentro dos galhos e olhando para cima.

Assenti.

— Mas não tem prazo de validade — respondi, como que pedindo desculpas.

— Estou bem, obrigado — respondeu Adam, sorrindo amarelo. — Olha só, o que você achou?

Demos um passo atrás, admirando nossa obra.

— Agora vamos descobrir se devíamos ter testado as luzinhas antes de colocá-las na árvore — disse ele.

Milagrosamente, pela primeira vez em anos, as luzes funcionaram imediatamente e nos jogamos no sofá, aliviados e orgulhosos.

Cruzei a perna sob o corpo e me virei para ele, que sorria de uma orelha a outra, muito diferente da expressão séria das últimas duas semanas. "Está tudo bem" era só o que Adam dizia sempre que eu perguntava por que ele estava tão quieto.

— Como estão as coisas no trabalho? — perguntei agora, enquanto observava aquela bebida suspeita endurecendo no meu copo.

— Melhores — respondeu ele, suspirando. — Nesta semana, eu finalmente consegui respirar.

Então eram problemas no trabalho que estavam enchendo sua cabeça. Todos os "e se" que andaram zumbindo dentro da minha mente ficaram em silêncio. *E se* ele não quiser mais ficar comigo? *E se* ele conheceu outra pessoa? *E se* ele estiver procurando um jeito de me contar? Exalei devagar, contente em saber agora que o problema era no trabalho. Dava para lidar com isso.

— O que aconteceu? O que estava sufocando você? — perguntei.

Adam bufou.

— A conta na qual eu estava trabalhando se tornou maior do que tínhamos previsto. Achei que dava para levar e estava conseguindo manter tudo em dia, mas então nós tivemos um problema.

— Qual problema? — perguntei, erguendo as sobrancelhas.

— Só um problema de TI, algo que dá para administrar. Mas ia demorar um tempo que não tínhamos.

— E o que mudou?

— Os mandachuvas finalmente viram o problema e trouxeram mais uma pessoa para a equipe. E fez toda a diferença, graças a Deus.

— Que bom! — disse. — Você se deu bem com ele?

— É uma mulher, na verdade — ele fez uma pausa minúscula. — E sim, na verdade, ela é boa.

Dois "na verdade" na mesma frase? Normalmente ele é tão eloquente. Fiz força para que meu sorriso não mudasse, nem sequer tremesse contra os músculos que o prendiam.

— Legal — disse, no tom mais casual que consegui. — Qual o nome dela?

— Rebecca — respondeu ele, indiferente. Eu esperei que continuasse, mas o que mais ele poderia dizer? A pergunta estava respondida. Ainda assim, por que eu achei que a reticência dele era tão significativa?

— Que engraçado — falei, sem saber bem o que dizer.

— O quê? — perguntou ele, cautelosamente, como se sentisse o que eu ia dizer, ainda que nem eu soubesse direito ainda.

— Que o nome dela seja Rebecca.

Adam se virou e me encarou.

— Suponho que não seja a *sua* Rebecca — continuei, dando um risinho para tirar o peso da frase.

Adam me olhou por um momento com a testa enrugada, balançou a cabeça devagar e desviou o olhar.

Eu não sabia se queria saber mais sobre a Rebecca do trabalho ou sobre a Rebecca *dele*. Era difícil decidir qual era a mais problemática.

— Por que seria estranho, não é? — continuei. — Imagina, uma ex aparecendo no trabalho. Como você ia se sentir?

Adam esfregou os olhos com o polegar e o indicador.

— Muito difícil acontecer algo assim.

— Como ela é, então? Essa Rebecca? — decidi lidar com a ameaça imediata primeiro. — Ela parece ter ajudado bastante.

— Sim, ela é boa. Parece saber o que está fazendo, e isso me poupa o trabalho de ter que ficar checando tudo o que faz. Aparentemente ela está na empresa faz algum tempo, mas não tenho ideia de onde eles a tinham escondido.

E isso quer dizer que ele a teria notado, se ela não estivesse escondida? Eu não queria saber se ela era boa no trabalho, só queria as medidas e a cor do cabelo. Eu sabia que as perguntas pulando na minha cabeça, se eu as enunciasse em voz alta, iam me fazer parecer uma namorada obsessiva e paranoica. Mas não era bem isso que eu era? Não foi nisso que Tom tinha me transformado? Não consegui me conter.

— Ela é bonita? — perguntei. Sua testa enrugou como se ele estivesse tentando descobrir a resposta mais diplomática possível. Se dissesse "não" muito rápido, eu saberia que ele estava mentindo. Se dissesse "sim", ele estaria maluco. Nós dois sabíamos que Adam não podia vencer.

— Ela é normal, acho — foi o que ele conseguiu dizer, o que, considerando as opções, foi uma boa tentativa.

— A sua ex, a Rebecca, ela trabalha na City? — perguntei.

Adam endireitou as costas.

— Não — respondeu, hesitante.

Era só isso que eu ia ter como resposta?

— Então ela não trabalha na mesma área? Não foi assim que vocês se conheceram?

— Eu não me lembro de ter mencionado a Rebecca — disse ele, tenso.

Uma onda de calor se espalhou por mim a partir dos dedos dos pés, quando lentamente me dei conta de que ele realmente não tinha falado dela. Eu tinha juntado o "e se a gente não falar sobre esse assunto" de Adam com uma foto dele e uma mulher que eu supus se chamar Rebecca e deixado minha imaginação voar. Tudo o que eu queria era sugar minhas palavras estúpidas e inseguras de volta.

— Qual o problema aqui? — disse ele, virando-se para mim, com a expressão séria.

Eu me aproximei dele, passando seu braço sobre meu corpo enquanto deitava a cabeça em seu colo. Uma distração tática, para dar tempo de minhas bochechas esfriarem.

— Acho que sinto que não sei nada sobre grandes pedaços da sua vida — eu disse. — E quero saber tudo o que houver para saber. — Dei uma risadinha, pegando sua mão que descansava sobre meu estômago e levando-a até meus lábios.

Meu coração batia acelerado enquanto eu aguardava a resposta. Tinha forçado a barra? Será que Adam ia simplesmente se levantar e ir embora?

Os segundos pareciam horas. Tentei adivinhar o que ele faria sentindo seu pulso bater na coxa colada ao meu rosto.

— O que você quer saber? — perguntou ele, afinal.

Eu deixei escapar o ar que estava prendendo.

— Tudo!

Ele riu.

— E por tudo eu imagino que você queira dizer a minha vida amorosa. Essa não é a única coisa que as mulheres realmente querem saber?

Dei de ombros e franzi o nariz.

— É óbvio, né?

Adam olhou para mim, e eu podia ver as luzes da árvore de Natal refletidas em seus olhos. Meu estômago girou quando ele sorriu.

— Está bem, você primeiro... — disse ele. — Qual o lugar mais estranho onde você fez amor?

Eu quase engasguei e me sentei.

— Essa é fácil... eu fiquei com um cara uma vez em um campo de críquete. Mas você já conhece essa história.

— Conta de novo... devagar. — provocou ele.

Tentei bater na cabeça dele com uma almofada, mas ele me interceptou no ar.

— Está bem: você já se apaixonou alguma vez? — perguntou ele.

— Não, é a sua vez — respondi.

Ele inclinou a cabeça e ergueu as sobrancelhas.

— Sim ou não?

O ar foi subitamente tomado por um clima de antecipação. Engraçado, não é, como um ato físico muito real como o sexo, mesmo com um estranho sem nome, pode ser discutido com humor jovial, mas falar sobre uma emoção invisível chamada amor é sempre tenso.

— Uma vez — cedi, determinada a manter minha voz calma e firme.

— Por quem?

— Um cara chamado Tom. Eu o conheci no trabalho, na minha fase de vendedora de loja.

Adam me olhou, sem entender.

— Você sabe. Entre a fase de cabeleireira e a fase de decoradora de interiores. — Eu tinha certeza de que já tinha comentando com ele em algum momento meu currículo estranho.

— Ah — suspirou Adam. — Os anos de aprendizado.

Sorri, agradecida por ele ter aliviado a intensidade da conversa.

— E então, o que aconteceu?

Eu limpei a garganta.

— Nós nos conhecemos quando eu tinha vinte anos, ficamos juntos por quase três anos e eu comecei a achar que tínhamos um futuro.

— Mas?

— Mas, apesar do que eu sentia por ele e do que ele alegava sentir por mim, Tom achou uma boa ideia dormir com outra pessoa.

— Oh — disse Adam. — Como você descobriu?

— Era uma grande amiga minha, a querida Charlotte, que decidiu que seu amor por ele era maior que nossa amizade.

— Meu Deus. Suponho que vocês não sejam mais amigas.

Dei uma risada seca.

— Por incrível que pareça, não. Eu nunca mais falei com ela e não tenho nenhuma intenção de fazer isso de novo.

— Então ele foi seu último namorado... antes de nos conhecermos? — continuou Adam.

— Sério, você já fez quinhentas perguntas e eu ainda não fiz nenhuma — reclamei, rindo. — Ele foi meu único namoro sério. E tive outras relações nos últimos três anos, mas ninguém importante, até conhecer você.

Ele sorriu.

— Agora é minha vez, de verdade — insisti.

Adam encostou e olhou diretamente para a frente, evitando meu olhar.

— Então, e você? Você já se apaixonou?

O pé dele acariciou a ponta do tapete azul-escuro sob a mesinha de café. Eu não queria forçar nada, se a ferida ainda estivesse aberta. Esperei mais um pouco.

— Não tem importância — disse, com mais ênfase do que eu sentia. — Se é...

— Sim — disse ele, suavemente.

Eu me atrevi a adivinhar.

— Por Rebecca?

Ele assentiu.

— Achei que ia passar o resto da vida com ela... Mas não era nosso destino.

A resposta me fez desejar nunca ter perguntado.

— Mas, de qualquer forma, chega disso — disse ele, como que voltando do lugar onde estivera. — Eu queria perguntar o que você acha de a gente passar um tempo juntos no Natal. Se for complicado, vou entender... você entende, se for... eu só pensei...

Estendi o braço e coloquei um dedo sobre seus lábios. Sorrindo, Adam disse:

— Isso é um sim, então?

Adam me puxou para junto dele e me beijou.

— Então você vem para a ceia de Natal? — perguntou ele, excitado.

Franzi o nariz.

— Não posso ir à festa de Natal — disse, e os ombros dele caíram. — Mas você poderia vir até a casa dos meus pais. Eles adorariam conhecer você — acrescentei.

— Você sabe que não posso — disse ele, com a voz triste. — Minha mãe vai estar sozinha. James vai almoçar com a namorada, Chloe, então preciso estar lá. É uma época do ano difícil para ela.

Balancei a cabeça, concordando. Ele já tinha me contado que o pai deles tinha morrido dois dias antes do Natal.

— Por que você não vem no dia 26? — perguntou ele.

— Mas meu irmão e a mulher dele vêm almoçar dia 26, com a bebê. — No mesmo momento em que dizia isso, soube que era mais fácil eu ir me encontrar com eles do que o contrário. Meus pais iam ter a companhia de Stuart, Laura e da bebê. Pammie teria sorte se encontrasse algum vizinho.

— Eu acho que poderia aparecer depois do almoço... — ofereci.

— E dormir lá? A gente poderia sair no dia seguinte, encontrar algum pub legal ou coisa assim.

Parecíamos crianças entusiasmadas bolando um plano.

No dia seguinte, telefonei para Pammie para saber se ela concordava. Pareceu ser o mais educado a fazer.

— Bem, isso é inesperado — respondeu ela, o que me fez imediatamente ficar com um pé atrás.

— Oh, sinto muito, Pammie. Achei que Adam já tinha falado com você. Ele disse que ia ligar logo cedo.

— Não, querida — disse ela. — Mas não faz mal. Vai ser ótimo ver você. Você vai passar a noite aqui?

— Sim — eu disse. — Mas provavelmente não vou chegar aí antes do início da noite.

— Então você vai tomar chá conosco? — perguntou ela.

— Minha mãe vai fazer peru no almoço, então posso comer

qualquer coisinha à noite — disse eu, não querendo ser rude ou mal-agradecida.

— Mas não vamos poder esperar você...

— Meu Deus, de jeito nenhum, vocês comem e eu chego quando conseguir.

— Bom, é que o Adam fica com fome, e ele estaria faminto a essa hora.

— Sim, claro, eu entendo. Vocês comem, e tomamos chá juntos mais tarde, quando eu chegar.

— Então a gente come juntos? — continuou ela, como se não estivesse me ouvindo.

— Assim está ótimo — disse eu, sem saber direito com o que estava concordando.

7

Na hora aquilo pareceu ser uma grande ideia, mas na verdade, depois que cheguei na casa de mamãe e papai, percebi que eu teria ficado feliz em continuar ali. Era quente e aconchegante, e me fazia lembrar de Natais anteriores quando eu, uma menina de sete anos cheia de entusiasmo, acordava meu irmão menor no meio da noite. Nós nos esgueirávamos escada abaixo, aterrorizados com a ideia de ver o Papai Noel, mas sem querer perdê-lo também.

— Ele vai saber que não estamos dormindo — sussurrou Stuart.

— E se não estivermos dormindo, ele não vai deixar nenhum presente.

— Sshh — eu respondi, com o coração na boca. — Cubra os olhos com a mão e olhe só pelo buraquinho entre os dedos.

Tateávamos no escuro apoiados nos corrimões e seguíamos devagar, hesitantes, em direção à árvore no canto da sala, passando pela lareira onde tínhamos deixado um copo de leite e um pedaço de empadão. Eu espiava por entre os dedos a luz da lua iluminando a sala só o suficiente para que eu visse os restos do empadão no prato. Eu suspirei.

— O que foi? Ele já veio? — gritou Stuart, ansioso. Eu conseguia ver as formas dos presentes embrulhados sob a árvore, e meu coração pulava de alegria. — Já veio! — eu disse, quase sem conseguir conter minha excitação. — Ele já veio!

Passados vinte anos, quase nada tinha mudado. Apesar de ser dia 26, ainda estávamos fingindo que era o dia de Natal. Ainda nos reuníamos em volta da mesma velha árvore. "Se não está quebrado, não conserte", tinha repetido papai pela última década, apesar de dois galhos murchos estarem precisando de reparos. Mamãe ainda insiste que não sabe de onde vieram os presentes sob a árvore, e Stuart e eu trocamos olhares, como que incitando um ao outro a acreditar.

— E então, como vai o novo romance? — perguntou minha cunhada, Laura, entre um bocado e outro das famosas batatas assadas de mamãe.

Assenti, com a boca cheia de *Yorkshire pudding*.

— Está indo bem — respondi, sorrindo.

— Ah, ela está com aquele brilho no olhar — disse papai. — Eu não disse, Valerie? Eu disse à sua mãe, algumas semanas atrás, que você estava com aquele brilho no olhar novamente.

— *Novamente*? — perguntei.

— Não foi, Valerie? — gritou ele para a cozinha, onde mamãe estava enchendo uma segunda tigela com molho. — Eu não disse que ela estava novamente com aquele brilho no olhar?

— O que você quer dizer com *novamente*? — perguntei, rindo. Stuart e eu reviramos os olhos um para o outro. Não seria Natal se papai não tomasse uns copos de xerez a mais.

— Ele quer dizer desde o Tom — lamentou mamãe, entrando na sala de jantar, vestindo ainda seu proverbial avental, apesar de ser um mistério o motivo de ela usá-lo só no Natal, já que cozinhava todos os dias. — Sinceramente, Gerald, você tem os modos de um…

Olhei para ela, esperando o fim da frase.

— Vamos lá, mamãe — disse Stuart. — Os modos de um o quê?

Eu bufei.

— Tem três conversas paralelas acontecendo aqui — gemeu mamãe, fingindo protestar. Ela passa uma boa impressão de que tudo é trabalhoso demais, mas eu sei que na verdade não tem nada que ela ame mais do que ter a família à sua volta. E agora que temos a pequena Sophie, ela está ainda mais feliz.

— Certo, os olhos de quem estavam brilhando? — perguntou papai, quase que para si mesmo.

— Você disse que eram os de Emily — disse mamãe, revirando os olhos. — Porque ela tem um novo namorado.

— E então, quando eu vou conhecer o rapaz? — perguntou papai, aumentando o tom de voz. — Espero que ele não seja um canalha, como aquele outro cara.

— Gerald! — gritou mamãe. — Olha como fala.

— Há quanto tempo vocês estão juntos? — perguntou Laura, genuinamente interessada.

— Ah, faz só três meses, não é muito tempo — respondi, em tom de brincadeira. Mas imediatamente me arrependi de fazer o que Adam e eu tínhamos soar como uma relação passageira. — Mas eu queria que vocês o conhecessem.

— Bem, só faça com que esse trate você direito desta vez. Você não tem de tolerar nenhuma...

— Gerald!

Nós todos rimos, e eu quis que Adam estivesse ali. Eu queria que ele conhecesse os malucos da minha família, para saber onde estava se metendo.

Relutei em ir embora, sabendo que ia perder a brincadeira de adivinhar os nomes de filmes por mímica, todo mundo bêbado. E a incapacidade de mamãe de lembrar quantas sílabas tem em *Dança com os lobos*. Todo Natal, Stuart dava para ela esse mesmo filme, para a gente vê-la tentando explicar o nome por mímica. Ainda assim, todo ano, agia como se fosse a primeira vez que ouvia aquele nome.

— Se cuide, querida — disse mamãe, abraçando-me na porta.

Se eu não estivesse indo encontrar Adam, teria ficado bem ali, dentro daquele abraço quente. Ela cheirava a vinho com canela e laranja.

— Obrigada, mamãe. Eu ligo quando chegar lá.

— Quer um *eggnog* antes de ir? — perguntou papai chegando na porta, com o chapéu de papel torto. — Eu comprei uma garrafa só por sua causa.

— Emily não pode beber, Gerald — ralhou mamãe. — Ela vai dirigir. E quem bebe essa coisa?

Sorri e dei beijos de adeus em todos, e apertei Sophie com força antes de me arrastar para o ar gelado da noite. Naturalmente, as estradas estavam vazias – suponho que todas as pessoas sensatas já estavam dentro de suas casas, sem a menor vontade de sair de perto do fogo e incapazes de resistir ao apelo de mais uma taça de conhaque.

Estava escuro quando estacionei em frente ao chalé de Pammie, um de uma fileira de cinco, todos com suas paredes coladas. A porta branca de madeira se abriu antes mesmo de eu desligar o farol, e o vulto de Adam preencheu a varanda, sua respiração fria ondulando no ar, sob a luz que vinha da sala atrás dele.

— Venha — acenou ele, como um garotinho excitado. — Você está atrasada. Corra.

Olhei para o relógio. Eram 17h06. Cheguei seis minutos depois da hora marcada. Nós nos beijamos na varanda. Parecia que não o via há muito tempo. Foram só três dias, mas o Natal no meio fez parecer que eu tinha perdido semanas inteiras sentada dentro de casa, vendo televisão e comendo até não aguentar mais.

— Uh, estava com saudade de você — sussurrou ele. — Venha, entre. Nós esperamos por você. O jantar vai ser servido.

— Jantar — hesitei —, mas…

Ele me beijou de novo quando eu tirei meu casaco.

— Nós estamos todos morrendo de fome, mas mamãe insistiu em esperar por você.

— Todos? Mas… — tentei de novo. Tarde demais.

— Aqui está ela! — exclamou Pammie, se aproximando e segurando meu rosto entre suas mãos. — Pobre menina, você está congelando. Venha, vamos alimentar você. Assim você esquenta.

Olhei para ela, confusa.

— Não se preocupe comigo, eu acabei de comer… — comecei a falar, mas ela já tinha virado as costas e partido em direção à cozinha.

— Espero que você esteja com fome — completou ela. — Dá para alimentar um exército com essa quantidade de comida.

Adam me deu uma taça de espumante, e, com os nervos em frangalhos, agradeci a sensação gelada na língua.

— O que vamos ter para o chá? — perguntei, tentando pronunciar bem a palavra "chá", como se eu pudesse conjurar o chá.

Eu mantive o sorriso no rosto até que Adam respondeu.

— Seria mais fácil eu dizer para você o que nós *não* temos.

— Adam, eu não consigo... — tentei novamente enquanto entrávamos na sala de jantar, mas, quando vi a mesa lindamente arrumada para quatro, com descansos de prato brilhantes, guardanapos de pano muito brancos cuidadosamente enrolados dentro de anéis de prata e um centro de mesa de cerejas e pinhas, não tive coragem.

— Aqui vamos nós — disse Pammie, cantarolando, quando chegou trazendo dois pratos já servidos com um jantar de Natal completo, mais todas as guarnições. — Este é para você. Eu pus mais, sei que você deve estar faminta pela hora em que chegou. — Meu coração parou. — Espero que você goste. Passei o dia todo na cozinha.

Eu sorri por entre os dentes.

— Parece delicioso, Pammie.

— Você senta aqui — disse ela. — E Adam, você ali. Sentem, vou pegar os outros dois.

Olhei para Adam quando ela saiu da sala e inclinei a cabeça para a cadeira vazia, a mesa posta à frente dela igual aos outros três lugares.

— Ah, é para o James, meu irmão — disse ele, respondendo minha pergunta silenciosa. — Ele apareceu sem avisar na véspera de Natal e está aqui desde então. Achei que tinha mencionado quando falamos ao telefone.

Balancei a cabeça.

— James! — gritou Pammie. — O jantar está na mesa.

Encarei o prato à minha frente. Mesmo que não tivesse comido nada por uma semana, ainda assim eu não seria capaz de atravessar aquela montanha de legumes. Só dava para ver os cantos das fatias grossas de peru sob dois pãezinhos. A cor do prato era desconhecida.

Meu estômago entupido gemeu, e discretamente abri os dois botões de cima de minhas calças justas quando me sentei. Ainda bem que minha blusa era comprida, pois precisei me levantar logo em seguida, quando James entrou.

— Não precisa se levantar por mim — sorriu ele, pegando minha mão estendida. — Prazer em finalmente conhecer você.

Finalmente? Gostei daquilo. Fazia parecer que estávamos juntos há mais tempo. E Adam tinha obviamente falado de mim.

Eu sorri, tensa, de repente me dando conta de como era esquisito estar ao lado de alguém totalmente desconhecido, mas relevante.

Adam não tinha falado muito de James, exceto para dizer que eles eram completamente opostos: Adam tinha um trabalho de muita pressão na cidade, enquanto James tinha aberto uma pequena empresa de jardinagem na fronteira entre Kent e Sussex. Adam não tinha problemas em admitir que era a recompensa financeira que o motivava, enquanto James ficava feliz em viver com dinheiro contado, desde que pudesse estar ao ar livre fazendo o que gostava.

Observei ele se sentar e estender o braço sobre a mesa para alcançar o sal e a pimenta, seus maneirismos exatamente iguais aos de Adam. Eles também eram muito parecidos, mas James tinha o cabelo mais longo e os traços mais finos, seu rosto sem rugas e sem a tensão característica da cidade.

Talvez nós também fôssemos assim, se não estivéssemos lá, nos matando, lutando para conquistar o próximo cliente e, sem dúvida, trabalhando em direção a uma morte prematura. Enquanto isso, ele só passeava, trabalhando no que amava, e, veja só, se ainda por cima pagassem pelo trabalho, aquilo seria um bônus.

— James teve um problema com sua garota — sussurrou Pammie, em tom de conspiração.

— Mamãe — lamentou ele. — Eu tenho certeza de que Emily não está interessada nisso.

— Claro que está — respondeu ela, indignada. — Não há mulher no mundo que não ame uma fofoca.

Eu sorri e assenti, enquanto ainda tentava encontrar forças para pegar o garfo e a faca.

— Veja só, nós nem estávamos assim tão certos de que ela era a moça certa para ele, não é? — continuou ela, cobrindo a mão dele, pousada sobre a mesa entre uma garfada e outra, com a sua.

— Mamãe, por favor.

— Estou só comentando, só isso. Só dizendo em voz alta o que todo mundo está pensando. Aquela moça tinha muitos... como eu diria? Problemas. E se quer saber, acho que você está melhor sem ela.

Eu consegui comer um pouquinho de cada coisa, menos as couves-de-bruxelas, oito das quais nadavam em um lago de molho.

— Oh, meu Deus! — exclamou Pammie quando me viu baixando os talheres. — Você não gostou? Eu fiz algo errado?

— Não, de jeito nenhum — respondi, embaraçada com os olhares preocupados dos rapazes. — Eu estou só...

— Mas você disse que estaria faminta, não disse? — continuou ela. — Você não disse que gostaria de tomar chá quando chegasse?

Eu assenti, em silêncio. De onde eu venho, isso não é *chá*.

— Você está bem, Em? — perguntou Adam.

— Ah, o início do amor — gorjeou Pammie. — Eu me lembro quando meu Jim costumava ficar todo preocupado comigo.

— Mamãe teve um monte de trabalho — disse Adam em voz baixa.

— Eu estou bem, está tudo delicioso, mesmo, estou só fazendo uma pausa — respondi, de cabeça baixa.

— Mas, Em, você quase não tocou na comida — continuou ela. O "Em" pareceu soar sarcástico, como uma criança provocando outra em um parquinho.

Encarei Pammie olhando-a bem nos olhos, tomando o cuidado de manter uma expressão tranquila. Ela devolveu o olhar, mas eu podia jurar que havia um brilho de satisfação e arrogância ali.

— Então, como vão as coisas na área de recrutamento? — perguntou James, mudando de assunto.

Outra dica. Adam tinha feito seu trabalho.

— Emily com certeza não quer falar de trabalho — riu Pammie.

— Desculpe, eu... — hesitou ele.

— Não tem importância — respondi, sincera. Qualquer coisa para me distrair do que estava em meu prato. — Ainda vai muito bem nas áreas em que eu trabalho, mas sempre com a ameaça do recrutamento on-line correndo atrás de nós.

Ele assentiu.

— E o setor de TI, está hiperaquecido? — disse ele, dando um tapinha no ombro de Adam. — Se é para acreditar no que este cara aqui diz.

— Ah, ele andou exagerando de novo? — perguntei, rindo. — O poderoso executivo de TI.

— Algo assim — disse James, sorrindo.

— Eu digo a ele sempre que isso é passado — brinquei. — Essa coisa de tecnologia não vai durar.

Olhei para Adam e ele sorriu, mas o sorriso não chegou aos olhos.

James riu, e eu senti que devia olhar para ele, mas podia sentir seus olhos sobre mim, então não sabia para onde dirigir o olhar.

— Talvez deva calçar minhas botas de couro e ir cavar esterco com você, mano — disse Adam, devolvendo o tapinha no ombro de James, mas de uma forma paternalista que eu não tinha sentido quando James fez o mesmo gesto. Eu lamentei ter encorajado a rivalidade entre os irmãos; eu tinha um irmão, devia saber.

James brincou com uma couve-de-bruxelas que tentava escapar do prato.

— Mas você mora aqui perto? — perguntei, ansiosa por desanuviar a atmosfera que tinha tomado conta do recinto.

Ele balançou a cabeça.

— Eu tenho um acordo informal com um cara há algumas vilas daqui. Ele me deixa morar na propriedade dele e em troca mantenho seus jardins limpos e arrumados.

— O problema é que o cara é o pai da moça — acrescentou Pammie.

Eu fiz uma careta e olhei para ele.

— Ah, entendo.

— É complicado — disse James, como que se justificando. — Outra bela confusão em que eu me meti.

Eu sorri.

— Mas como vai a área de horticultura? Mantém você ocupado? — Não acho que fosse minha obrigação inventar assuntos, mas Pammie e Adam estavam mudos, concentrados na comida.

— Eu adoro o que faço — disse ele, com convicção. — E, como as pessoas que adoram o que fazem sempre dizem, é uma vocação, e não um emprego.

— Ah, eu costumava dizer o mesmo quando trabalhava numa loja de sapatos — respondi. — Todos aqueles pés precisando de ajuda. Teria feito aquele trabalho de graça, tanta era minha paixão.

Um largo sorriso se abriu em seu rosto, seus olhos gentis fixos nos meus.

— Você é uma das verdadeiras lutadoras. Eu agradeço do fundo do coração. — Ele levou a mão aberta ao peito e, por um instante, pareceu que éramos os únicos ali. O som dos garfos e das facas de Pammie e Adam raspando seus pratos me trouxe de volta à sala de jantar.

— Me deem licença por um momento — pedi, me levantando da mesa e afastando minha cadeira.

Eu tinha comido tudo o que podia, e meu corpo estava começando a reclamar, meus intestinos me apertando e se contorcendo. Não sei dizer se estava com mais medo daquilo ou do sentimento desconfortável que James tinha feito aparecer em mim. Eu estava certa de que ninguém mais tinha notado, mas teria sido só minha imaginação? Esperava que sim.

Depois de tirarmos a mesa e limparmos a cozinha, esperei que Pammie e James estivessem longe e me aproximei de Adam.

— Vamos dar uma volta? — perguntei a ele, baixinho.

— Claro — disse ele. — Deixa-me pegar meu casaco.

— Aonde vocês vão? — perguntou Pammie a Adam no vestíbulo. — Você não está indo embora, não é? — Sua voz tinha um tom de pânico. — Achei que você ia ficar.

— Nós vamos ficar, mamãe. Só vamos dar uma volta, para assentar esse jantar maravilhoso.

— Nós? — perguntou ela. — Quer dizer, Emily também vai ficar?

— Claro. Vamos passar a noite e amanhã, depois do café da manhã, vamos para casa.

— Bem, e onde ela vai dormir? — continuou ela, com a voz baixa.

— Comigo — declarou ele.

— Ah, acho que não, filho. James está aqui também. Não tem espaço.

— Mas então James pode dormir no sofá, e Emily e eu ficamos no quarto extra.

— Vocês não vão dormir juntos nesta casa — disse ela, com a voz trêmula. — Não é certo. É um desrespeito.

Adam riu, nervoso.

— Mamãe, tenho vinte e nove anos. Não é como se fôssemos adolescentes.

— Não me interessa sua idade. Vocês não vão dormir juntos debaixo do meu teto. Não é correto. E, de qualquer forma, Emily disse que ia ficar em um hotel esta noite.

O quê? Foi bom que ainda estava na cozinha, pois precisei me controlar para não rasgar a toalha de mesa a dentadas. Quando foi que eu disse que ficaria em um hotel?

— Emily nunca iria para um hotel, mamãe — disse Adam. — Não faz nenhum sentido.

— Bem, foi isso que ela me disse ao telefone — respondeu ela, indignada. — Se ela vai ficar aqui, pode dormir no sofá. Você e James dormem no quarto.

— Mas, mamãe… — começou Adam. Eu entrei no vestíbulo para ver a mão dela no ar, a palma a centímetros do rosto dele.

— Não tem nenhum "mas". É como vai ser, quer você goste ou não. Se você me amasse e respeitasse não teria sequer perguntado.

As lágrimas então começaram a correr devagar, a princípio, silenciosas. Mas como Adam não se aproximou, os soluços aumentaram de volume. Eu fiquei ali, estupefata, desejando silenciosamente que ele ficasse firme. Quando os ombros dela começaram a tremer, ele a abraçou.

— Sshh, está tudo bem, mamãe. Desculpe, não queria perturbar você. Está certo. Claro que está.

— Eu nunca disse… — comecei a dizer, antes que um olhar de Adam me avisasse para parar.

— Faremos do jeito que você quiser — disse Adam, tentando acalmá-la, balançando o corpo para lá e para cá, como quem nina um bebê.

Ele olhou para mim e levantou os ombros, se desculpando, como quem diz "O que eu posso fazer?". Eu dei as costas para ele, que subiu as escadas.

Tinha um pouco de raiva fervendo dentro de mim e, se não tivesse bebido demais, o mais provável era eu ter pegado meu carro e voltado para casa. Se soubesse que James estaria lá e que eu teria que dormir em um sofá velho, teria ficado na casa dos meus pais. Eu queria estar com Adam e tinha achado que ele queria estar comigo, mas aqui estava eu, tendo que aguentar a carência da mãe dele e me defender.

— Você não se importa, não é? — perguntou Pammie, mais calma agora, descendo as escadas com um edredom e um travesseiro.

Eu forcei um sorriso e balancei a cabeça, indiferente.

— É só uma questão de limites. No meu tempo, nós nunca pensaríamos em nos deitar com alguém antes do casamento. Sei que agora as coisas são diferentes, mas isso não quer dizer que eu concorde. Não sei como vocês, jovens, conseguem fazer isso, dormir com qualquer um que os atraia. É uma enorme preocupação para mim e meus meninos. Daqui a pouco aparece uma vadia grávida alegando que o filho é deles.

Ela estava falando de mim? Precisei respirar fundo algumas vezes, e foi um pouco alto demais. Não suspirei exatamente, mas foi o suficiente para ela perceber.

— Oh, meu Deus — continuou Pammie. — Não estou dizendo que você faria algo assim, mas não devemos dar chance ao azar, não é? E, além da gravidez, temos de nos preocupar com as doenças.

Por que ela estava usando o plural "nós" em vez de "ele"?

— Deixa que eu faço isso — disse James, pegando as pontas do edredom que eu estava relutantemente segurando para sua mãe. Ele balançou o cobertor.

— Eu sinto muito. É maravilhoso ter você aqui, mas se eu soubesse que você ia dormir... — continuava Pammie.

— Mamãe, por que você não vai pegar um lençol no armário? — disse James. — Para forrar o sofá.

Eu esperei que ela deixasse a sala e me virei para James. Estava sendo um grande esforço conter minha exasperação.

— Desculpe — disse ele. Obviamente eu não estava conseguindo esconder meus sentimentos muito bem. — Ela é antiquada.

Eu sorri, agradecida pelo reconhecimento.

— Você pode dormir na minha cama, se quiser.

Foi um comentário inocente, mas meu rosto ainda assim ficou vermelho. Eu afofei um travesseiro que não precisava ser afofado.

— Posso dormir aqui com Adam — continuou ele. — Não vai ser uma noite muito romântica para vocês, eu sei, mas temo que seja o melhor que posso oferecer.

— Obrigada — disse eu, com sinceridade —, mas está tudo bem, de verdade. — Olhei para as almofadas irregulares do sofá. — Já dormi em lugares piores.

James ergueu as sobrancelhas e sorriu, exibindo uma covinha que eu ainda não tinha notado.

— Vou acreditar em você.

Eu de repente percebi como meu comentário podia ser mal interpretado.

— Quero dizer, quando eu ia acampar com a minha família — continuei —, a gente costumava ir a um lugar em Cornwall que, para uma menina de oito anos, parecia uma floresta encantada. O riacho murmurante, as vacas que sentavam quando ia chover, as pedras que tínhamos que encontrar para prender a barraca, os mosquitos que eram amigos das fadas…

Ele estava olhando para mim como se eu fosse maluca.

— Eu costumava ler um monte de livros e escrever um monte de histórias quando era criança — eu disse, como que me desculpando.

— Isso não é nada — disse ele, como que competindo. — Quando eu era mais novo, lutei contra pterodátilos monstruosos e mamutes fofinhos…

— Ah, você também era um leitor — entendi.

— Sim, quando eu tinha nove anos — respondeu ele, na defensiva.

Nós dois rimos.

— Parece que nós dois tínhamos imaginações hiperativas — eu falei. — Algumas vezes queria ter aquela idade de novo, a vida era bem mais simples. Hoje você teria que me pagar para que eu aceitasse dormir em um campo com um riacho barulhento, vacas sujas, pedras desconfortáveis e mosquitos me picando!

— Então, agora este velho sofá parece estranhamente convidativo, não é? — disse ele.

Eu sorri.

— E então, aonde vocês enamorados vão? — perguntou Pammie, voltando à sala e desdobrando um lençol.

— Emily é muito legal — disse James —, mas ela é a namorada do meu irmão, então não sei o que você está insinuando e o que isso diz sobre mim.

Ela deu um gargalhada.

— Oh, meu Deus! — gritou Pammie. — Eu pensei que era o Adam. — Ela se virou para mim. — Eles são tão parecidos, sempre foram. Como as ervilhas em uma vagem.

Eu continuei com um sorriso estampado.

— Tem um pub encantador há um ou dois quilômetros estrada abaixo — disse ela. — Se bem me lembro, eles têm alguns quartos para alugar lá também. Provavelmente estão lotados, assim tão perto do Natal, mas vale a pena perguntar, já que você…

— Pronta? — perguntou Adam, descendo as escadas, com chapéu e luvas nas mãos.

Eu estava espantada demais para responder de imediato, então Pammie respondeu por mim. Ela parecia ser boa nisso.

— Sim, ela está aqui. Vocês vão dar uma boa volta. Eu faço chá para quando vocês voltarem.

Eu enrolei meu cachecol firmemente no pescoço, cobrindo a boca para evitar que as palavras na minha cabeça saíssem por ali.

— Desculpe por aquilo — disse Adam, pegando minha mão enquanto caminhávamos pela penumbra da estrada.

Um alívio percorreu meu corpo. Então eu não estava ficando maluca. Ele tinha notado também.

— Eu sei que não é o ideal, mas *é* a casa dela — continuou ele.

Eu parei no meio da estrada e virei para encará-lo.

— É só por isso que você está se desculpando? — perguntei.

— O quê? Eu sei que é um saco, mas é só por uma noite, e a gente acorda cedo e vai embora. Podemos ir para a minha casa. — Ele se aproximou, e seus lábios roçaram os meus, mas eu fiquei rígida e virei o rosto.

— Qual o problema com você? — disse ele, mudando o tom.

— Você não enxerga, não é? — repliquei, minha voz saiu mais alta do que pretendia. — Você está completamente cego.

— Do que você está falando? Cego como?

Eu estalei a língua e quase dei uma risada.

— Você fica no seu mundinho aconchegante, não deixa nada incomodar você, mas sabe uma coisa? A vida não é assim. Você passa o tempo todo com a cabeça enfiada na terra, sem ver nem ouvir nada, enquanto eu estou aqui fora no meio dessa merda toda.

— Você está falando sério? — perguntou ele, quase se virando para voltar para casa.

— Você não vê o que está acontecendo? — gritei. — O que ela está tentando fazer?

— Quem? O quê?

— Eu disse a sua mãe que tomaria apenas um chazinho e ela me forçou a comer um jantar de Natal inteiro, e eu também disse a ela que ia passar a noite aqui e ela me assegurou que estava tudo bem. Eu nunca teria vindo se soubesse...

— Se soubesse o quê? — perguntou ele, abrindo um pouco as narinas. — Na nossa casa, chá quer dizer jantar. E você está completamente certa de que ela concordou em você dormir comigo? Porque ela só deixou uma garota fazer isso, e nós estávamos juntos há dois anos. Nós dois estamos juntos há o quê? Dois meses?

As palavras dele me atingiram como um soco no estômago.

— São três meses, na verdade — retruquei.

Ele jogou os braços para cima e, exasperado, se virou e começou o caminho de volta.

Pammie *tinha* perguntado se eu ia passar a noite? Eu *tinha* dito a ela que ia? Sei que com certeza não disse a ela que ficaria em um hotel, mas será que ela supôs que foi isso que eu quis dizer? Não estava mais conseguindo pensar direito.

Adam continuava andando, e eu antevi a cena dele chegando sozinho à casa de Pammie, comigo correndo atrás vinte segundos depois. Não podia deixar isso acontecer.

Então chorei, lágrimas reais de frustração. Deus, ouça o que eu estou dizendo. O que eu estava fazendo? Transformando uma velha mulher indefesa em um tipo de monstro maternal. Era loucura. *Eu estava louca.*

— Adam, desculpe-me — eu disse, e ele parou, voltou atrás e andou até onde eu estava, uma mulher confusa choramingando no meio da estrada.

— Qual o problema, Em? — Ele me abraçou e me puxou para perto. Eu podia sentir sua respiração quente no topo da minha cabeça, enquanto meu peito subia e descia.

— Tudo bem. Eu estou bem — afirmei, sem acreditar muito. — Não sei de onde veio isso.

— Você está preocupada com a volta ao trabalho? — perguntou ele, gentilmente.

Assenti.

— Sim, acho que o estresse está me deixando nervosa — menti.

Eu queria contar a ele o que realmente me incomodava. Não queria que existissem segredos entre nós, mas o que podia dizer? "Acho que talvez sua mãe seja uma bruxa vingativa?" soava ridículo, e que provas eu tinha para apoiar essa teoria? A memória seletiva e uma tendência a entupir as pessoas de comida? Não, qualquer opinião que eu tivesse sobre a mãe dele, de que ela era maluca ou coisa assim, por ora teria que permanecer oculta.

8

Eu queria ficar longe de Pammie por algum tempo, **só para me acalmar e reavaliar seu comportamento** estranho. Afinal, estava certa de que era só isso, uma mãe cuidando do filho. Seguindo essa linha de pensamento, eu podia tentar entender. Mas três semanas após o Natal, dois dias antes do meu aniversário, ela ligou para Adam perguntando se podia nos levar para jantar, para celebrar.

Tentei evitar esse jantar de todas as maneiras, mas acabei ficando sem desculpas.

— Preciso marcar alguma coisa com Pippa e Seb — disse a Adam. — E o pessoal da empresa quer sair comigo.

— Você pode sair com eles quando quiser — disse Adam, sério.

— Mamãe quer nos levar para jantar.

"Nos levar para jantar" significava ir a um restaurante da escolha dela na cidade dela – Sevenoaks. Então, apesar de ser *meu* aniversário, tínhamos que fazer as coisas só jeito *dela*.

— Oh, Emily, tão bom ver você — disse Pammie, transbordante, quando chegou à mesa onde estávamos esperando por ela há mais de vinte minutos. Ela me mediu de alto a baixo, como que me avaliando. — Você está... bem.

Pammie estava doce e gentil enquanto comíamos as entradas, e eu estava começando a relaxar, mas daí ela perguntou o que Adam tinha me dado de aniversário. Olhei para ele, que assentiu, como que me dando permissão para contar a ela.

— Bem, Adam vai me levar à Escócia — comentei, excitada. Vi a expressão no rosto dela transitar entre a confusão e o desgosto. Sua boca formou um "Oh", mas nenhum som saiu.

— Faz anos que não vou lá — disse Adam.

— E eu nunca fui — completei.

— B-bem... quando vocês vão? — gaguejou Pammie.

— Amanhã! — exclamamos juntos.

Parecia que alguém a tinha empurrado. Pammie se deixou cair na cadeira, sem ar.

— Você está bem, mamãe? — perguntou Adam. — Parece que você viu um fantasma.

Pammie se recompôs, mas demorou alguns segundos para recuperar a voz.

— Mas, então, onde vocês vão ficar? — perguntou ela, afinal.

— Eu reservei um hotel legal por algumas noites — disse Adam. — Tia Linda disse que podíamos ficar na casa dela, mas não quis dar trabalho.

Eu me senti ridiculamente triunfante.

Tia Linda disse que podíamos ficar na casa dela, repeti mentalmente, cantarolando. *Eis aí.* Eu me senti idiota por ser tão imatura.

— Ah, bem, estou chocada — disse ela. — Não sabia.

E por que ela achava que devia saber?

— Linda nos convidou para almoçar — disse Adam. — Ela vai chamar o Fraser e o Ewan também. Quero que Emily conheça todo mundo.

— Meu Deus, isso é mesmo uma surpresa — disse Pammie, dando um tapinha na mão de Adam. — Adorável, simplesmente adorável.

A conversa ficou truncada enquanto esperávamos por nossos pedidos. Saudei meu badejo como um velho amigo, agradecida por poder concentrar minha atenção em alguma outra coisa. Quando Adam pediu licença e foi ao banheiro, eu queria correr para lá com ele.

— Então, as coisas estão andando bem rápido, não é? — disse Pammie, sem nem esperar a porta do banheiro masculino acabar de fechar.

— Aham — sorri, tensa.

— Há quanto tempo vocês estão juntos? — perguntou Pammie, apertando os lábios para tomar um gole de seu espumante de vinho branco.

— Quatro meses.

— Meu Deus, não é quase nada — disse ela, com um sorriso forçado no rosto.

— Às vezes não é sobre a quantidade de tempo, não é? — perguntei, tomando cuidado para manter minha voz tranquila. — É como você se sente.

— Sim, é verdade — disse ela, balançando a cabeça vagarosamente. — E você acha que Adam é o homem certo para você?

— Espero que sim — respondi, sem querer dar a ela mais do que o necessário.

— E você acha que ele sente o mesmo? — perguntou ela, com uma expressão de melancolia, como se estivesse lidando com uma criança ingênua.

— Espero que sim. Nós estamos praticamente morando juntos, então… — eu disse, omitindo deliberadamente o final da frase, quase como se quisesse que ela dissesse mais, mesmo sabendo que eu não ia gostar de ouvir.

— Você talvez devesse recuar um pouco — disse Pammie. — Adam gosta de ter seu próprio espaço, e, se você o sufocar, ele vai fugir correndo.

— Ele comentou alguma coisa? — perguntei, sem conseguir me controlar. Em sua boca, um sorriso presunçoso tinha se aberto, e eu imediatamente desejei poder dar um nó na minha língua.

— Só um pouco disso e daquilo — disse ela com desdém, sabendo perfeitamente que eu não ia conseguir deixar por isso mesmo.

— Como o quê? — perguntei. — Isso e aquilo o quê?

— Ah, você sabe, o de sempre. Como ele sente tolhido. Como ele precisa prestar contas para você a cada vez que quer pôr o pé fora de casa.

Uma onda de calor se espalhou pelo meu peito. Era assim que eu fazia ele se sentir? *Não seja ridícula* – censurei a mim mesma. *Nós temos uma relação igualitária. Não somos assim. Não somos desse jeito.*

Mas aí me vi, na minha cabeça, brigando com ele por ter chegado tarde na última quinta-feira. E no domingo, quando fiquei perguntando quanto tempo ele ia ficar na academia. Eu era esse tipo de pessoa? Será que ele estava cansado de ser interrogado a ponto de comentar com a mãe?

Olhei para Pammie, meu cérebro zunindo desesperadamente, e fiquei pensando, não pela primeira vez, se ela não sabia exatamente o que estava fazendo. Ou será que eu não tinha entendido nada? De novo?

Percebendo que Adam estava voltando para a mesa, ela sorriu e colocou a mão sobre a minha.

— Tenho certeza de que não é nada para se preocupar — disse ela alegremente, com a voz doce como mel e uma modéstia fingida.

— Mas, então, será que ela não é só uma velhinha solitária e entediada? — perguntou Pippa, depois de Adam me deixar em casa naquela noite. Ele queria que eu dormisse na casa dele, mas Pammie tinha me deixado mentalmente exausta e eu quis ir para casa.

Eu balancei a cabeça e dei de ombros.

— Ou é algo mais maldoso que isso? — continuou Pippa, com uma voz sinistra. — Será que ela está jogando algum jogo?

— Eu realmente não sei — repliquei com honestidade. — Algumas vezes, acho que é só alguma mesquinharia boba, mas aí aquilo continua me incomodando, martelando e martelando até eu ficar convencida de que ela é uma psicopata amarga e ciumenta.

— Uau, espera um pouco, vamos com calma — disse Pippa, jogando as mãos para cima. — Ela tem sessenta e três anos, não é?

— Sim, e daí?

— Daí que eu não consigo imaginar muitas sexagenárias psicóticas, só isso.

Eu caí na gargalhada. Quando dito em voz alta, tudo isso parecia ridículo, e fiz uma anotação mental para me lembrar disso da próxima vez.

mensagem de texto dizia:

Claro. Seria ótimo ver você, filho. A que horas você acha que chega aqui? Espero que ela não esteja por aí se divertindo. Tem acontecido tanto nos últimos tempos. Mamãe.

O quê? Eu li novamente. Do que diabos Pammie estava falando? Corri o dedo pelo meu histórico de mensagens. A última mensagem que eu tinha mandado para ela havia sido um relutante "Obrigada" pelo meu jantar de aniversário, na semana anterior.

Eu li de novo. *Espero que ela não esteja por aí se divertindo.* Não parecia que era para mim. Ela devia ter querido enviar para James. Ele tinha voltado com a namorada, de quem Pammie não gostava. Isso explicaria a mensagem. Coitada da menina. Acho que ela estava andando numa estrada ainda mais esburacada que a minha.

Prestei atenção para ouvir se o chuveiro ainda estava ligado antes de alcançar o celular de Adam do outro lado da cama. Passei rapidamente pelas mensagens dele. Uma, de vinte minutos antes, dizia:

Oi, mãe. A Emily vai para um congresso neste fim de semana, a trabalho, então estava pensando em passar aí para ver você. Sábado é bom?

A temperatura dentro da minha cabeça esquentou. Ela *estava* falando de mim. E mandou a resposta para mim em vez de mandar para ele. Suprimi um grito de frustração e cerrei os punhos, resistindo à tentação de me jogar na cama e socar os travesseiros. A maçaneta da porta do banheiro girou, e eu praticamente joguei o celular de Adam para o lado dele da cama.

— Ei, o que foi? — disse ele, vestindo apenas uma toalha enrolada na cintura. Eu não sabia dizer se ele podia notar a culpa em meus olhos ou a raiva ardendo por dentro.

— Nada — respondi, tensa, me virando para abrir o guarda-roupa. A maioria das minhas roupas estava no apartamento dele agora, pois era aqui que eu passava a maior parte do tempo. Eu ainda estava pagando o aluguel do apartamento com Pippa, mas passava menos de duas noites por semana lá, e Adam e eu estávamos discutindo nossas opções.

— Você não quer se mudar de vez para cá, entregar o seu apartamento? — tinha perguntado ele na noite anterior, quando estávamos deitados na cama.

Eu tentei não guinchar de excitação quando respondi.

— Não parece mesmo fazer muito sentido isso que estamos fazendo agora, não é? — disse, em um tom tão indiferente quanto possível, mas tenho certeza de que ele podia perceber a inflexão levemente histérica da minha voz.

Ele balançou a cabeça, concordando.

— Mas eu não sei se é aqui que quero viver permanentemente — eu disse, torcendo o nariz. Ele se sentou na cama, apoiado em um cotovelo.

— Como? Você não gosta de acordar às cinco da manhã com os gritos dos vendedores ambulantes? — sorriu ele. — Toda aquela gritaria e toda aquela bagunça na madrugada do sábado? O que há de errado com você?

Eu dei um tapinha amigável no ombro dele.

— O que, então? Vamos entregar os dois apartamentos e procurar algo juntos?

Eu sorri, e selamos o acordo fazendo amor.

Nessa manhã acordamos cheios de entusiasmo, e estávamos nos arrumando para sondar os corretores de imóveis de Blackheath – para alugar ainda, mas quem imaginaria que euzinha ia acabar na SE3? Eu me sentia pairando no ar até a mensagem da mãe dele apitar no meu celular, e agora sentia um peso no peito, como se a mão dela estivesse ali, me puxando para baixo.

Claro, eu poderia contar a Adam exatamente qual era o problema e ler a mensagem para ele, mostrar como ela podia ser perigosa. Mas aí precisaria também contar com a honestidade dele. Adam teria de concordar que a mensagem era para ele e era sobre mim. E não sei se ele faria isso. Possivelmente ele minimizaria tudo e diria "Ah, você conhece a mamãe, ela não quer dizer nada com isso". Mas não importa se Pammie queria ou não dizer alguma coisa. Se me chateava, eu esperava que ele ficasse do meu lado e me apoiasse, e não que ficasse do lado dela.

Para ser honesta, porém, eu já tinha dúvidas sobre quem era a prioridade de Adam, depois de um ou dois comentários dele mais cedo nesta semana, enquanto estávamos na Escócia.

— Então, quando vamos ouvir os sinos do casamento? — a adorável tia Linda nos provocara, com seu suave sotaque escocês. Adorável Linda. Dei aquele apelido afetuoso para ela porque ela era tão... bem... adorável. Tentei enxergar além das semelhanças da família, o pequeno nariz pontudo e os lábios finos. Linda venceu, pois havia calor em seus olhos, ao contrário de sua irmã Pammie.

— Uau, vamos devagar — disse Adam, rindo. — Nós mal nos conhecemos.

Eu sorri junto, mas não consegui evitar me sentir um pouco magoada pela forma superficial como ele descreveu nossa relação.

— Sim, mas quando é de verdade a gente sabe, não é? — disse ela, piscando.

— Vamos ver — disse Adam, segurando minha mão.

— Como você quer fazer? — continuou ela. — Um daqueles grandes casamentos tradicionais?

— *Se* algum dia eu me casar — respondi, rindo, com ênfase no "se" —, gostaria de ir para algum lugar quente, só com as pessoas mais próximas, casar em alguma praia.

— Ohh, imagine só! — exclamou Linda. — Que ideia maravilhosa.

— Não podemos fazer isso! — exclamou Adam, olhando para mim como se eu estivesse louca. — Nossas famílias ficariam malucas.

— A minha ia gostar — disse eu.

— E não se preocupe conosco — completou Linda. — Faça o que *você* quiser fazer.

— Mamãe não ia gostar nada disso — disse Adam. — Tenho certeza de que ela gostaria de um grande evento aqui no norte, para toda a família poder comparecer.

— É o *seu* dia — disse Linda. — Você não precisa se preocupar com as vontades de mais ninguém.

— Vocês sempre podem dar um pulo em Gretna Green[11] — interveio Ewan, primo de Adam. — Fica logo ali e vocês não precisam nem de testemunhas.

Nós todos rimos, mas entre as gargalhadas ouvi Adam dizer:

— Eu nunca faria uma coisa dessas.

Então eu sabia onde estava pisando, e, enquanto fosse a segunda opção, era melhor escolher bem minhas batalhas. Queria aproveitar o dia pelo que ele era, pelo que poderia ser. Queria passear por Blackheath Village como outros casais que eu costumava ver ali. Contemplar entusiasmados as janelas dos escritórios de corretores de imóveis antes de entrar e expor nossos desejos. Sim, nós resolvemos que ter um segundo quarto seria bom. Sim, se não tivermos que abrir mão da localização, um pequeno jardim seria algo muito positivo. Não, não temos animais de estimação. Tínhamos elaborado nossas listas de desejos na noite anterior, como duas crianças, até ficar ridículo. Não, não queremos um porão sem janelas. Sim, podemos aguentar o brejo se houver uma chance remota de o aluguel ser menor que a soma de nossos salários líquidos.

---

[11] Cidade escocesa logo ao norte da fronteira com a Inglaterra, famosa desde o século XVIII como local para onde jovens ingleses fugiam para se casar, por causa das diferenças legais: na Escócia, adolescentes com idade a partir dos 12 (meninas) e dos 14 anos (meninos) podiam se casar legalmente, e não era necessário o consentimento paterno. (N.T.)

Poderia ser um dia ótimo, então será que devia contar o que ela fez e como aquilo me fazia sentir? Ou devia ficar calada? Eu tinha mesmo alguma escolha?

Adam se aproximou por trás, passou os braços pela minha cintura e deixou a toalha escorregar para o chão. Eu tinha esquecido o que estava procurando. Eu nem conseguia enxergar as saias e as blusas que estava deslizando no suporte. Só via blocos coloridos, nenhuma imagem concreta se definia, minha raiva aumentando a cada cabide que passava.

— Tem certeza de que está tudo bem? — perguntou ele, acariciando meu pescoço com o nariz.

Diga alguma coisa. Não estrague tudo. Diga alguma coisa. Não estrague tudo. Era fácil ir daqui para qualquer um dos dois lados.

—Sim, de verdade—afirmei, virando-me e beijando Adam de volta. — Estava só pensando sobre o trabalho. Tem muita coisa acontecendo.

— Eu sei uma coisa que vai fazer você relaxar — murmurou ele. — Isso vai tirar as minhocas da sua cabeça. — Observei enquanto ele abaixava a cabeça, abrindo o fecho frouxo do meu sutiã e começando a circular o bico do meu seio com a língua.

Eu podia sentir a raiva se dissipar enquanto os dedos dele desciam pelo meu corpo, afastando minha calcinha para o lado. Fiz uma tentativa vaga de afastá-lo.

— Não podemos, temos tanta coisa para fazer.

— Tem tempo para tudo. Primeiro deixe-me ver se consigo livrar você desse estresse e dessas preocupações todas.

Não tinha por que fazer ele parar. Nós dois sabíamos que eu nem ia tentar. Eu precisava dele tanto quanto ele precisava de mim, às vezes mais. Sempre considerei sexo algo superestimado até conhecer Adam. Claro, eu gostava de sexo, mas ficava desorientada com o fluxo constante de artigos em revistas femininas nos avisando que, se não estávamos fazendo sexo pelo menos cinco vezes por semana e balançando nos lustres do teto em pelo menos duas dessas ocasiões, devia ter algo errado conosco.

Mesmo com Tom, com quem fui mais ousada, eu não entendia muito bem qual era a graça. Nós fazíamos amor duas vezes por semana, ele por cima até gozar, e daí ele me satisfazia de outras formas. Sexo era sexo, e eu estava em paz com isso. Mas com Adam era completamente diferente. Eu finalmente consegui entender o motivo de tanta animação. Ele me conhecia, eu o conhecia. Nós nos encaixávamos perfeitamente. Nunca se passavam muitos dias antes que um de nós precisasse do outro. Nossos humores podiam oscilar e mudar ao sabor daquela força. Sexo tinha pulado da posição de coisa menos importante em uma relação para o alto da lista de prioridades.

Gemi quando sua cabeça começou a descer, minha respiração presa na garganta.

A imagem de uma Pammie horrorizada surgiu na minha mente, e eu a fiz desaparecer. *Depois eu lido com você*, pensei comigo, sentindo a língua de Adam. *Mas primeiro o seu filho vai fazer amor comigo*. Uma onda perversa de satisfação me inundou, uma sensação que nem o próprio Adam poderia transcender.

Ainda estávamos enroscados, nossas respirações profundas e pesadas, quando uma mensagem apitou no celular dele. Ele se soltou de mim e rolou na cama, alcançando o aparelho do outro lado.

— Quem está procurando por você? — perguntei, em tom casual, imaginando se agora Pammie tinha enviado a mensagem para ele.

— Pete, do trabalho, e minha mãe.

— Tudo bem com ela? — perguntei, fingindo um interesse superficial.

— Sim, tudo bem. Estava só vendo se ela vai estar em casa no próximo fim de semana. Pensei em dar um pulo lá enquanto você está no congresso.

— Boa ideia. Para ela tudo bem? — continuei.

Ele digitou uma resposta enquanto eu esperava.

— Sim, tudo combinado.

Eu quis que ele entendesse minha deixa, para que nós pudéssemos rir e chamá-la de velha boba e rabugenta, mas ele não entendeu.

— Vou lá no sábado — disse ele.

Que droga, Adam. Por que você não foi honesto?

10

Estava no trabalho quando a mensagem apareceu na tela do meu celular.

Você é doida?

Eu não reconheci o número, então joguei o telefone na bolsa, fora de alcance, para evitar qualquer tentação. Mas só consegui me segurar por alguns minutos. Como poderia ignorar uma mensagem como aquela?

Como?, digitei de volta.

Você gosta de um castigo?, veio a resposta.

Eu estava ficando um pouco desconfortável. Ou eu conhecia bem essa pessoa ou isso era alguma propaganda escusa de um clube de sadomasoquismo.

Eu acho que não, então você deve ter me confundido com alguém, escrevi.

Você deve ser maluca de pedra para achar que vale a pena tirar uns dias de folga do trabalho só para ir conhecer os doidos da minha família.

Eu recostei e pensei por um instante, antes de abrir um sorriso. Só podia ser uma pessoa.

James?

Sim, claro… quem mais poderia ser?

Eu: Ei, como você está?

J: Estou bem. Como foram os dias lá com os caipiras?

Eu soltei uma gargalhada, e Tess, a colega na mesa em frente a minha, sorriu e ergueu as sobrancelhas.

Eu: Adoráveis. Eu nunca imaginaria, vocês são muito parecidos.

J: Hã? Como assim?

Eu: Fraser e Ewan são muito parecidos com você e Adam. Acho que os frutos não caem muito longe da árvore, não é?

J: Oh, bem, isso é meio estranho, já que os dois são adotados.

Eu: Ah, meu Deus — desculpe, eu não tinha ideia.

J: Você não fez comentários sobre semelhanças de família, não é? Eles são supersensíveis.

Vasculhei minhas memórias tentando lembrar se tinha ou não feito algum comentário sobre o assunto. Seria algo típico de mim, um jeito de alimentar a conversa.

Eu: Espero que não. Agora estou me sentindo mal.

J: Você se lembraria, porque Fraser teria estourado com você. Aquele lá tem um pavio bem curto.

Eu supus que não tinha dito nada a respeito, mas isso não me fazia sentir melhor.

J: Você ainda está aí? — perguntou James, quando eu fiquei em silêncio por alguns minutos.

Eu: Sim.

J: E você também não disse nada sobre a tia Linda ser casada com o próprio irmão, não é?

O quê? Atrevido!

Eu: Ah, muito engraçado.

J: Mas eu peguei você, não foi?

Eu: Não! Nem sei como aquele lado da sua família é tão legal! Você devia ir visitar mais vezes. Podia aprender com eles!

J: Não posso. É só eu passar para o norte do Tâmisa que meu nariz começa a sangrar.

Eu cobri a boca com a mão para suprimir uma risada.

J: Preparada para a festa do Adam? Já providenciou o vestido?

Eu: Sim. Você já providenciou o seu?

J: Rá, rá…. O meu é vermelho, para você saber. Não quero que a gente vá com roupa igual.

Eu: Você vai de cabelo solto ou preso?

J: Preso, com certeza. Cabelo armado é a grande moda atual.

Eu: Não é armado, é preso.

J: Tudo a mesma coisa.

Eu: Chloe vai?

Não sei por que perguntei aquilo, e imediatamente quis apagar a mensagem, mas era tarde demais.

J: Sim, ela vai estar lá. Acho que ela vai de azul, então está tudo bem.

O tom da conversa tinha mudado, e eu de repente me senti como uma garotinha mimada, querendo que tudo voltasse a ser como era.

Eu: Ótimo, digitei. **Vou gostar de vê-la.**

A menção à namorada dele pareceu nos tirar dos trilhos, e ele respondeu apenas com um emoji piscando e um beijo.

Eu não respondi.

11

"**para o Adam nada? Tudo! Adam, Adam, Adam...**" **O coro se transformou em aplausos e pedidos de** "discurso, discurso" pelo clube de rúgbi.

Adam levantou os braços e cruzou a pista de dança até chegar ao microfone.

— Está bem, está bem. Sshh, silêncio. Obrigado, obrigado.

— Vamos logo com isso — gritou o melhor amigo e companheiro de time de Adam, Mike. — Porra, ele fala na mesma velocidade com que corre no campo... devagaaaar.

Todos os companheiros de rúgbi gritaram e deram tapas nas costas uns dos outros, como neandertais em volta de uma fogueira.

Eu sorri com todo mundo, mas compartilhava a mesma resignação das outras namoradas presentes, todas nós cientes de que, em algum momento das comemorações, nossos namorados, sem exceção, estariam com a cueca no tornozelo, balançando canecas de cerveja e cantando "Swing Low, Sweet Chariot". Eu só tinha vindo ao clube três vezes, e Adam havia tirado a roupa em todas elas. Olhei para Amy, namorada de Mike, e reviramos os olhos. Eu já a tinha encontrado uma ou duas vezes, mas nunca a tinha visto toda arrumada. Era espetacular quando ela jogava o cabelo para trás dos ombros e expunha um par de seios presos aos triângulos quase imperceptíveis de seu vestido preto. Observei as finas alças que trabalhavam duro para manter a roupa no lugar e não consegui decidir se queria que elas rompessem, para expor aquelas maravilhas, ou que resistissem, para evitar que todos os homens no recinto tivessem um ataque cardíaco.

— Sua mãe está com um pouco de calor — sussurrou Pippa ao meu ouvido, interrompendo meus pensamentos invejosos. — Tudo bem se eu abrir uma das janelas?

Olhei para nossa mesa, no canto mais escuro do salão. Eles estavam contentes lá, protegidos, longe das massas ululantes. Papai estava ninando uma caneca de cerveja amarga, sua segunda e última, tinha avisado minha mãe, enquanto ela protegia um balde de gelo contendo uma garrafa de *prosecco*.

— Para celebrar nosso encontro, afinal — anunciara Adam quando a presenteou com o espumante, a elegância da bebida contrastando com a sujeira e a bagunça do entorno.

Eu o observei tão à vontade e fiquei pensando por que tinha demorado tanto a apresentá-los. Em duas das três tentativas anteriores, Adam tinha sido chamado com urgência para o trabalho, e na outra precisou ir acalmar sua mãe.

— Em, sou eu — disse ele, ofegante ao celular, quando eu estava esperando na Côte Brasserie, em Blackheath. Mamãe e papai estava a caminho.

— Oi — respondi. — Cadê você?

— Desculpe, querida, mas acho que não vou conseguir chegar aí a tempo.

Achei que ele estava brincando. Adam sabia o quanto eu queria que ele conhecesse meus pais. Tinha certeza de que era brincadeira, mas mesmo assim me deu um frio na barriga.

— É que a minha mãe, ela teve um troço.

— Oh, que chato — disse eu, tentando desesperadamente não deixar transparecer minha raiva, sorrindo com os dentes cerrados.

— Sim, muito chato.

— O que você quer dizer com sua mãe teve um troço? — Minha indignação assustou o casal na mesa ao lado, os dois me olharam e depois se entreolharam, com as sobrancelhas levantadas.

— Ela ficou nervosa com uma carta que recebeu do Conselho.

A conversa da noite anterior ressoou na minha cabeça, quando eu ouvi Adam no celular, contando para a mãe sobre nossos planos.

— Você está brincando comigo? — sibilei.

— Ah, não. Se você puder parar com esse tom, eu agradeço.

Baixei a voz.

— Você pode cuidar do problema dessa maldita carta do Conselho amanhã. Eu preciso de você aqui agora.

— Estou entrando em Sevenoaks agora — disse ele. — Se eu voltar a tempo, passo aí.

Desliguei na cara dele. Ele já estava lá? Como ele podia ter ido até lá e me deixar aqui esperando? Deixar *todos nós* esperando?

Olhando para ele agora, um braço envolvendo minha mãe, ele era o próprio charme.

— Ah, eu gostei *mesmo* dele! — exclamou minha mãe, entusiasmada, com as bochechas vermelhas. — Um verdadeiro cavalheiro.

— Não é? — concordei. — Você acha mesmo?

— Ah, com certeza, esse é para casar.

Minha mãe é relativamente fácil de agradar; é pelo apoio de papai que meus pretendentes precisam lutar.

— E então, o que você acha? — perguntei a ele assim que Adam se afastou.

— Ele vai ter que se esforçar muito para provar seu valor — respondeu papai, mal-humorado.

— Ele *adorou* Adam — tinha dito Seb, sarcástico, de sua cadeira ao meu lado.

Olhei novamente para Pippa, em pé ao meu lado.

— Mamãe está bem? — perguntei. Eu podia ver que as janelas atrás da mesa estavam todas embaçadas e molhadas de condensação.

— Sim — assentiu ela. — É um daqueles calores de sempre, mas ela está em dúvida sobre abrir a janela, por causa do frio lá fora.

Ainda não estávamos nem em março, o ar estava gelado.

— Alguém vai acabar reclamando — eu disse. — Mas não tem muito jeito.

Pippa concordou.

— Sem problemas. E, aliás, quem é o cara atrás de mim, do lado direito? Com a camisa rosa?

Eu dei uma olhada e meu coração acelerou, sem eu saber por quê.

— Ah, é o irmão de Adam, James — respondi, bem mais indiferente do que me sentia.

— Oh, meu Deus. Ele é uma delícia! — disse ela.

Eu sorri.

— Lamento, mas ele é comprometido.

— Ah, não. Com quem?

Fiz toda uma cena procurando em volta por uma garota de vestido azul, mas tinha quase certeza de que ela não estava ali. Eu tinha tentado achá-la antes. Ou ela não tinha vindo ou estava usando alguma outra cor.

Os rapazes estavam ficando barulhentos novamente e era apenas uma questão de tempo até que um deles expusesse suas partes íntimas para um bando de outros exibicionistas.

A salvação é que a princesa Pammie estava presente, o que fazia com que os moços se controlassem um pouco. Se bem que, para ser franca, eu preferiria ver dezesseis pênis flácidos sendo exibidos por seus donos muito-mais-orgulhosos-do-que-deveriam a ver a mãe de Adam. Eu devia ficar triste por ter que admitir isso, mas, depois de meia garrafa de *prosecco*, achei a ideia muito divertida. A imagem me fez sorrir. Eu não ia permitir que ela me irritasse, por mais que tentasse.

— Esperem — gritou Pammie, correndo na direção de Adam pelo chão de madeira. Sua saia longa e justa restringia o movimento das pernas, fazendo com que seu torso e sua cabeça parecessem andar mais rápido que o resto do corpo. Ela armou um sorriso e acenou com a cabeça para os convidados que ainda não tinha visto, como se a festa fosse dela.

— Oh, Gemma, que bom ver você — falou ela, lançando um beijo.

Eu repeti meu mantra, enquanto a observava bajular e pontificar. *Eu não vou permitir que ela me irrite, por mais que tente.*

— Assim que você quiser, mãe — disse Adam pelo alto-falante.

— Sim, sim — bufou ela. — Só quero tirar uma foto.

— Mas *agora*? — perguntou Adam.

— Sim, agora — insistiu Pammie teatralmente. Sua audiência riu. Ela era ótima na frente de uma audiência, mas fingiu detestar. — Só uma, rapidinha, enquanto ainda temos chance, antes que se acabem de tanto beber. Agora, cadê todo mundo? Onde está a família? Quero uma foto com a família toda.

Adam revirou os olhos, mas assistiu pacientemente a rainha-mãe dar ordens, alinhando seus parentes em três fileiras de oito pessoas. James chegou por trás de mim e tocou minha cintura com a mão ao passar.

— Então, Lucy e Brad, pequenos, vocês ajoelham aqui — disse Pammie. — Sua mãe e seu pai ficam atrás de vocês, e Albert, você fica no fundo. Não vamos conseguir te levantar se você ajoelhar.

Risos forçados da plateia.

— Certo, está todo mundo aqui? Emily? Onde está Emily? — chamou ela.

Caminhei até ela, com uma taça de *prosecco* na mão, através da multidão de espectadores que não tinham sido convidados a participar do álbum de família dos Banks.

— Adam, me dê seu celular — pediu Pammie. — O meu não é bom. Vamos usar o seu.

Adam lentamente entregou a ela seu aparelho, fingindo relutância.

— É isso. Emily, me dê sua taça.

Fiz o que Pammie mandou e fiquei parada esperando ser colocada em meu lugar, envergonhada pelo silêncio que havia agora descido sobre a festa.

Ela se afastou um pouco para checar se todos estavam em seus lugares.

— Certo, Toby, você se move um pouco para o lado, para eu poder caber no meio. Ótimo.

E se virou e me deu o celular com um rápido "Obrigada, Emily", antes de correr para sua posição no quadro, armando seu melhor sorriso.

— Digam xis!

Um calor, começando na ponta dos dedos dos pés, atravessou todo o meu corpo, como um rio de lava se lançando de um vulcão.

Cada centímetro da minha pele formigou, e meu estômago revirou. O arranhão no fundo da garganta me avisou que as lágrimas eram iminentes, mas eu as contive, piscando furiosamente para conter o fluxo. Rapidamente virei de costas para os outros convidados, para que eles não vissem a vermelhidão humilhante tomando meu pescoço. Tentei sorrir, fingir que nunca imaginaria estar na foto da "família". *Afinal*, raciocinei, *não sou da família, então qual o problema?* Exceto que tinha problema, sim, e isso me magoou muito.

Olhei para Adam, na fila do fundo, todo sorridente enquanto eu tirava a foto, aparentando não ter nenhuma preocupação sequer, e senti meu coração se partir.

— Certo, onde eu estava? — perguntou Adam, voltando ao seu lugar atrás do microfone.

Eu rapidamente me fundi com a multidão de ouvintes.

— Sim, sim — insistiu Adam sobre o burburinho. — Façam silêncio. Tenho uma coisa importante para dizer.

A multidão se calou.

— Então, agora fiz trinta anos, preciso ser adulto e maduro.

— Isso nunca vai acontecer — gritou Deano, outro colega de time, do fundo do salão.

— Ah, você vai ficar surpreso, meu amigo. Então, em primeiro lugar, queria agradecer a todos por terem vindo. Significa tudo, para mim, ter vocês aqui. Estou especialmente grato por meu primo Frank ter voado do Canadá só para estar aqui esta noite.

A multidão aplaudiu, e mais tapas nas costas foram distribuídos.

— Eu também queria agradecer a minha linda namorada Emily, por me aguentar e por ser simplesmente maravilhosa. Em, cadê você?

Senti uma mão me empurrando para a frente, mas eu mantive o olhar no chão e só levantei a mão um pouco para mostrar onde estava.

— Venha aqui, Em, venha aqui em cima.

Balancei a cabeça, mas a pressão nas minhas costas estava aumentando, me empurrando para a frente, quando tudo o que eu queria era ir mais para trás, para as sombras, onde Pammie obviamente achava que eu devia estar.

Achei que meu rosto ia explodir com todo o calor armazenado enquanto eu andava na direção dele. Podia ver James parado na extremidade do semicírculo formado naturalmente pelos espectadores. Pippa estava ao lado dele. Nenhum sinal de uma garota de vestido azul.

Todos os poros das minhas costas estavam entupidos, como se eu estivesse cozinhando por dentro, sem um exaustor para me refrescar. Olhei para a expressão preocupada de Pippa, que mexeu vagarosamente os lábios: "Vocêêê estáááá beeeeemmm?". Assenti levemente com a cabeça, pegando a mão de Adam e forçando um sorriso.

— Esta mulher aqui é minha razão de viver. Ela torna os dias bons ainda melhores e espanta os dias ruins.

Uma névoa desceu sobre meus olhos, tornando tudo embaçado, mas ainda conseguia enxergar minha mãe me olhando do meio do círculo de gente, com os olhos estatelados.

Adam se virou e olhou para mim.

— Sério, eu adoro você. Não posso viver sem você. Você é a melhor coisa que já me aconteceu.

Envergonhada, acariciei seu cabelo, tentando aliviar a tensão e tirar os holofotes de mim. Mas daí ele se abaixou sobre um joelho.

Os "aaahs" se transformaram em suspiros curtos, entrecortados, enquanto eu lutava para conseguir enxergar direito. *Que diabos? Ele está fazendo o que eu acho que está fazendo ou é só uma grande brincadeira?* Olhei em volta, para todos os rostos com expressões concentradas se enfiando na bolha que eu criara à minha volta. Tudo parecia se mover em câmera lenta, como se eu estivesse assistindo de fora do meu corpo. A voz de Adam soava como se ele estivesse debaixo d'água e, o tempo todo, os sorrisos ocos e os olhos esbugalhados se aproximavam mais e mais. Todos exceto um, cujo rosto, tomado de dor, parecia se afastar cada vez mais.

— Você me daria a honra de ser minha esposa? — disse Adam, com o joelho ainda no chão.

Não me lembro quando exatamente os "ooohs" de alegria se tornaram gritos de horror. Mas sei que tinha um diamante quadrado em meu dedo quando me vi acariciando o cabelo de Pammie, que jazia deitada no chão encharcado de cerveja.

Adam estava abaixado ao nosso lado, segurando a mão da mãe, e James estava andando de um lado para o outro, dizendo à ambulância onde nos encontrar.

— Venham depressa, por favor! — eu o ouvi gritar. — Ela está desacordada.

Tudo aconteceu tão rápido que meu cérebro não conseguia processar. Perdi a faculdade de colocar as coisas na ordem em que elas estavam acontecendo, incapaz de determinar o que era real e o que eu estava apenas imaginando. Adam tinha acabado de me pedir em casamento? Pammie tinha realmente desmaiado? Os limites entre a realidade e a fantasia estavam ficando mais tênues a cada segundo.

— Mamãe, mamãe — repetia Adam, sem parar.

Sua voz se tornava mais animalesca a cada chamado desesperado.

Sua cabeça se mexeu ligeiramente e ela murmurou algo, confusa.

— Mamãe — chamou Adam novamente. — Ah, graças a Deus. Mamãe, você pode me ouvir?

Ela não respondeu, mas seus olhos se abriram rapidamente, antes de se fecharem novamente.

— Mamãe, é o James. Você consegue me ouvir?

Ela murmurou algo inaudível.

Um raio de luz cruzou o ar, quando a multidão à nossa volta se abriu, dando passagem aos paramédicos. Eles depositaram a maca no chão ao lado de Pammie.

— Está tudo bem, mamãe — disse James, se ajoelhando ao meu lado. — Você vai ficar bem.

Ele olhou para mim, tomado de pânico, como se esperasse que eu dissesse algo para aplacar sua dor. Gostaria de poder dar a ele o que ele precisava, mas, olhando para Pammie deitada ali, não tinha nada para oferecer.

— Oh, por Deus, salvem minha mãe — gritou Adam, com os ombros subindo e descendo.

Mike colocou uma mão firme em seu ombro.

— Vai ficar tudo bem, cara. Ela vai ficar bem.

Eu assisti, anestesiada, enquanto eles a chamaram pelo nome sem obter resposta e a puseram na maca.

Não era meu papel seguir na ambulância. Adam e James foram com ela, enquanto fui deixada no vazio surreal que eles deixaram para trás: uma celebração subitamente interrompida. A música tinha parado, as luzes foram acesas e o balão em forma de coração que havia carregado meu anel jazia rasgado no chão, sua superfície de borracha murcha e irreconhecível.

Convidados em choque passaram por mim com sorrisos simpáticos, se despedindo prematuramente e desejando que eu transmitisse seus votos de que tudo corresse bem a Pammie e seus filhos. Eu me lembro vagamente de um ou dois me desejando desajeitadamente sorte no noivado, as congratulações se chocando com as comiserações que logo se seguiram.

— Sinto muito, Em — disse Seb, me abraçando. — Tenho certeza de que ela vai ficar bem. O que você quer fazer? Posso levar você para casa, ou você prefere ficar aqui?

Olhei em volta para o salão que, quinze minutos antes, estava tomado de amigos e parentes. O lugar em que Adam tinha celebrado seus trinta anos e o lugar onde ele tinha me pedido em casamento. Nada disso parecia mais importar.

— Imagino que devo esperar até todo mundo ir embora, não? — perguntei, indecisa quanto à resposta certa.

— Podemos nos livrar de todo mundo rapidamente — disse ele, me tranquilizando. — Você arruma suas coisas e eu me livro dos retardatários, está bem?

Não. Nada estava bem. Eu acabara de ser pedida em casamento, mas mal podia me lembrar disso agora, minha memória estava borrada e a ocasião arruinada para sempre.

— Querida, não sei o que dizer — disse minha mãe, com os braços abertos, me puxando para ela. — Venha cá.

A primeira lágrima então correu, e, uma vez que a comporta se abriu, eu não conseguia parar. Grandes soluços de infelicidade emergiam de meu peito, enquanto minha mãe tentava me acalmar.

— Sshh, está tudo bem, tudo vai ficar bem.

Há algo na voz de sua mãe que ninguém consegue reproduzir. Que leva você de volta para a escola, para quando você era pequena e estava esperando por ela na enfermaria da escola, esperando que ela viesse e levasse você para casa. Eu me lembro de ser empurrada no playground por uma menina agressiva chamada Fiona e bater a testa no chão de cimento. Um galo de proporções de desenho animado tinha nascido logo acima do meu olho, e a enfermeira tinha corrido comigo para o ambulatório, que na verdade era uma pequena maca com uma mesa atrás de uma cortina em um corredor lateral.

Eu tinha certeza de que logo estaria pronta para outra se pudesse apenas sentar quieta por alguns minutos, antes de voltar para minha sala, para nossa aula de música. Mas, quando me sentei na pequena cadeira atrás da cortina, tudo o que eu queria era minha mãe: que ela viesse e acabasse com minhas dores física e emocional. Meus galos, sem dúvida, desapareceriam em algumas horas, mas a cicatriz mental permaneceria. *E se Fiona estivesse irritada comigo por ter ido à enfermeira? Ela ia me empurrar de novo amanhã? Ela ia me perseguir para sempre?* Eram enigmas que apenas minha mãe podia responder... bem, pelo menos para minha cabecinha de nove anos. Eu me senti culpada por fazê-la sair do trabalho, mas não culpada o suficiente para dizer não quando a enfermeira perguntou se eu queria ir para casa. Eu me afligi com a possibilidade de ela ficar irritada comigo. Pensei se meu ferimento era o suficiente para chamá-la, mas precisava tanto me sentir segura que estava preparada para assumir esse risco. Pareceu que ela demorou horas para chegar, mas eu soube que ela estava lá antes mesmo de vê-la. Eu a pressenti e, quando ela espiou atrás da cortina, senti que meu coração estava prestes a explodir. Aquele sentimento de que só a sua mãe serve nunca desaparece de verdade, e, enquanto ela dizia ao meu ouvido que tudo ia ficar bem, meu coração se partia por Adam, que sem dúvida tinha as mesmas memórias, mas que agora corria o risco de perder a única pessoa que podia fazer tudo ficar bem.

12

Eram seis da manhã quando Adam ligou. Mamãe e papai tinham vindo para casa comigo, mas, vendo que eu precisava dormir, foram embora, deixando ordens expressas para que ligasse assim que soubesse de alguma coisa. Não teria conseguido dormir nem se me pagassem. Não conseguia parar de pensar, então fiquei andando pela cozinha com uma grande taça de vinho tinto para lá e para cá, até que o toque do celular me fez dar um pulo.

— Em? — Ele soava cansado.

— Sim, como ela está? — perguntei. — O que aconteceu?

— Ela está bem — respondeu ele, com a voz entrecortada.

— Pammie vai ficar bem?

Eu podia ouvir soluços suaves do outro lado da linha.

— Adam... Adam.

— Estou tão aliviado — disse ele, fungando. — Eu não ia aguentar se alguma coisa acontecesse com ela. De verdade, Em. Não sei o que faria.

— Mas sua mãe vai mesmo ficar bem? — perguntei de novo, ansiosa por uma confirmação.

— Sim. Sim. Ela está sentada na cama agora, tomando uma xícara de chá, absolutamente despreocupada. — Ele deixou escapar uma risadinha tensa.

Senti um nó na garganta.

— Mas, então, o que aconteceu? O que os médicos disseram?

— Eles fizeram um monte de exames – sangue, coração, urina – e ela está em perfeito estado.

Eu fiquei em silêncio.

— Em?

— Mas o que teria causado tudo isso? — perguntei, tentando evitar que minha voz tremesse.

Se ele notou meu tom, não comentou.

— Eles acham que pode ter sido um caso de desidratação. Ela admitiu que não se cuidou nos últimos dias, estava nervosa com a festa e andou se esquecendo de comer e beber. Então ontem ela chegou lá e bebeu umas taças de vinho e foi isso.

— Uau, então é só? — consegui dizer.

— Bem, não exatamente. A desidratação pode ser uma coisa muito séria, então eles a colocaram no soro, mas disseram que ela pode ter alta assim que terminar. Vou levar ela aí para casa por alguns dias, assim ela pode descansar e eu posso ficar de olho nela.

Eu senti uma pontada de lágrimas no fundo da garganta.

— Por que James não pode cuidar dela? — soltei, antes de conseguir me conter.

— James? — indagou ele, com o tom de voz mais tenso. — Porque ele está ocupado e já tem muito com que se preocupar. Aquela namorada dele ainda está causando problemas e acho que as coisas no trabalho também não vão bem. De qualquer forma, agora nós temos um quarto extra, graças a Deus, então podemos colocá-lo em uso.

— Bem, suponho que ela vai nos permitir dormir juntos no nosso quarto — disse eu, de maneira seca, tentando esconder minha angústia egoísta.

A risada dele soou vazia.

— Acho que ela não vai ter escolha, não é? Agora que você está prestes a se tornar a sra. Banks.

Eu sorri em meio às lágrimas, tentando desesperadamente me lembrar do momento em que ele me pediu em casamento, do momento com o qual eu sonhara por anos. Ainda menina, eu tinha imaginado meu príncipe se ajoelhando e me pedindo para ser sua esposa, na frente de milhares de pessoas reunidas em uma praça. Eu tinha ideias românticas de um casamento em uma catedral, um vestido de noiva rendado com uma cauda do tamanho da que a princesa Diana usou – mamãe tinha sido uma grande fã dela, e me lembro da manhã de domingo em que ela me acordou aos prantos para me dizer que a princesa tinha morrido. Ficamos o dia todo em frente à TV, assim como milhões de outras pessoas, rezando para que fosse mentira. Eu era muito jovem para entender o motivo de tanta comoção, mas me lembro de ficar hipnotizada com os clipes do casamento real com o príncipe Charles – como ela era bonita e como aquele dia tinha sido mágico para ela! Passei semanas usando um vestido de princesa da Disney, resgatado do fundo do meu baú de fantasias, arrastando um lençol pregado nas costas. Enquanto eu estava nas nuvens do mundo da fantasia, meu pai reclamava a quem quisesse ouvir que eu era um risco de incêndio, e Stuart tentava se livrar de seu papel de dama de honra o mais rápido possível.

Sempre supus que, quando chegasse minha vez, aquele momento ficaria gravado na minha memória para sempre, algo que eu depois contaria para meus filhos e netos. Eu recordaria como tinha exibido orgulhosamente a promessa de noivado que brilhava em meu dedo. Como eu tinha olhado bem no fundo dos olhos de meu noivo antes de sussurrar o "sim". A excitação da minha família e amigos correndo para nos cumprimentar e para perguntar quando seria a cerimônia.

E agora aqui estava eu, apenas algumas horas depois, mal conseguindo saber se tinha mesmo acontecido. Devo ter dito sim; tinha um anel no meu dedo para provar. Mas como o desmaio de Pammie tinha escolhido exatamente o mesmo instante, eu não conseguia visualizar nada além do choque e do horror gravado no rosto das pessoas, e o pânico que se seguiu. Era como se o nosso momento nunca tivesse acontecido.

— Você pode ficar acordada? Esperar a gente chegar? — perguntou Adam.

Eu dei uma olhada no relógio e vi que tinham se passado três minutos desde a última vez que olhara. Não tinha importância. Apesar de ser sábado, em geral um dia de trabalho normal para mim, eu tinha avisado que não ia. Mas tinha pensado que estaria dormindo para aplacar uma ressaca monstruosa em vez atravessar a madrugada sozinha e acordada, preocupada se a minha futura sogra ia sobreviver até o amanhecer.

— Vou tentar — consegui dizer —, mas não prometo nada.

— Foi uma noite horrível — suspirou Adam, profundamente. — Eu tinha a esperança de que pudéssemos consumar nosso noivado.

Era uma afirmação, não uma pergunta. Como ele podia pensar em sexo numa hora dessas? Mas acho que, em outras circunstâncias, sexo seria óbvio. Sem dúvida passaríamos a noite e o dia seguinte na cama, alternando entre fazer amor e procurar lugares para o casamento em nossos iPads. Eu não conseguia pensar em fazer nenhuma das duas coisas agora. Acho que deve ser uma daquelas diferenças fundamentais no funcionamento dos cérebros masculino e feminino.

— A gente vê — disse.

Depois de desligar o celular, servi mais uma taça de vinho e solucei lágrimas quentes e egoístas. Pena não era algo que eu costumasse sentir por mim mesma, mas era a única emoção com a qual conseguia me identificar nesse momento. Não me sentia feliz ou triste, apenas uma imensa pena de mim mesma, anestesiada por todas as questões que ressoavam dentro da minha cabeça. O que eu tinha feito para merecer isso? Eu era mesmo a melhor coisa que já tinha acontecido a Adam? Por que Pammie me odiava tanto? Mas a pergunta que espancava a porta com mais força, aquela que eu me recusava a deixar entrar, era: ela fizera aquilo de propósito?

13

Como esperado, desde o instante em que chegou, Pammie passou a dominar toda nossa existência, indo de reclamações sobre a temperatura do apartamento até a cara de desgosto quando Adam disse que eu tinha arrumado o quarto extra para ela.

— Mas é uma cama de solteiro — lamentou Pammie. — E ainda por cima uma cama de armar. Não vou conseguir nem dormir naquilo.

Eu sabia o que ia acontecer antes mesmo de Adam abrir a boca.

— Está bem, então por que você não dorme na nossa cama e Em dorme aqui?

Podia sentir seu olhar tentando medir minha reação.

— Ah, não, eu não posso incomodar vocês assim. Por que você não me leva para casa? Eu vou ficar bem lá.

Eu afofci os travesseiros, desejando me desligar daquela conversa. Precisava de espaço. Precisava sair dali.

— Não seja boba — disse Adam. — Não tem problema algum, não é, Em?

Balancei a cabeça, ainda sem olhar para ele. Não queria assistir enquanto ele rastejava pateticamente para ela.

— Mas onde *você* vai dormir?

— Posso ficar no sofá por algumas noites. Sinceramente, não tem nenhum problema.

— Bem, se você tem certeza — continuou ela. — Eu realmente não quero incomodar ninguém.

Que ironia, já que parecia que essa era exatamente a função dela na Terra.

Três dias depois, quando ela colocou tudo o que estava sobre a minha penteadeira em uma caixa e substituiu meus cremes e loções pelas coisas dela, eu apareci na porta de Seb.

— Não aguento mais. Posso ficar com você por algumas noites, só até ela ir embora?

— Claro que pode — disse ele. — Mas você tem certeza de que essa é a coisa certa a fazer? Vocês são oficialmente um casal agora, não é mais brincadeira. Vocês vão se casar, pelo amor de Deus, precisam resolver as coisas juntos.

— Não tem "juntos" quando a mãe dele está envolvida — reclamei. — São eles contra mim. Eles vêm em par. Adam simplesmente não enxerga o que ela faz e como ela se comporta.

Seb suspirou.

— Talvez ele saiba exatamente como ela é e tenha escolhido ignorar.

Eu me joguei no sofá dele, apoiando a cabeça no estofado laranja, recordando a noite anterior.

— Espero que você esteja usando carne orgânica — farejou ela, arrogante, enquanto me observava mexer o molho à bolonhesa. — É o que Adam prefere, e é tão melhor para ele.

— Também custa três vezes mais caro — lembrei a ela, pensando se "orgânico" sequer existia quando Adam ainda morava com os pais.

— Falei duas vezes com Adam hoje, mas me esqueci de perguntar a que horas ele chega — disse ela, rindo, sublinhando a proximidade dos dois. Não me passou despercebido que, quando eu liguei na hora do almoço, ele estava ocupado demais para falar. Mas não para falar com ela, aparentemente. Duas vezes.

— Ele vai trabalhar até mais tarde — respondi, abruptamente. — Deve chegar lá pelas dez.

— Você não se preocupa com ele trabalhando tanto? — perguntou ela.

Eu não devia nem responder, e estava bem ciente de que estava dando corda para ela, mas eu quase queria testar o que ela sabia. Ver se ela realmente sabia mais que eu sobre Adam.

— Por que deveria me preocupar? — disse.

— Bem, só em saber se ele realmente está fazendo o que diz — disse ela, piscando. — Nunca se sabe do que esses jovens são capazes, especialmente alguém tão bonito quanto o meu Adam.

Silenciosamente, eu repeti *meu Adam* enquanto continuava a mexer o molho, agora com mais fúria.

O que eu deveria responder? O que ela queria que eu dissesse? Que até agora isso nunca tinha me ocorrido? *Mas olha só, agora que você falou, pode ser que tenha razão. Talvez ele esteja comendo a colega loira de vinte e dois anos.*

Em vez disso, eu disse:

— Adam está com muito trabalho estes dias, mas normalmente ele já estaria em casa.

Eu me sentia como se tivesse que defender Adam, seu trabalho e nossa relação. Como se tivesse que apresentar uma desculpa para algo que acontecia com frequência e que até agora eu nunca tinha questionado... muito.

— Pode ser — tinha dito ela. — Mas você precisa tomar cuidado se ele estiver estressado. Basta alguém no trabalho chamar a atenção e ele vai atrás. Acontece tanto hoje em dia.

Eu me afundei mais no sofá de Seb, cobri o rosto com as mãos e gritei de frustração.

— O tempo todo ela me rebaixa na frente dele... o tempo todo. Mas ele reage? Fala alguma coisa para ela? Claro que não.

— Ele só quer ficar em paz, Em — disse Seb. — Provavelmente é o jeito dele de apaziguá-la. Ele a conhece faz tempo, então temos que supor que ele sabe o que funciona e o que não funciona.

— Mas o problema não é apaziguá-la. É sobre ficar ao *meu* lado, a mulher com quem ele supostamente quer casar. Sinceramente, Seb, eu não sei se consigo prosseguir com esse casamento se tudo continuar desse jeito.

— Bem, nesse caso você precisa conversar com ele. Dizer a ele exatamente como se sente e como precisa de apoio e suporte para esse problema.

Eu assenti, sabiamente.

— É importante, Em. Estes deviam ser os dias mais felizes da sua vida. Vocês encontraram um lindo apartamento novo juntos, ele colocou um anel no seu dedo e você deveria estar planejando o seu casamento. Esta é sua hora de ser feliz.

— Eu sei — suspirei. — Vou falar com ele. Preciso fazer isso. Mas posso ficar aqui? Só esta noite?

Ele balançou a cabeça e foi buscar outra garrafa de vinho na cozinha, enquanto eu ligava para Adam.

— Como assim, você vai passar a noite aí? — vociferou ele ao celular.

— Eu não quero discutir — disse, cansada. — Estamos aqui conversando e está ficando tarde. De manhã eu passo em casa e troco de roupa antes de ir trabalhar.

— Isso é ridículo — disse ele. — Não tem nenhuma necessidade de você dormir aí.

— Adam, estou cansada e, sinceramente, preciso de um tempo, só esta noite. Já passa das dez, então você não vai nem perceber.

— Vá para casa agora! — disse ele, antes de desligar.

Minha garganta ficou em chamas e lágrimas jorraram dos meus olhos. Lutei para contê-las, mas, assim que Seb entrou na sala, elas rolaram pelo meu rosto.

— Ei, que diabos é isso? — disse ele, me puxando para perto, com a garrafa ainda em sua mão. — O que aconteceu?

— Ele simplesmente… não entende — falei, entre soluços.

— Respira fundo — disse Seb, tentando me acalmar. — Fique aqui essa noite e tudo vai parecer melhor pela manhã, eu prometo.

— Não posso… preciso ir para casa… — gaguejei.

Eu teria dado qualquer coisa para ficar ali abraçada com Seb – me sentia segura –, mas precisava ir para casa. Adam tinha razão.

Dois dias se passaram desde então, e eu ainda não tivera coragem de dizer algo. Não porque achasse que estava errada ou tivesse medo de Pammie descobrir, mas só porque não sabia para que lado Adam ia se inclinar. Não é uma loucura que eu honestamente não saiba como o homem que eu amo mais que a própria vida vai reagir? E aí está o problema: não importa por quanto tempo eu o conheça ou quanto eu o ame, eu nunca serei capaz de competir com a mãe dele. Eles têm uma ligação singular, que simplesmente não pode ser quebrada ou mesmo alterada.

— Emily, Emily. — Eu a podia ouvir me chamando, mas precisava respirar fundo mais uma vez antes de responder.

— Sim, Pammie?

— Você pode pôr a chaleira no fogo, querida? Estou sedenta.

Eu tinha literalmente acabado de entrar em casa. Ainda estava de casaco, ensopada pela súbita pancada de chuva que tinha começado no instante em que saí do trem. Pammie deve ter me ouvido lutando com a fechadura. Vou ter que pedir ao senhorio para olhar isso antes que quebre de vez.

Contei até dez e então fui até a cozinha. Tudo o que eu queria era quebrar toda a louça, jogar tudo no chão. Mas, em vez disso, coloquei sua xícara favorita sobre o granito da pia e fiquei imaginando como seria fácil administrar cianeto com o chá.

— Ah, você é uma linda — disse Pammie, entrando na cozinha muito mais devagar do que eu sabia que ela era capaz. — Como foi seu dia? — perguntou ela, sem me dar tempo para responder. — Como você pode ver, lavei o que ficou da noite passada — continuou, pegando um pano e passando nas superfícies completamente limpas. — Se você deixar essas coisas por aí tempo demais, acaba atraindo baratas e outros insetos, e duvido que seu senhorio ficaria feliz. Ele provavelmente já tem muito com o que se preocupar com aquele restaurante italiano no térreo. A bagunça e o lixo que eles espalham é chocante. Em breve vai ter ratos correndo por todo lado.

Dei a Pammie um sorriso seco. Tinha sido um longo dia e tudo o que eu queria era tomar um banho, vestir meu pijama e assistir à TV largada no sofá. Sexo com meu noivo, pela primeira vez na semana – na verdade, desde que ele me pedira em casamento –, estaria no topo da minha lista de desejos também, mas, sabendo que ele ia trabalhar até tarde e que o demônio encarnado estava dormindo em nossa cama, a chance de alguma intimidade era extremamente pequena.

— Ah, seu cabelo está diferente — disse ela, como se estivesse me vendo pela primeira vez. — O que você fez com ele? Ah, não, não gostei. Prefiro do outro jeito. O jeito de sempre.

— Eu só tomei chuva — eu disse, cansada. — Ele fica mais encaracolado quando molha.

Ela soltou um risinho.

— Não deixe Adam ver você assim. Ele vai ficar se perguntando no que se meteu.

Ainda de casaco, eu me servi de uma taça de vinho da geladeira e saí em direção ao banheiro.

— Meio cedo para isso, não? — foi a última coisa que ouvi antes de bater a porta atrás de mim.

14

Eu esperei acordada por Adam. Sua mãe e eu tínhamos passado a noite toda em uma enfadonha luta pelo poder. Desde o que teríamos para o chá até quem ficaria com o controle remoto – qualquer coisa que necessitasse de uma decisão gerava uma disputa. Era patético e me remeteu aos meus anos de pré-adolescente, lutando contra a teimosia férrea de meu irmão de dez anos.

— Mas você prometeu — reclamaria Stuart, quando eu mudava de canal para ver o meu programa favorito. — Você disse que eu podia ver meu desenho hoje. Você jurou.

— Eu não disse nada disso — eu replicava.

— Disse sim. Você viu o seu ontem. Hoje é minha vez.

Então dava a ele um olhar de desprezo. Eu usava muito esse olhar naquele tempo. Um olhar taciturno parecia provocar respostas bem melhores que o vocabulário confuso que normalmente saía da minha boca. Os meus pensamentos raramente guardavam correlação com o modo como eram verbalizados.

Estava sem paciência outra vez esta noite, com Pammie, a quem eu tinha decidido me referir como Pamela, que combinava melhor com ela: nada amigável ou afetuoso. Eu também sabia que ela detestava ser chamada assim.

— Tem um programa na TV hoje a que quero assistir — disse ela.

— Ah, eu também — respondi, sub-repticiamente alcançando o controle remoto, que descansava sobre o sofá entre nós. — Qual programa?

— *Os Maiores Golpes da Inglaterra* ou coisa assim.

— Ah, o meu é um filme. Um drama.

Comecei a mudar de canal obsessivamente, procurando por algo que soasse ou parecesse vagamente dramático. Acabei parando relutantemente em uma reprise de *Orgulho e Preconceito*, um filme tão distante das minhas preferências que, se Adam estivesse lá, teria se referido a ele como "meu pior pesadelo". Mas assim era a batalha subterrânea de vontades entre nós, eu teria assistido a qualquer coisa antes de fazer a vontade dela.

— Por que você não vai dormir? — disse ela, meia hora depois, quando meus olhos começaram a fechar e eu deixei o controle deslizar da minha mão para o abismo entre nós duas.

Sua voz me atravessou, trazendo-me de volta à sala.

— O quê? Por quê?

Ela riu.

— Você está obviamente muito cansada. Vá para a cama. Eu fico acordada e espero por Adam.

— Ele tem trinta anos, Pamela. — Vi seu rosto se crispar ao som de seu nome. — Nenhuma de nós precisa esperar acordada por ele, muito menos sua mãe.

— Eu sempre esperava acordada por meu Jim — disse ela.

— Ele era seu marido.

— E logo Adam será o seu. É o que uma esposa deve fazer. Nunca fui para a cama sem ele, nenhuma vez.

— E aposto que você usava um laço de fita na cabeça também, não? — resmunguei.

— O quê?

— Acho que você vai descobrir que os tempos mudaram desde quando você era casada.

— Devo informar a você, senhorita, que ainda sou casada. E se você espera que seu casamento dure mais que um ano, deveria ouvir o que eu digo. Você precisa ser subserviente. Você não deveria nem trabalhar tanto como trabalha. O lugar da mulher é em casa.

Gargalhei alto.

— Por falar em casa, quando você planeja voltar para a sua? Faz uma semana que você está aqui.

Pammie tentou pegar o controle remoto do meu colo, mas eu peguei primeiro. Aquilo era ridículo.

— Quando Adam achar que eu devo — replicou ela.

— Adam? Não é decisão dele.

— Nós falamos sobre isso outro dia — disse ela, em tom de conspiração, projetado para me informar que eles haviam tido uma conversa da qual eu não participara. — E ele disse que se sente mais confortável sabendo que estou aqui, onde ele pode ficar de olho em mim.

Mas não é ele quem olha você, sou eu, pensei com amargura.

— Então, quando Adam e eu acharmos que estou bem, eu volto para casa — acrescentou ela, olhando para o relógio e bocejando.

— Claro, Pamela. Você só deve ir quando se sentir pronta. Eu odiaria se alguma coisa acontecesse com você lá sozinha. Quer dizer, aquilo pode acontecer de novo a qualquer momento, então precisamos tomar cuidado. — Eu fiz aspas no ar quando disse *aquilo*. Não sei se ela cerrou os dentes naquele momento ou quando a chamei de Pamela novamente.

— Está tarde. Vá para a cama. Vou esperar por Adam — continuei. — Você tem razão. Devo esperar por ele. Nunca se sabe o que ele pode precisar ou querer.

O rosto dela não deixou transparecer, mas nós duas sabíamos que eu tinha ganho um ponto ali.

— Boa menina — disse ela, levantando-se do sofá. Eu a observei levantar e flexionar os braços acima da cabeça. Algo que ela nunca faria na frente de Adam, com medo de mostrar a ele quão ágil realmente era. Ela se tornara mestre em disfarces, mudando sutilmente seu comportamento, sua postura e mesmo sua voz quando ele estava por perto, eu tinha notado.

— Então, você cuida para que ele chegue bem?

Assenti.

— E se ficou bebendo, não o incomode com suas reclamações. Ele tem o direito de andar sem coleira de vez em quando.

Olhei para ela, balançando a cabeça, sem acreditar no que ouvia. Será que Pammie tivera o tipo de casamento que alegava ter tido com Jim? Eu não conseguia vê-la como uma esposa oprimida, cedendo a todos os caprichos e desejos do marido. A personalidade dela era forte demais para isso. Por outro lado, essa força pode ter vindo justamente de perdê-lo. Ela precisou se reinventar para cuidar dos dois filhos. Não podia nem me imaginar em uma situação assim. Talvez isso tenha criado essa ligação anormal entre eles. Uma ligação que agora ela via ameaçada por seus filhos estarem em relações normais. Havia uma pequena parte de mim que poderia começar a sentir pena dela, que gostaria de sentar com ela e explicar que eu não estava levando seu filho embora. Que ela poderia ainda ser parte da vida dele, de *nossa* vida. Que não precisávamos ficar nesse eterno cabo de guerra, o tempo todo tentando provar quem Adam amava mais. Mas então eu me lembrava de todas as coisas que Pammie tinha feito e dito, todas as mágoas desnecessárias que ela me causou. Nós poderíamos ter sido amigas. Deus, ela poderia até ter ganho uma filha, algo do que ela certa vez me disse que sentia falta. Mas a chance de isso acontecer tinha passado, inteiramente por culpa dela, e se era assim que ela queria que as coisas fossem, paciência, mas eu não ia permitir que ela me dominasse, especialmente dentro da minha própria casa. Ela precisava ir embora.

O relógio no DVD marcava 00h24 da última vez que eu tinha olhado, mas só Deus sabe que horas eram quando Adam caiu em cima de mim ao tentar tirar os sapatos.

— Deus — disse ele, em resposta ao meu grito. — O que você está fazendo aqui?

Eu me sentei no sofá, a visão ainda turva, meu pescoço duro.

— Esperando por você, como uma boa esposinha — sussurrei, ainda acordando.

Ele estava em pé à minha frente, sem sapatos, balançando um pouco para lá e para cá.

— Ah, isso é tão encantador — disse ele. — O que eu fiz para merecer isso?

— Não é tanto sobre o que você merece, mas sobre o que eu preciso — respondi, meio rindo, puxando-o para mim pelo cinto.

— Faz tanto tempo.

O zíper da calça estava na altura do meu rosto e eu o alcancei.

— Não podemos — resmungou ele, hesitante. — Minha mãe pode acordar.

Dei de ombros e continuei.

— Sshh, não, Em. De verdade, não podemos. — Ele estava rindo agora, e eu sabia que ia conseguir o que queria, porque ele queria que eu conseguisse.

— Faz quase uma semana — sussurrei, minhas mãos ainda ocupadas. — Quanto tempo mais vamos ter que esperar?

Adam de repente segurou minhas mãos desajeitadas.

— Só um pouco mais. Até que ela esteja bem de verdade.

— Quanto tempo mais? — continuei, me soltando de suas mãos. — Preciso de uma data, algo com que eu possa trabalhar, para saber quando teremos nosso apartamento de volta.

— Eu sei que é difícil, Em, mas vamos esperar só mais alguns dias.

— Então, domingo? — insisti.

Adam hesitou.

— Então prometa, domingo, ou vou continuar.

— Desse jeito eu não tenho como ganhar — disse ele, rindo.

Eu o peguei na minha mão e senti todo o seu corpo enrijecer.

— Deus... — arfou Adam.

— O que vai ser? — provoquei. — Diga que é domingo e eu paro.

Aumentei o ritmo.

— Cristo, Em.

— Domingo e eu paro, ou domingo e eu continuo?

Ele tinha razão. Não tinha como vencer.

Adam gemeu, e eu sabia que não havia nada que o faria pedir que eu parasse agora.

— Continue — sussurrou ele. — Não pare...

Era o que eu tinha imaginado. A dinâmica dessa relação a três precisava de uma mudança, e a querida Pammie precisava entender que éramos Adam e eu contra o mundo, juntos e iguais, como o casal que somos, não as duas entidades separadas que ela percebia em sua mente distorcida e confusa.

Eu jamais teria imaginado que ver seu filhinho querido na minha boca resolveria a questão.

15

Não tivemos notícias da mãe de Adam por três semanas depois que ela nos surpreendeu na sala. O choque de nos ver em uma posição tão comprometedora tinha, aparentemente, deixado-a traumatizada e emocionalmente marcada.

— Nenhuma mãe deveria ter que ver aquilo — tinha confessado ela dramaticamente para James, que nos contou quando apareceu para conversar sobre os preparativos do nosso iminente casamento. Estávamos em meio a uma grande agitação, pois Adam tinha encontrado um lindo hotel em Tunbridge Wells com uma capela anexa, mas com um único sábado livre antes do verão, daí tínhamos reservado a data. Agora, com apenas alguns meses para organizar tudo, o pânico estava se instalando e as coisas estavam sendo decididas às pressas, e eu contava que o planejamento dos eventos pré-casamento seria discutido entre James e Adam.

— Não quero falar nisso — protestou Adam, quando nós três estávamos na cozinha, ouvindo James recontar o extenuante acesso de sua mãe. Tentei me aproximar dele, mas Adam se virou e se retirou para o quarto, deixando James e eu para trás.

Fizemos caretas e rimos. Uma covinha apareceu em sua bochecha esquerda.

— Eu me sinto mal rindo disso, mas se não rir vou acabar chorando — disse eu.

James me olhou por cima de sua caneca de café, com sorriso nos olhos.

— Poderia ter sido pior.

Eu o olhei como se ele estivesse maluco.

— Hmm, como, exatamente?

— Bem, não sei. Com certeza existe alguém que já esteve numa situação pior.

— Ah, e isto deve me consolar, é? — disse, rindo.

Ele pôs um dedo sobre os lábios.

— Sshh, não deixe ele nos ouvir rindo. Vai só deixá-lo mais zangado.

— Ele já está bem zangado — disse baixinho. — Adam está irritado desde aquele dia. Para começar, ele me culpa por ter feito aquilo.

— Você está brincando, não está?

Balancei a cabeça.

— Bem, então talvez ele precise ser avisado de que precisa de dois para dançar? — disse James, erguendo as sobrancelhas.

Eu estava ciente de que estávamos falando em voz baixa e não queria que Adam pensasse que estávamos falando dele. Que era exatamente o que estávamos fazendo.

— Então... — disse, em voz alta. — Quer outro café?

Não consegui pensar em nada mais para dizer. James mostrou sua caneca pela metade e balançou a cabeça negativamente. Fiz outro café para mim, fazendo barulho na cozinha no processo.

— Alguma ideia sobre o que fazer a respeito da sua mãe? — perguntei, sabendo que podia estar ultrapassando algum limite. Fiz uma careta enquanto esperava a resposta.

— Ela vai superar — disse James, baixinho.

Sorri.

— Acho que demora algum tempo. Você sabe como é sua mãe. Ela vai arrastar essa situação enquanto isso for possível.

Eu não tinha certeza de que era minha intenção dizer isso em voz alta.

— Ela ladra mais que morde — disse ele, depois de um tempo. — Acaba superando.

Soltei o ar que estava segurando, e a tensão em meus ombros se aliviou. Se Adam não estivesse no quarto ao lado, eu teria contado tudo a James. Estava tudo ali, na ponta da língua, desesperado para sair. Eu queria que Adam fosse mais como James, teria sido mais fácil conversar com ele sobre sua mãe. James entenderia como eu me sentia, como *ela* fazia eu me sentir. Ele me apoiaria e viria em meu auxílio quando ela me encurralasse. Eu sei que viria.

James abriu aquele sorriso novamente, como se lesse minha mente.

— Ela só precisa de um tempo, só isso.

Eu não me importava com isso. Ela podia ter todo o tempo do mundo. O tempo de que precisasse. Não era como se eu estivesse com saudades dela. Para falar a verdade, eu estava muito feliz de aquilo ter colocado alguma distância entre ela e nós. Mas eu precisava tomar cuidado com o que desejava, pois, desde aquele dia, o impulso sexual de Adam tinha afundado na terra. Era quase impossível animá-lo a algo mais que um beijinho quando saía para o trabalho. Tentei me convencer de que era só uma coincidência, que ele estava cansado e sob pressão no trabalho. Mas toda vez que me lembrava de Pammie nos vendo e do choque que senti percorrer o corpo de Adam, sabia que aquilo tivera um efeito sobre ele que sequer consigo imaginar.

— Desculpe, não estou a fim — disse ele, mais tarde naquela noite, quando eu adentrei o quarto usando minha nova lingerie de seda da Victoria's Secret.

— E quando você acha que vai estar a fim? — disse, amuada. — Vai demorar muito?

— Só não esta noite.

— Mas eu posso fazer você esquecer seus problemas — eu disse, subindo na cama e me aproximando.

— Só me deixe em paz — retrucou ele, virando de costas para mim e apagando a luz.

Meu humor não melhorou nada quando, na manhã seguinte, dois de meus trainees faltaram alegando problemas de saúde. Eu sabia que um deles era meio confuso, mas fiquei surpresa e desapontada com Ryan. Sua agenda estava tomada de reuniões, o que me obrigou a equilibrar nossas agendas sozinha e de alguma forma realizar o milagre de estar em dois lugares ao mesmo tempo. Ali pelo meio-dia eu quase sentia o vapor saindo das minhas orelhas. Meu chefe, Nathan, queria que eu participasse de uma apresentação de vendas, e um cliente com quem eu negociava há semanas estava prestes a dar o contrato para uma empresa rival. Eu não tinha reservado tempo para nenhuma das duas coisas.

Meu celular já tinha tocado pelo menos umas trinta vezes, e meu nível de estresse aumentava a cada ligação.

— Sim, Emily Havistock — atendi, soando mais agressiva do que pretendia.

— Ruim assim, é? — disse uma voz masculina.

— Perdão? Quem é? — Eu não tinha reconhecido o número, e já estava me arrependendo de ter atendido. Não tinha tempo para conversar com desconhecidos.

— É o James — respondeu ele.

Eu demorei a entender.

— Desculpe, que James...?

— O irmão de Adam — disse ele, hesitante.

— Ah — respondi —, desculpe, eu estava tentando me lembrar de algum James do trabalho. Oi, como você está? Eu não estou com Adam, se é por isso que você está ligando. É a Pammie? Ela está bem? — Eu estava balbuciando, enquanto na minha cabeça vários cenários se sucediam.

— Sim, ela está bem. Está tudo bem.

Eu estava esperando mais que isso, mas ele estava me fazendo cavar a informação.

— E então, como vão as coisas? — perguntei. — Tudo bem com você?

Era estranho falar com James ao telefone. Trocar mensagens de texto era diferente. Nossa amizade, antes tão natural, parecia estar cruzando algum limite.

— Sim, está tudo bem — disse ele, vagarosamente. Esperei, incerta sobre o que dizer.

— É só que... aaahh... estou perto de você, achei que talvez você tivesse tempo para um café rápido.

— O quê? — Não sei se disse isso em voz alta.

— Alô?

— Oi, estou aqui.

— Não entendi, isso é um sim ou um não?

— Ah... desculpa, estou em Canary Wharf agora. Teria sido ótimo, mas estou enterrada até o pescoço hoje, tenho reuniões o dia todo. Eles nos exploram nesse trabalho. — Dei uma risada forçada para aliviar o tom. Duvido que ele me conhecesse o suficiente para saber a diferença.

Pensei no homem do outro lado da linha. Eu sempre o imaginava de joelhos na terra, cavando um canteiro de flores e limpando as mãos em uma camiseta cinzenta e sebosa que um dia tinha sido branca. Fisicamente, ele era muito parecido com Adam, porém mais jovem, o corpo mais definido, mais esculpido. Suas unhas estavam sempre imundas, o que dava pra ver enquanto ele tirava o cabelo do rosto.

Agora James estava aqui, no que eu já tinha ouvido ele chamar de "a metrópole de concreto". Eu supunha que ele não era fã da cidade, então o que estava fazendo aqui? Ele estaria de terno, andando em meio aos arranha-céus, cada vez mais desesperado para voltar para os campos verdes que adorava?

Dar-me conta de que eu pensava nele e de que essa claramente não era a primeira vez me fez corar.

Eu gaguejei, quebrando o silêncio.

— Ah... talvez da próxima vez?

— Sim, claro, nem era grande coisa — disse ele rapidamente, soando embaraçado e desesperado para encerrar a ligação.

Eu me despedi no silêncio que se seguiu e fiquei parada ali na esquina da Cabot Square, o vento cortante assoviando à minha volta, perplexa e encarando o celular.

Tentei me concentrar no trabalho, mas tinha uma voz no fundo da minha cabeça que eu não conseguia calar. *Estou perto de você...* Ele estava mesmo, ou era algo mais planejado? E se era planejado, por quê?

16

Não sei por que não disse a Adam que James tinha ligado. Até achei que deveria ter mencionado o fato, mas o que havia realmente para contar? Como disse James, "nem era grande coisa". Por outro lado, se Adam ligasse para a namorada de James assim por acaso, só porque estava passando por ali, eu ia achar muito revelador. Estava bem ciente de um duplo padrão agindo aqui.

Passei as três semanas desde o "incidente" tentando raciocinar como adulta sobre o impasse que havia se criado entre Pammie e eu. O que tinha acontecido era lamentável, mas, depois de pensar bem sobre o assunto, entendi que o problema era bem maior para Adam e sua mãe que para mim. Sim, eu estava envergonhada, mas eu era apenas um peão pego no meio da jogada. Se, Deus me livre, tivesse acontecido ao contrário, se *minha* mãe tivesse visto o que Pammie viu, eu estaria completamente arrasada. Assim, apesar de duvidar que algum dia ela venha a ser minha pessoa favorita no mundo, decidi que tentaria ao máximo compensar o dano quando fosse possível. Mas não esperava que essa minha nova filosofia fosse testada tão cedo.

Nós combinamos de nos encontrar para almoçar no domingo seguinte, em um restaurante de peixe em Sevenoaks. "Eu achei que seria melhor nos encontrarmos em território neutro", disse Pammie. Ela soou como se fosse um encontro entre dois chefes de Estado para tentar evitar a III Guerra Mundial. Assim, seguindo as instruções, como sempre fazíamos, nos encontramos no Loch Fyne, logo depois da High Street. Estacionamos atrás da Marks & Spencer e Adam passou o braço pelo meu ombro no caminho até o restaurante. Foi um gesto simples, um gesto que ele já tinha repetido centenas de vezes, mas, como não dormíamos juntos há quase um mês, seu toque me fez estremecer. *Vou tentar novamente esta noite, quando voltarmos para casa*, pensei comigo. Mas uma hora você cansa de se oferecer, sabendo que vai ser rejeitada. Tentei continuar sorrindo, fingindo que não me importava, puxando-o para perto e acariciando-o nas poucas ocasiões em que ele permitia. Mas é importante. Isso me magoa e, mais uma vez, é tudo culpa dela.

Uma brisa gelada me surpreendeu quando viramos a esquina, e eu apertei mais o casaco em volta do meu corpo, agradecida por ele e pelo vestido grosso de lã que usava por baixo. Não era meu look mais glamoroso, mas eu não estava me sentindo nem um pouco glamorosa mesmo. Não tinha nem me dado o trabalho de lavar o cabelo de manhã. Era quase um desperdício de shampoo e condicionador, já que ela ia de qualquer maneira fazer um comentário desabonador, independentemente de meu cabelo estar sujo e preso em um rabo de cavalo ou descendo por meus ombros em cachos macios e brilhantes.

Apesar de estarmos cinco minutos atrasados, eu sabia que ela não estaria lá. Ela nunca está. Ela gosta de nos ver esperar uns bons quinze minutos antes de fazer sua entrada, tanto para assegurar que terá a atenção de todos como para não precisar ficar esperando sozinha. Pammie tem muitos truques escondidos na manga; eu aprendi alguns, mas ficaria espantada se já tivesse visto todos.

— E então, nós vamos falar sobre o que aconteceu? — perguntei a Adam depois que o *maître* pegou o casaco dele. Decidi continuar usando o meu até me esquentar um pouco mais.

— Não — foi tudo o que tive como resposta.

— Mas você não acha que precisamos...

— Meu Deus, Em. Esqueça o assunto. Ela já passou por coisa demais. Tenho certeza de que a última coisa que ela precisa é reviver aquela situação. E com certeza é a última coisa de que eu preciso também.

Ah, que delícia vai ser. Duas, talvez três horas presa entre uma mulher que não queria me ver nem pintada e um noivo que não conseguia nem estar perto de mim. Só então me passou pela cabeça, quando nos sentávamos em uma mesa lateral, que talvez James também viesse, para dar apoio a sua pobre mãe ofendida. Ótimo, não tinha como piorar.

No momento esperado, quinze minutos depois da hora marcada, Pammie chegou, sua expressão uma complicada mistura de amor e ódio. Ela saudou Adam com um grande abraço.

— Ah, querido, é tão bom ver você, estava começando a imaginar... — disse ela, deixando a frase pela metade, e olhou para o chão com os olhos tristes, para aumentar o efeito.

— E Emily... — disse ela, virando-se para mim, como que surpresa por eu estar ali. — Quanto tempo! — Seu tom de voz era frio, e ela já tinha virado as costas quando completou: — Mas você está com ótima aparência. Ganhou peso, você estava precisando.

Olhei para Adam, na esperança de que ele notasse minha situação, mas ele apenas balançou a cabeça discretamente e olhou de volta para ela.

— Na verdade não engordei, deve ser o efeito deste casaco e deste vestido — eu disse, puxando um pedaço da gola, como que para mostrar o volume, mas os dois já estavam conversando sobre outro assunto.

Três taças de Pinot Grigio depois, as coisas só estavam piorando. Era como se eles tivessem seu clubinho particular, do qual eu não era sócia.

— Ah, você se lembra de quando você e James encontraram aqueles caranguejos na praia, em Whitstable? — recordou ela, rindo.

Adam abriu um largo sorriso.

— E escrevemos nossos nomes na casca deles e os pusemos para apostar corrida.

— Isso mesmo — confirmou ela, em meio a um ataque exagerado de risadinhas.

— O meu nunca vencia — disse ele.

— E não teve também uma grande confusão sobre alguma coisa? — perguntou Pammie. — Lembro de James chorando na volta para casa.

Adam revirou os olhos.

— Você não lembra? Ele ficou todo nervoso porque nós fomos encher nossos baldes de água no mar e, quando voltamos, o caranguejo dele estava todo esmagado.

Pammie assentiu com a cabeça.

— Lembrei. Ainda não sei o que pode ter acontecido.

Adam riu.

— Uma pedra deve ter sido arremessada pela maré e caiu em cima dele. Ou foi um crime perfeito...

Ele olhou para mim.

— E desde aquele dia eu nunca mais comi caranguejo.

Abri um sorriso forçado.

Tentei me tranquilizar, me convencer de que ele estava só se esforçando para colocar a relação dos dois nos trilhos, mas e a *nossa* relação? Não era essa que precisava ser salva? Nós mal nos falávamos desde que ela nos surpreendera; sexo, então, nem pensar, e isso estava começando a me corroer por dentro... pouco a pouco. Tudo entre nós seria perfeito se ela se comportasse normalmente, da maneira como uma mãe deveria se comportar.

Depois do quarto copo, ali pela hora em que ela estava perguntando a Adam que presente eles poderiam comprar para Ewan, filho de Linda, que ia fazer vinte e um anos, eu já podia sentir uma sensação desagradável crescendo dentro de mim.

— Então, você acha que uma carteira bonita seria bem recebida? — perguntou Pammie a Adam, não a mim. Ela não tinha olhado para mim desde seu comentário sobre meu peso, e mesmo então eu não tenho certeza de que tinha realmente me visto. Se tivesse olhado direito, teria percebido que na verdade eu perdi peso, mas daí qual seria a graça?

— Acho que vai ficar muito feliz com isso. Se cada um de nós der uns cinquenta paus, acho que conseguimos comprar algo legal, talvez uma Paul Smith — disse Adam.

— Ótimo! — exclamou Pammie, entusiasmada. — Eu dou cinquenta libras, você dá cinquenta libras e James a gente vê. Como você sabe, ele não ganha tanto quanto você.

Ela estava falando só para Adam.

— Naturalmente, eu vou dar vinte e cinco — interrompi. — Metade da parte de Adam, só porque, você sabe, é de nós dois.

Ela olhou para mim com evidente desprezo.

— Obrigada, querida, mas não será necessário. É um presente da família — respondeu ela, e com um risinho voltou-se novamente para Adam.

— Mas eu sou da família — reclamei. Eu sabia que tinha bebido demais, porque minha boca não parecia mais fazer parte de mim. Meus lábios se moviam, mas eu não conseguia controlar o que saía deles.

— Está tudo bem, Em. Pago por nós dois — disse Adam.

— Eu não quero que você pague por mim — repliquei, enfatizando o "pague". — Se meu nome vai estar no cartão, então eu gostaria de contribuir.

Pammie estalou a língua e me lançou um olhar condescendente. Os óculos sem aro estavam apoiados na ponta de seu nariz, fazendo com que ela se parecesse com uma diretora de escola.

— Está bem — suspirou Adam. — Faça o que achar melhor.

— Bem, parece ridículo para mim — riu Pammie. — Você mal o conhece, então não deveria ter que tirar dinheiro do bolso, não é nem alguém da sua família.

— Mas a família de Adam *é* a minha família. — E eu parecia não mais ter controle do volume da minha voz. — Nós vamos nos casar em dois meses, e eu serei a sra. Banks. — Ela estremeceu visivelmente. — E assim nós todos seremos da mesma família.

— Se é o que ela quer, mãe, então está bom — disse Adam.

Sim! Obrigada, Adam.

— Bem, eu só acho que… — começou Pammie, mas eu levantei a mão, fazendo com que ela parasse.

— E já que estamos aqui — eu disse —, será que nenhum de nós vai ter a coragem de mencionar o elefante na sala?

— Já chega, Emily — disse Adam, com a voz dura.

— Chega do quê, Adam? — Eu queria manter a compostura, manter o controle, mas parecia que as semanas de frustração reprimida estavam prestes a explodir. — A sua mãe tem alguma ideia do que tem sido nossa relação nas últimas semanas? Desde que ela nos "surpreendeu" fazendo o que a maioria dos casais normais faz?

— Eu costumava odiar pessoas que colocavam palavras entre aspas com as mãos, mas com ela não conseguia me controlar.

Pammie estalou a língua de desgosto, e Adam me segurou pelo cotovelo.

— Desculpe, mãe — disse ele, me fazendo levantar da cadeira. — Não sei o que deu nela. Sinto muito, mesmo.

— É o que casais apaixonados fazem — zombei, me soltando de Adam. — Você precisa lembrar que...

— Emily! — gritou Adam. — Chega!

Ele segurou meu braço com mais força.

— Eu sinto tanto, mamãe — eu o ouvi dizer, sempre tentando aplacar sua mãe. — Tudo bem você ir sozinha para casa?

— Claro — respondeu ela, gesticulando para que fôssemos embora. — Eu vou ficar bem, você já tem muito com que se preocupar. Não se preocupe comigo, só leve Emily a salvo para casa.

Adam sorriu, tenso, para ela, enquanto me empurrava para a saída.

— Eu ligo quando chegarmos em casa — disse ele. Fiz uma careta, como que imitando-o, virei a cabeça para onde ela estava sentada, esperando ver sua expressão de comiseração, aquela reservada a Adam, para fazê-lo ver como ela estava magoada e vulnerável. Mas *ele* não estava olhando. Então, em vez disso, ela vagarosamente abriu um sorriso e levantou sua taça de vinho já pela metade.

Não me lembro de nenhuma palavra ser pronunciada até chegarmos em casa, quando Adam colocou a chave na fechadura e disse:

— Você está bêbada. Suba e vá se recompor.

Sim, eu estava altinha, tinha bebido uma ou duas taças além do que devia, mas não tinha dito nada além do que devia. Se estivesse sóbria, talvez tivesse escolhido uma forma diferente de falar, mas foi o que foi e não me arrependia. A única parte que machucava era, mais uma vez, eu parecer o bandido da história enquanto Pammie continuava solidamente instalada em seu trono.

17

Foram três dias até que Adam falasse comigo de novo, exceto pelos "com licença" quando nos cruzávamos entrando e saindo do banheiro. E, quando o gelo foi finalmente quebrado, não houve nenhuma grande conversa de coração aberto, algo de que nós precisávamos desesperadamente. O que rolou foi apenas um:

— O que você quer jantar hoje à noite?

— Não sei. Podemos pedir alguma coisa.

— Sim, tudo bem. Indiano ou chinês?

Pelo menos estávamos conversando novamente. Eu não tinha intenção de me desculpar com ele, e ele não parecia preparado para se desculpar comigo, então estávamos de volta à estaca zero.

Nós falamos de trivialidades enquanto comíamos, mas era um clima esquisito, como se fôssemos dois estranhos saindo juntos pela primeira vez. Os olhos deles ficaram o tempo todo fixos no seu frango *chow mein*, com medo de encontrar os meus.

— E então, como o Jason está se saindo no trabalho? — perguntei. Estava mais interessada na garota, Rebecca, mas me pareceu muito arriscado, então me contentei com uma opção mais segura.

— Ah, ele está indo bem — disse Adam. — Acho que está crescendo com os desafios, vamos ver. E Ryan? Como ele está indo?

— Bem melhor, graças a Deus. Ele é um bom garoto e tem grande potencial, mas é jovem, ainda não consegue enxergar isso direito.

É uma pena, pode ser que tentem se livrar dele antes mesmo de saber do que ele é capaz.

Um silêncio caiu sobre nós, enquanto os dois contemplavam o que dizer a seguir.

— Mas, então, o que vai acontecer com a mamãe? — perguntou ele.

A pergunta me pegou de surpresa. Eu não estava esperando que ele tocasse no assunto e, apesar de meus melhores esforços, senti meu queixo cair.

— Porque claramente algo precisa mudar. Não consigo continuar com as coisas entre vocês do jeito que estão. Você obviamente tem um problema com ela – ou é um problema com você mesma? Como ela consegue despertar o pior de você?

Deixei escapar um longo suspiro.

— Você não pode negar que há um problema — continuou Adam. — Você fica tensa sempre que ela está presente, ou mesmo quando ela é apenas mencionada. Eu me sinto pisando em ovos cada vez que falo dela. Você faz eu me sentir mal só de querer vê-la ou até conversar com ela.

— Você não enxerga como ela é — eu disse, docilmente.

— Mas nunca a vi ou ouvi ser qualquer coisa além de perfeitamente educada com você. E por que ela não seria? Ela acha você maravilhosa. Sempre achou.

— Você não entende.

Adam empurrou o prato para o lado e cruzou os braços sobre a mesa.

— Bem, então me explique. Ela sempre cuidou de você, não cuidou? Fez você se sentir parte da família?

Dei uma risadinha. Não era para soar sarcástica, mas foi o que aconteceu.

Adam gemeu.

— Viu, lá vai você de novo. Qual é exatamente o problema?

Eu não sabia como explicar nem para mim mesma, muito menos para ele, sem parecer mesquinha.

— Está bem, vou dar um exemplo — eu disse, buscando na memória por algo simples, sem conseguir lembrar de nada — Aaahh…

Ele permaneceu educadamente em silêncio enquanto eu pensava, mas eu mesma já estava me sentindo uma fraude.

— Certo, que tal domingo passado, no almoço naquele restaurante de peixes?

— Deus do céu, como eu poderia esquecer. Você fez o maior escândalo.

Respirei fundo. Precisava manter a calma. Precisava me explicar de forma clara e sucinta, se tinha alguma esperança de ele entender meu problema.

— Pois a primeira coisa que sua mãe fez ao chegar lá foi um comentário desagradável sobre meu peso — disse eu, encolhendo-me enquanto as palavras saíam. Eu soava como uma menininha de colégio.

— Pelo amor de Deus, Em. Sério? Não é o que todas as mães fazem? É essa a gravidade do que estamos discutindo aqui?

Sorri, pensando na minha mãe, que me criticava quando eu repetia o prato, mas ficava me forçando quando eu não repetia. Mas aí me recompus. Pammie não era a *minha* mãe.

— Na sua festa, ela reuniu todo mundo para a foto de família e pediu que eu tirasse a foto — continuei. Eu queria mesmo é dizer a ele que achava que ela fingira o desmaio, mas, se eu estivesse errada ele nunca mais falaria comigo, e não havia como provar aquilo.

Adam me olhou com uma expressão vazia.

— E...?

— Bem, eu não saí na foto.

— Era uma foto — replicou ele, me olhando incrédulo. — Estava uma confusão, tinha um monte de gente lá... tenho certeza de que outros membros da família também ficaram de fora, mas com certeza não foi intencional.

— Mas ela pediu que eu tirasse a foto — eu disse, já me sentindo derrotada.

— Você é maior que isso, não é? — perguntou Adam. — Ainda que mamãe tenha suas pequenas fraquezas, e acredite, eu sei disso, não seria melhor você ignorá-las? Para a gente poder seguir a vida, em vez de você fazer uma tempestade a cada coisa que ela diz ou faz? E sem querer fazer graça, Em, você fala como se ela tivesse alguma espécie de missão pessoal de vingança contra você. Minha mãe tem mais de sessenta anos, por Deus. O que você acha que ela vai fazer? Correr atrás de você e te bater com o guarda-chuva?

Eu tive de rir. Adam tinha razão, eu soava pateticamente insegura e imatura, e eu não sou essa pessoa. Sou alguém que se garante em qualquer situação, luto minhas próprias guerras, devolvo na mesma moeda. Não sou?

— Então, você promete dar uma chance a ela? — perguntou ele. — Por mim?

Olhei para ele e assenti.

— Adam — disse, gentilmente. Ele então olhou para mim, olhou de verdade. Eu podia sentir a intensidade de seu olhar. Meu estômago revirou e eu senti uma onda de calor, me lembrando da nossa primeira vez, quando meus sentidos estavam tão sobrecarregados que parecia que um bolo inteiro de nervos tinha se formado dentro da minha barriga. Um milhão de cenários passaram pela minha cabeça ali, cada um contradizendo o anterior.

Eu pensei em tudo aquilo de novo quando ele me encarou, exceto pelo fato de que agora eu tinha muito mais a perder se não entendesse direito. Não estava mais vivendo aqueles dias inebriantes, quando um caso passageiro se fundia no seguinte sem nenhum perigo. Esse era o meu futuro, o nosso futuro, e precisava ser manuseado com muito cuidado.

Os cantos de sua boca se viraram levemente para cima, me dando todas as dicas de que eu precisava.

Eu me levantei, passei para o outro lado da mesa para beijá-lo nos lábios e, sem dizer uma palavra, saí da sala.

Adam resmungou alguma coisa, mas eu não queria ouvir desculpas. Queria que ele fizesse amor comigo. *Precisava* que ele fizesse amor comigo.

Quando ele chegou no quarto eu já estava sem roupa, exceto pela lingerie preta de renda da Agent Provocateur, que ele me dera no Natal anterior. Adam sorriu ou fez uma careta, não consegui distinguir, quando andei até ele, a luz solitária do abajur ao lado da cama banhando o quarto com um brilho suave.

Meu coração disparou, estava batucando em meu peito, como se eu fosse uma jovem inexperiente tendo intimidade pela primeira vez. Sentia que estava me movendo em câmera lenta, como se meu corpo estivesse indeciso entre lutar e fugir, pronto para ser empurrado de volta para trás. Mas seria possível nós nos recuperarmos se ele me rejeitasse de novo? Eu quase não queria correr o risco, mas, ao mesmo tempo, meu cérebro gritava para que eu continuasse, para descobrir se íamos conseguir superar, voltar a ser o casal que éramos antes.

Adam veio na minha direção devagar, e, quando estávamos frente a frente, peguei seu rosto entre minhas mãos, sua barba macia pinicando minha pele enquanto eu olhava para ele sem piscar.

— Estamos bem? — sussurrei.

Ele balançou a cabeça.

— Espero que sim. Só não sei se...

Eu pus meu dedo sobre seus lábios. Eu o beijei, primeiro suavemente, depois mais fundo, respondendo à urgência dele. Caímos sobre a cama e podia senti-lo enquanto puxava suas calças, tentando desesperadamente abrir os botões. Pensamentos entupiam minha cabeça, fazendo tudo parecer muito mais importante do que realmente deveria ser – eu estava desesperada para fechar o abismo que se abrira em nossa relação antes perfeita. Sexo não era tudo, eu sabia, mas a perda daquela intimidade anterior deixava muitas outras inseguranças à mostra. Eu ficava questionando minha própria atração, minha capacidade de excitá-lo, se ele estava se encontrando com outra pessoa. Eu precisava disso por mim e por ele, para nós dois sabermos que tudo ia ficar bem.

Ele viu antes de mim que não ia acontecer.

— Deixa pra lá — disse ele, me empurrando para longe com a mão.

— Relaxa — eu disse, determinada a continuar.

— Eu já disse, deixa pra lá.

A frustração era mútua.

Queria perguntar se estava fazendo algo errado, mas pareceu algo que uma atriz de filme ruim para adolescentes diria. Eu precisava parecer confiante, mesmo que não me sentisse assim.

Eu me aproximei novamente.

— Você não quer que eu tente…

— Puta que pariu, Em — explodiu Adam. — Quantas vezes eu preciso falar? Não vai acontecer.

Eu me desfiz por dentro, toda a minha autoimagem como mulher atraente e sensual feita em um milhão de pedacinhos. Eu tinha falhado. Antes sempre tinha sido muito fácil, nós estávamos em sintonia, nós dois sabíamos o que fazer e quando fazer. Nunca tinha me sentido como Adam me fazia sentir, e ele tinha dito o mesmo sobre mim, então como tudo podia ter dado tão errado? Eu tinha que consertar as coisas.

Em uma última tentativa, montei sobre ele.

— Meu Deus — gritou ele, me empurrando para o lado e pulando da cama, antes de vestir rapidamente a cueca. — Que parte você não entendeu?

Eu me sentei, paralisada.

— "Só relaxe"… "Você quer eu tente"… — ele me imitou enquanto andava de um lado para outro do quarto.

— Mas nós só precisamos…

— *Nós* não precisamos fazer nada — retrucou Adam. — Não é seu problema. É meu. Para de falar o que *nós* precisamos fazer e o que *nós* devíamos tentar.

Gotas de seu cuspe atingiram meu rosto e eu me afastei. Eu nunca tinha visto ele assim.

Balancei a cabeça, anestesiada.

— Eu só estava tentando ajudar — disse, minha estava voz quase inaudível.

— Bem, não preciso da sua ajuda. Preciso de uma porra de um milagre.

Ele saiu do quarto, batendo a porta com tanta força que o batente saiu do lugar.

Eu me sentei, estupefata. Meus olhos ardiam e eu me arrependi de ser tão egoísta. Não era sobre mim. Era sobre ele.

Eu me lembrei da última vez que tínhamos tentando ter alguma intimidade, ainda que rápida, quando a mãe dele estava aqui. Eu me lembrei dele recuando em pânico quando ela disse seu nome, como uma professora chamando um aluno bagunceiro.

— Adam! O que diabos você está fazendo? — gritara ela.

Era como se o fato de Pammie nos surpreender, ver o que tinha visto, tivesse causado em Adam uma dor física. Talvez até fosse o caso, mas mesmo agora, quando a dor com certeza já tinha passado, o bloqueio mental permanecia ali, e era muito mais difícil se recuperar disso.

18

Eu nem esperava saber de James tão cedo, mas, uma semana depois de seu primeiro telefonema, ele ligou, alegando estar "passando por ali". Como eu tinha meia hora livre e estava muito curiosa sobre o que ele queria comigo, acabei concordando em encontrá-lo para um café.

Estávamos instalados em uma mesa de canto em um café turco em Villiers Street, as vitrines molhadas da condensação, o calor do lado de dentro lutando contra o frio intenso do lado de fora. Era perturbador ver o homem atrás do balcão gritando pedidos. Quem come kebabs às onze da manhã de uma quarta-feira? Mas pelo menos isso criava uma distração do estranho sentimento de intimidade que estar com James criava. Eu dizia a mim mesma que logo ele seria meu cunhado, o que tornava esse encontro todo perfeitamente normal, mas ainda assim parecia errado. Será que era só eu, ou ele também se sentia assim?

— Então... — começou ele, antes que eu tivesse a chance de dizer algo. Era só um começo de conversa, cuja direção estava inteiramente nas mãos dele. Mas agora parecia que nem ele sabia por onde começar.

— Como vão as coisas? — perguntou ele.

— Tudo bem, sim, tudo muito bem — respondi, rápido demais. — E você? Ainda com a Chloe? Tudo indo bem?

Não tenho ideia do motivo de eu ter mencionado a namorada dele, uma mulher que nunca tinha encontrado, antes mesmo de perguntar pelo trabalho. Ou, aliás, por que usei tantos "bem" em uma sentença. A sensação de tranquilidade que eu sempre sentia perto de James tinha sido substituída por uma tensão enervante, nossas brincadeiras agora se tornaram uma conversação formal e empolada.

— Tem seus altos e baixos — disse ele —, mas ainda estamos no começo.

— Há quanto tempo vocês estão juntos? — perguntei, o mais casualmente possível.

— Ah, só há uns quatro ou cinco meses, então qualquer coisa pode acontecer — disse ele, erguendo as sobrancelhas e rindo. — Você sabe como eu sou. Não tenho exatamente uma ficha limpa.

Dei um sorriso embaraçado. Eu não sabia como ele era, na verdade, então aquele comentário fez parecer que éramos mais próximos do que realmente éramos.

Ele começou a tirar os braços das mangas de seu sobretudo de lã azul, batendo o cotovelo no rodameio que corria pela parede do canto onde estávamos. James emitiu um "Ai", e eu ri enquanto ele tirava o cachecol marrom do pescoço, revelando uma elegante camisa polo azul, com o conhecido emblema do jogador sobre um cavalo no bolso superior. Adam também gostava da marca de um certo Mr. Lauren, mas enquanto suas camisas estavam esgarçadas nas costuras, por causa de seus ombros largos e seus bíceps cultivados na academia, James parecia confortável dentro da sua, a gola exatamente onde deveria estar.

— E o trabalho? Ocupado? — perguntei.

James assentiu, tomando um gole de seu cappuccino, deixando um bigode branco de espuma sobre o lábio superior. Eu ri e gesticulei, passando o dedo sobre o meu lábio. Ele ficou um pouco vermelho.

— Sim, tudo indo muito bem. Eu tive que contratar dois caras para me ajudarem, e estou aqui na cidade para outra reunião. Com sorte consigo um trabalho com uma empresa.

— Ah, que legal — repliquei, já pensando em alguma outra pergunta.

— Um empreiteiro está procurando alguém para cuidar de uns jardins comunitários em um novo conjunto residencial em Knole Park.

Balancei a cabeça. Eu tinha ouvido Pammie mencionar Knole Park, mas não me lembrava de já ter ido lá, ou mesmo saber onde era.

— Preciso fazer minha apresentação na sede da empresa em Euston, mas estou um pouco adiantado, então pensei em ver se você estava por perto. Você não se importa, não é?

— De jeito nenhum. Foi até bom, eu tenho uma reunião em Aldgate. Sinto não ter podido aceitar da última vez que você ligou. Eu estou sempre aqui e ali e acolá.

— Sem problemas, foi só uma tentativa. Eu sei como você é ocupada. E olha só, você está aqui agora.

Olhei para ele e sorri.

— E como está sua mãe? — Eu na verdade nem me importava, mas me pareceu rude não perguntar.

— Ela está bem. Disse que vocês tiveram um almoço agradável no Loch Fyne.

Foi como se eu tivesse levado um soco no estômago.

— Ela disse isso? — perguntei, incrédula. — Mesmo?

— Sim — riu ele. — Por quê? Não foi?

— Bem, foi um pouco pesado...

— De que maneira? — perguntou ele, claramente confuso.

— Nós... tivemos um desentendimento.

Ele esperou que eu continuasse.

— Eu já tinha bebido um pouco demais, sua mãe disse uma ou duas coisas de que não gostei e, tenho até vergonha de dizer, eu retaliei.

— Oops! — riu ele.

Eu sorri.

— Exatamente!

— E como terminou? Vocês são amigas de novo? — perguntou ele, fazendo soar como se estivesse falando de duas criancinhas que tinham brigado por causa de um brinquedo.

Eu franzi o nariz.

— Espero que sim, mas eu não sei como *ela* se sente a respeito. Pensando bem, ela provavelmente só estava tentando ajudar, mas eu não dei muita chance a ela.

— Bem, ela com certeza não mencionou nada disso para mim — disse ele. — Às vezes mamãe diz a coisa errada na hora errada, mas, depois que você a conhece melhor, aprende a não levar tão a sério.

Eu me senti levemente insultada que ele achasse que eu não a conhecia bem o bastante a esta altura, mas, por outro lado, fazia só seis meses. Quão bem você pode conhecer uma pessoa nesse curto espaço de tempo?

— Espero que sim — disse, sinceramente.

— Confie em mim — disse ele, colocando a mão sobre a minha e olhando para mim atentamente.

Quando a pele dele tocou a minha, foi como se eu tivesse tomado um choque elétrico, mas, apesar de meu instinto ser o de retirar a mão, não quis que ele se sentisse desconfortável.

— Desculpe, preciso checar meu celular — disse eu, minha voz saiu um pouco mais aguda que o normal, com esperança de que ele não visse como eu estava nervosa.

Apanhei meu celular na bolsa.

— E como estão as coisas com o Adam? — perguntou ele, me fazendo congelar.

Olhei para ele, e seus profundos olhos azuis estavam olhando de volta para mim. De repente senti uma vontade irresistível de chorar. Envergonhada, peguei um guardanapo no suporte sobre a mesa e esfreguei nos olhos.

— Você está bem, Em? — perguntou James, com uma preocupação estampada em seu rosto.

Ouvi-lo me chamar assim, como um velho amigo, tornou ainda mais difícil segurar o dilúvio. Eu engoli o caroço que se formara em minha garganta.

Ele passou o braço sobre a mesa e puxou minha mão para longe do meu rosto, segurando-a.

— Você quer me dizer o que está acontecendo?

Eu poderia. Eu queria muito. Mas como poderia fazer uma coisa dessas? Eu balancei a cabeça.

— Eu preciso ir — eu disse, subitamente desesperada para sair dali. Empurrei minha cadeira para trás, mas ele ainda segurava minha mão, seus olhos ainda estavam sobre mim.

— Eu estou sempre aqui para você, Em — disse James. E, olhando dentro dos seus olhos, eu acreditei.

Eu podia ouvir meu coração ressoando em meus ouvidos, como um tambor. Um zumbido repentino fez com que eu me sentisse debaixo d'água, me afogando em meus próprios pensamentos.

Eu peguei a bolsa na cadeira e me desvencilhei dele.

— Preciso ir — disse, antes de me virar e manobrar entre as oito mesas do café onde cabiam apenas quatro. Eu bati em ombros e derrubei xícaras ao passar, derramando chá em pires, evocando o "ei, preste atenção" que ouvi quando cheguei à porta.

Minha cabeça se encheu com as palavras de James enquanto eu subia a ladeira em direção à Strand. *Eu estou sempre aqui para você.* Eu queria correr. Precisava colocar o máximo de distância possível entre nós. De outra maneira, corria sério risco de voltar direto para ele.

19

Mas que diabos...? — disse Seb.

— Eu tinha que contar para alguém – uma pessoa que não fosse me julgar – e apesar de saber que podia contar para Pippa e ela guardaria segredo, não tínhamos nos visto muito desde que eu me mudara, então Seb era o par de orelhas mais próximo no qual eu podia confiar.

— Aí você simplesmente foi embora?

— Por favor, você precisa me ajudar — implorei. — Você precisa me fazer entender tudo isso.

Eu tinha me acalmado nas vinte e quatro horas após encontrar James, mas minha cabeça estava mais confusa que nunca. O que tinha acontecido ali? E por que estava me afetando tanto? Eu tinha certeza de que ele não queria ter dito nada além do que dissera, mas eu não conseguia me livrar de um sentimento de inquietação. Não era sobre o que tinha sido dito, era mais pelo que tinha ficado sem dizer.

— Quer dizer, ele estava dando em cima de você? Assim, a sério? — perguntou Seb.

— Sim! Não... eu não sei — grunhi, deixando minha cabeça cair de volta no sofá dele. — Foi só que, naquele momento, eu sinceramente me senti como se fosse capaz de qualquer coisa. Eu queira falar com ele, beijá-lo, fugir com ele...

— Bem, essa última opção não seria muito aconselhável, mas você possivelmente conseguiria se safar de apenas um beijo.

— Você não está ajudando! — eu disse, dando um tapa no braço dele. — Isso é sério. O que vou fazer?

— Está bem — disse ele, seu rosto agora estava sério. — O que você quer fazer? Vamos explorar suas opções. Do modo como eu vejo é assim: você ama Adam mais que qualquer outra coisa?

Eu assenti.

— Mas você acha que o irmão dele é gostoso?

— Seb!

— Desculpe, está bem, já entendi. Então você *não* acha que o irmão dele é gostoso?

Eu não reagi.

— Ah, certo. Então você acha, né? Só um pouquinho? Estou esquentando?

— Não, não sei. Ele é tão diferente de Adam. Ele me ouve, dá conselhos, não acha que sou paranoica sobre Pammie. Ele parece realmente entender o que digo, e nós temos um respeito genuíno um pelo outro.

— E ele é gostoso como o diabo?

Joguei uma almofada nele.

— Sim, ele também é gostoso como o diabo.

— Eu sabia! — disse Seb.

— Mas é mais que isso. Ele faz com que eu me sinta valorizada de todas as formas. De verdade, Seb, você sabe como eu sou com essas coisas, não consigo ver uma jamanta até que esteja quase sendo atropelada, mas eu vi isso nos olhos dele. Ele faria qualquer coisa para me ajudar, e saber disso faz com que eu me sinta desejada. E, neste momento, isso é uma coisa muito perigosa para mim.

— Ah, então as coisas com Adam não melhoraram nada? — perguntou Seb, agora sério.

Eu balancei a cabeça.

— Não — respondi, sentindo uma pontada no fundo da garganta. — James me pegou exatamente em um momento ruim, e eu fiquei pateticamente lisonjeada pela atenção. Se tivesse acontecido em qualquer outro momento, eu teria tirado de letra e nunca mais pensaria no assunto.

Eu não sabia a quem eu estava tentando convencer: Seb ou a mim mesma.

— Certo, então isso nos deixa com um homem que você ama, com quem você não está fazendo sexo, e um homem que você não ama, mas com quem você adoraria transar?

— Bem, obrigado, Sherlock, por resolver as coisas perfeitamente. Não é só sobre sexo, é mais que isso.

— Ah, então você não se imaginou, nem por um momento, na cama com James? — perguntou Seb, me olhando fixamente.

Eu balancei a cabeça com veemência, ao mesmo tempo sentindo meu rosto queimar.

— Você é uma péssima mentirosa! — exclamou ele, soltando uma gargalhada.

— Mas isso é muito errado, não é? Quer dizer, tem alguma coisa errada de verdade com isso.

— É errado se você fizer alguma coisa a respeito, mas por ora isso está trancado em um lindo quartinho de fantasias que todos nós temos o direito de ter e para o qual gostamos de olhar, sem nunca entrar ali de verdade. Essa é a diferença.

— Mas o que eu digo para o Adam? Digo que me encontrei com James?

— Você já carrega todo um caminhão de mágoas com aquela família, então eu recomendaria fortemente que você não deixasse as coisas mais difíceis. Eu acho que você deveria ter dito a Adam que vocês se encontraram, mas, se você quisesse fazer isso, teria feito noite passada. E você não disse nada, não é?

Eu balancei a cabeça. Pensei sobre isso a noite toda. Era como uma gata em um teto de zinco quente, pensando no assunto continuamente e chegando a uma conclusão diferente a cada vez. Até pensei em dizer a ele que James tinha precisado de conselhos sobre recrutamento de pessoal, mas isso levaria a mais mentiras, e eu conseguia ver tudo desmoronando rapidamente.

Lágrimas quentes surgiram nos meus olhos.

— Que puta confusão!

Seb se ajeitou no sofá e passou o braço pelo meu ombro.

— Ei, vamos lá, não fique chateada. Você devia se considerar uma mulher de sorte: você tem dois homens lutando por você. Eu não consigo nem *um* para lutar consigo mesmo.

Eu ri, tensa.

— Mas você acha que estou fazendo a coisa certa? Estou jogando as cartas certas?

— Como eu disse, não deveria haver culpa associada a fantasias. Só tome cuidado para não colocá-las em prática.

Dei uma fungadela.

— Eu nunca faria isso, nem em um milhão de anos.

Mas, então, por que concordei em encontrar James para um drinque depois do trabalho quando ele ligou novamente, uma semana depois?

Eu não sei, é tudo que posso dizer. Não é uma boa resposta, mas é a única que tenho.

Não tinha parado de pensar em como ele fazia eu me sentir, e ingenuamente acreditei que, se o visse novamente, seria capaz de racionalizar tudo e esquecer o assunto. Como sou idiota. Devia saber que a vida não funciona desse jeito. Então por que estou me deixando colocar em uma situação insustentável, como que para provar a mim mesma que estou no controle, que eu entendi, quando na verdade, lá no fundo, sei que o mundo à minha volta está desmoronando?

Eu poderia culpar Adam. Podia dizer que não me sentia atraente ou desejada; que não me sentia amada por meu futuro marido. Poderia dizer que ele não me entendia nem me apoiava. E talvez tudo isso fosse verdade, mas nenhuma dessas razões justificaria minha infidelidade.

— Não vou dormir com ele — assegurei a Seb, quando liguei para dizer que precisava ver James uma última vez, para "encerrar o assunto".

— Quem você está tentando convencer? A mim ou a você? — disse ele, rindo ironicamente. — Porque preciso dizer: eu não estou na mesma página que você. Vá lá ter seu ego massageado, se é disso que você precisa, mas você está entrando em um jogo muito perigoso e precisa entender as consequências. Se Adam descobrir, mesmo que não aconteça nada entre vocês, você vai estar encrencada.

— Eu sei o que estou fazendo — respondi, com um profundo suspiro.

— Faça o que quiser, mas depois, quando a merda atingir o ventilador, não venha correndo chorar para mim.

Eu senti como que um raio atravessando meu peito. Seb estava sempre aberto a tudo e mais um pouco, então ouvi-lo me explicar sem rodeios onde eu estava pisando aumentava a seriedade da situação.

— Ligue para mim quando você recuperar a sensatez — completou ele, encerrando a ligação.

Uma pequena parte de mim queria que James cancelasse. Faria tudo ficar mais simples, traçaria um limite para o que quer que fosse isso. Mas ele não cancelou, daí, com um frio na barriga, entrei no American Bar da Savoy, e seus olhos encontraram os meus enquanto eu me aproximava dele.

— Bom ver você — disse ele, me segurando pelos ombros e beijando os dois lados do meu rosto. — Você está incrível.

Aquela palavra ressoou na minha cabeça. Incrível. Não é como o seu futuro cunhado deveria descrever você. *Elegante*, sim. *Bem*, sim. Mesmo *encantadora*, sim. Mas incrível? De jeito nenhum. Meu coração disparou quando me dei conta de que talvez o jeito como ele tinha me olhado no café e o sentimento por trás daquele olhar não fossem produtos da minha imaginação.

— O que você quer beber? — perguntou James, levantando a mão para chamar o barman.

— Uma taça de *prosecco*, por favor.

— Duas taças de champanhe, por favor — disse ele ao homem de casaca branca atrás do balcão.

— O que estamos comemorando? — perguntei.

— Você está olhando para o jardineiro oficial de Lansdowne Place em Knole Park.

— Ah, que fantástico! — exclamei, puxando-o instintivamente para mim, para um abraço de congratulações. — Você conseguiu o trabalho.

Por um breve instante nossos rostos se tocaram, indecisos sobre ser só um abraço ou um beijo ou os dois. Nós nos afastamos, desajeitados, mas o pavio tinha sido aceso.

— E então, Adam sabe que você está aqui? — perguntou James, sem olhar para mim.

— Não — respondi, com sinceridade. — Não disse a ele.

Ele inclinou a cabeça para um lado, seu cabelo deslizando junto.

— Por que não?

— Não sei.

— Não quis dificultar as coisas para você — disse James, suavemente.

Se ele parasse de me olhar daquele jeito. Parasse de roçar minha perna a cada vez que se mexe.

— Nenhum problema. Na verdade, tudo se encaixou perfeitamente. Eu estava aqui perto em uma reunião e, com a greve do metrô, faz todo sentido esperar um pouco antes de ir para casa.

Isso tudo era verdade. Um dia normal, como qualquer outro. A parte que ele não precisava saber era o custo que havia sido eu me convencer de que a minissaia da French Connection e a blusa de seda eram minhas roupas de trabalho normais, apesar de eu só ter usado calças por mais de um mês.

— Você está maluca? — tinha perguntado Adam, quando me vesti esta manhã, enquanto dava o nó em sua gravata. — O dia vai ser gelado.

Resmunguei qualquer coisa.

— E ainda por cima tem a greve do metrô, então nós nem sabemos como vamos voltar para casa. Era melhor você ir de botas, em vez desse sapato de salto.

— Estou bem — eu disse. — Não se preocupe.

Mas os estilhaços de uma explosão de culpa atravessaram meu peito.

O barman colocou a taça de champanhe na minha frente, a haste alta apoiada sobre um descanso de copo grosso.

— Saúde — brindou James, levantando sua taça. — É muito bom ver você.

Tomamos o primeiro gole olhando fixamente um para outro. Eu desviei o olhar primeiro.

— Como estão as coisas com vocês? — perguntou ele, colocando a taça de volta sobre o balcão.

— Tudo bem — eu disse, distraidamente. — Está tudo bom.

— Estranho… seus olhos contam outra história.

Eu pisquei e desviei os olhos.

— Você quer falar a respeito? — perguntou ele.

— É complicado — respondi. — Nós vamos resolver.

— Você está feliz?

Era uma pergunta carregada de sentidos. Eu estava? Sinceramente, não sabia.

— Não estou infeliz — foi tudo que consegui dizer.

— Você não acha que merece mais que isso? Não acha que pode haver alguém por aí que faria você feliz de verdade?

Parecia que todo o ar do meu peito tinha sido sugado para fora do meu corpo. Todos os meus poros pareceram começar a ferver e minha boca parecia cheia de algodão, me deixando sem fala.

James olhou para mim, seus olhos procurando desesperadamente uma resposta nos meus.

— James, eu… — eu disse, sem conseguir continuar.

Ele estendeu o braço e pegou a minha mão. Um choque elétrico subiu por meu braço, literalmente eriçando meus pelos.

Imagens passavam na frente dos meus olhos, em rápida sucessão, como em um filme velho. Eu podia nos ver abrindo caminho até um quarto em um dos andares de cima. Eu nos imaginei nos beijando no elevador, incapazes de nos conter nem por um segundo depois de as portas se fecharem. A urgência com que atravessamos o corredor acarpetado, meus sapatos voando enquanto pendurávamos a placa de *Não perturbe* na maçaneta da porta.

Nós ignoraríamos a garrafa de champanhe no balde de gelo sobre a penteadeira, e eu pensaria nos rostos anônimos passando pela rua movimentada lá embaixo, todos inconscientes da traição e da mentira que se desdobravam alguns metros acima.

Eu ia prender minhas pernas em volta de seu corpo quando ele me esmagasse contra a parede, nossos beijos se intensificando na medida em que o calor de nossos corpos aumentava. Agarraríamos um ao outro, arrancando as roupas enquanto ele me carregava para a cama. Nós nos afundaríamos nos luxuosos lençóis brancos, e os olhos deles nunca deixariam de olhar para os meus...

Chega!

Interrompi a linha de pensamento, ciente de que tudo isso terminaria com nós dois lá deitados, arrependidos do que tínhamos feito, desejando poder desfazer.

— Desculpe, eu não devia... — disse ele, soltando minha mão.

Eu queria que ele me tocasse novamente, para eu poder sentir aquela descarga elétrica percorrer meu corpo outra vez.

— Eu amo Adam — afirmei. — Vamos nos casar. Temos problemas, mas vamos resolver.

— Você merece alguém melhor — disse ele. — Adam...

— Não — eu o cortei no meio da frase. — Isso não é correto.

Eu me levantei do banquinho.

— Desculpe, James. Eu não posso fazer isso. Está tudo errado.

Pensei em como tinha escolhido cuidadosamente minha roupa de baixo nessa manhã. Que diabos eu estava pensando? Eu tinha mesmo a intenção de ir tão longe?

— Preciso ir — disse, jogando meu casaco sobre o braço. — Sinto muito.

O ar gelado me atingiu assim que eu passei pelas portas giratórias e saí na rua, um vento ensurdecedor soprando do Tâmisa.

— Tenha uma boa noite — disse o porteiro, sorrindo e levando o dedo ao chapéu.

Eu não sabia para que lado ir. Pensei em ligar para Seb e ver se ainda estava no centro, mas, no momento em que toquei seu nome na agenda do celular, senti uma súbita urgência de ir para casa ver Adam. Eu precisava saber que ele não suspeitava de nada. Era egoísta da minha parte, mas não conseguia impedir meu estômago de embrulhar cada vez que pensava nele descobrindo. O que ele pensaria, se soubesse que vim aqui encontrar seu irmão com alguma intenção? A intenção não era quase tão ruim quanto o ato em si?

Eu tentei fingir que as lágrimas que corriam pelo meu rosto eram causadas pelo vento contra o qual eu lutava, e não pela vergonha pelo que poderia ter feito. Mas o cérebro não é idiota, e, quando eu cheguei a Charing Cross, estava tendo problemas em me convencer de que não teria ido até o fim. Minha cabeça achava que tinha transado, apesar de meu corpo saber que não. Eu me enfiei no trem das 19h42. A greve do metrô tinha realmente atrasado todo mundo, pois parecia mais o das 18h02, todos espremidos como sardinhas. Eu era mantida em pé pelo homem gordo careca atrás de mim, sua respiração estava tão próxima da minha orelha que ele poderia ter me lambido, e pela mulher de vinte e poucos anos à minha frente, que fora previdente o bastante para segurar seu celular antes de entrar no trem. Agora, presa como estava, meus braços colados ao corpo, não tinha como avisar a Adam que estava a caminho.

Gotas de suor correram pelas minhas costas, a pressa de pegar o trem se fazendo notar. Imaginei um fio de umidade descendo pela espinha, atravessando a seda da minha blusa verde-esmeralda, se misturando ao calor dos outros corpos que me pressionavam. Os passageiros próximos às janelas, as pessoas que tinham tido o privilégio de esperar dez minutos sentadas até o trem partir, estavam fechando os vidros quando cruzamos o rio. Eles se enterravam mais fundo em seus cachecóis de lã, enquanto eu lutava contra o calor opressivo que me circundava.

Eu me mexi um pouco, tentando afastar meu corpo do homem atrás de mim, sua barriga redonda preenchendo a curva das minhas costas, e ele grunhiu. Será que ele conseguia sentir o cheiro da mentira em mim?

Adam estava na cozinha. Um aroma de cebola e alho fritos me envolveu enquanto eu entrava e pendurava o casaco no gancho atrás da porta.

— Ei, é você?

Eu podia saber, pelo tom de sua voz, que estava tudo bem, e o peso em meu peito começou a se dissipar. Não sabia se conseguiria ser sincera com ele, mas queria ser.

— Quem mais você estava esperando? — respondi, rindo.

— Você não demorou muito — disse ele, me beijando, com uma colher de pau na mão. — Estava horrível há algumas horas.

— Achei que estaria. Por isso resolvi esperar um pouco. Adiantar umas coisas no trabalho. — E, mais uma vez, sem nem pensar, tomei a decisão de mentir.

— Ponha a mesa e sirva vinho para nós. Vai ficar pronto em dez minutos.

— Já faço isso — respondi. — Deixa só eu tirar essa roupa.

Fui para o banheiro, desabotoando a blusa e deixando cair a saia. Precisava de um banho, para lavar do meu corpo a sujeira real e a imaginária. A água estava mais quente do que o confortável, mas anestesiou meus nervos, fazendo-os parar de estrilar. Com os olhos ainda fechados, estendi o braço para pegar a toalha, mas uma mão segurou a minha, me fazendo dar um pulo.

— Jesus Cristo! — gritei, meu coração disparado.

Adam deu uma gargalhada.

— Desculpe, não quis assustar você. Achei que você podia querer isso enquanto estava aqui. — Ele me deu a toalha com uma mão e uma taça de vinho tinto com a outra. Sorri e tomei um gole, agradecida, sentindo o calor do vinho aquecendo meu corpo.

Adam sentou ao lado da banheira enquanto eu me enxugava, seus olhos percorriam meu corpo nu.

Subitamente envergonhada, eu me enrolei na toalha.

— Você é mesmo um espetáculo — disse ele, levantando e andando até mim. — Tire isso. Deixe-me olhar para você.

Sorri e lentamente abri a toalha.

Ele tomou um gole do meu vinho antes de mergulhar um dedo na taça e colocá-lo em minha boca. Tocou meus lábios, e suguei o vinho de seu dedo, deixando o gosto se espalhar por toda a minha boca. Eu podia sentir minha virilha pulsar enquanto ele me observava, com os olhos fixos nos meus.

Dividimos o restante da taça e, quando Adam a passou para mim, um pouco do líquido derramou em meu queixo e escorreu para os meus seios. Ele se curvou e lambeu tudo vagarosamente.

Minhas costas se arquearam quando ele subiu para encontrar minha boca, seus dedos correndo por minhas costas, arrepiando minha pele. Eu tremi involuntariamente.

Ele me levantou, e prendi minhas pernas com força em volta de seu corpo, enquanto ele me carregava para o quarto e me colocava na cama.

— Meu Deus, eu amo você — disse ele.

Chorei quando ele me penetrou, lágrimas quentes de alívio e desejo, mas a maioria de culpa. Como podia ter me arriscado a perder tudo isso?

20

Fale mais sobre a Rebecca — pedi mais tarde, incentivada por nossa proximidade renovada.

— O que você quer saber?

— Quero saber como ela era, o que você sentia por ela e o que aconteceu entre vocês.

Adam se sentou, apoiado na cabeceira da cama, com a testa franzida e os olhos cerrados.

— Faz muito tempo, Em.

— Eu sei, mas ela foi importante para você — como Tom foi para mim.

Ele ergueu as sobrancelhas e me lançou um olhar de interrogação.

— Ah, para com isso, nós somos todos adultos aqui — disse, rindo. — Não vale ficar com ciúmes.

— Você ainda pensa nele? — perguntou Adam.

— Às vezes, sim, mas não porque queria estar com ele. Só coisas do tipo "O que será que ele anda fazendo? Ainda está com Charlotte? Será que a traição deles valeu a pena? Será que eles ainda pensam em mim?".

Adam balançou a cabeça, mas seu rosto estava sério.

— Eu conheci Rebecca quando tinha vinte anos. Tínhamos amigos em comum, e alguém nos apresentou em uma festa.

— Lá em Sevenoaks?

— Sim, mas ela era de um vilarejo ali perto, chamado Brasted. De qualquer forma, a atração foi instantânea. Nenhum de nós dois jamais tinha estado em um relacionamento sério antes, então foi especial. Nós éramos jovens, pensamos que estávamos apaixonados, e tudo e todos ficaram em segundo plano.

— Mas, então, o que aconteceu de errado? — perguntei, sem entender como uma relação tão intensa podia murchar e morrer.

Adam suspirou.

— Estávamos fascinados um pelo outro. Certos ou errados, abandonamos os amigos e até mesmo nossas famílias quando disseram que estávamos passando tempo demais juntos. Não queríamos saber. Nós achávamos sinceramente que íamos ficar juntos para sempre e todo mundo tinha que nos aceitar. Era isso ou nada. Do nosso ponto de vista, não havia alternativa.

— Então eu não entendo. O que mudou?

— Estávamos juntos há cinco anos, eu estava indo bem no banco, ela acabara de terminar o curso de pedagogia e tinha conseguido um emprego em uma pré-escola perto de casa. Tínhamos encontrado um lugar para alugar em Westerham, seria nossa primeira casa, e estávamos prestes a nos mudar para lá. — Sua voz tremia.

— Conte tudo para mim — insisti, suavemente. — E o que aconteceu?

— Ela estava toda entusiasmada, tinha tirado uns dias de férias para arrumar a casa. Eu estava voltando para casa depois do trabalho quando minha mãe ligou dizendo que tinha acontecido uma coisa.

— O quê? O que aconteceu? — pressionei.

— Não fazia sentido, eu tinha acabado de ligar dizendo que estava saindo do trabalho e indo para casa, e ela parecia tão feliz. Ela disse que tinha feito chilli, era para eu me apressar.

Seus olhos se encheram de água. Eu nunca tinha visto Adam chorar, e agora não sabia se me sentia triste ou ressentida por ser alguém que não eu a responsável pelas lágrimas.

— Eu corri da estação até em casa, mas quando cheguei já era tarde. A ambulância já estava lá, e não havia nada que os paramédicos pudessem fazer por ela.

Eu arfei e levei a mão à boca.

— Ela estava morta. — Adam agora estava soluçando, soluços fortes, altos, vindos do fundo de seu estômago. Eu me aproximei para abraçá-lo.

Não sabia se devia pressioná-lo mais, mas seria estranho não saber como ou por quê.

— O que aconteceu?

— Ela sempre teve asma, desde menina, mas mantinha sob controle. Ela podia ter uma vida normal, sair à noite, ir à academia... desde que tivesse sua bombinha, dava para administrar. Era algo que tínhamos que levar em consideração, mas não nos impedia de fazer nada. Ela era saudável e feliz.

— Por que ela não usou a bombinha, então?

Ele soltou uma risada sarcástica, mas eu sabia que não era dirigida a mim.

— Essa foi a pergunta de um milhão de dólares. Ela nunca ia a lugar algum sem uma, mas, com toda a excitação da mudança, achamos que acabou esquecendo.

— Nós?

— Os pais dela e eu. Rebecca tinha deixado uma na casa deles, mas sempre tinha várias espalhadas pela casa, para sempre ter uma à mão quando fosse necessário. Eu achei outra na gaveta da cozinha, mas estava vazia. Então ela deve ter esquecido ou perdido as outras no meio da mudança, e esquecido também quais precisavam ser enchidas.

— Eu sinto tanto — sussurrei. — Por que você não me contou isso antes? Eu podia ter ajudado você todo esse tempo. Para você não se sentir sozinho.

— Eu estou bem — disse Adam, dando uma fungadela. — Mamãe sempre esteve do meu lado. Ela a encontrou e chamou a ambulância. Foi bem duro para ela, porque ela adorava Becky tanto quanto eu.

Essa última frase me deu uma pontada no peito. De repente era "Becky", e entre ela, Adam e Pammie havia uma ligação da qual eu nunca faria parte e que nunca seria rompida. Parecia uma competição da qual eu sequer podia participar. Eu me repreendi por ser tão egoísta.

Eu deveria encarar aquilo como um passo adiante, algo para ajudar a encontrar respostas na estrutura complicada da família Banks. Certamente explicava muito do comportamento de Pammie em relação a mim e eu amoleci com o pensamento de que tudo era mais relacionado à tristeza e à saudade de Becky que a um ódio por mim. Isso eu podia começar a entender: me dava algo com que trabalhar, algo para ser usado em defesa dela.

Adam saiu de baixo do meu corpo e sentou na cama. Ele fungou e secou os olhos com as costas da mão.

Não era importante, mas eu não resisti.

— Você ainda estaria com ela agora, se isso não tivesse acontecido?

Ele bufou, balançou a cabeça e levantou.

— Você é inacreditável — disse ele, pegando uma camiseta e uma bermuda ao pé da cama.

— Só estou perguntando.

— O que você quer que eu diga? — disse ele, o volume de sua voz aumentava. — Que sim, que se ela não tivesse morrido tragicamente, nós ainda estaríamos juntos? Isso faria você se sentir melhor? Saber disso faria você se sentir bem?

Eu balancei a cabeça negativamente, de repente me sentindo envergonhada.

— Bem, então não faça perguntas estúpidas, se você não quer saber as respostas.

Eu não queria ter dito nada com aquilo, mas entendia como podia ter soado. Eu achei que agora que nós finalmente tínhamos conseguido fazer amor, Adam estaria mais feliz e menos estressado, mas ele ainda parecia carregar uma raiva borbulhante sob a superfície. O tempo todo, e apontada para mim.

— Eu vou terminar o jantar — disse ele.

21

Não sei como a minha mãe se envolveu na organização da minha despedida de solteira. Eu tinha oficialmente passado a bola para minha primeira e única madrinha de casamento, Pippa, mas aí Seb resolveu dar uns palpites e mamãe resolveu dar mais alguns e, de repente, estávamos todos andando por um campo minado.

Pippa estava reclamando que Seb era controlador, mamãe estava lamentando que Pippa não contava as coisas para ela, e eu estava perdida no meio disso tudo, sem saber para onde fugir.

As únicas condições que dei a eles foram: sem *strippers*, sem camisetas combinando e, especialmente, sem bonecas infláveis. "Menos é mais", tinha encorajado gentilmente, na esperança de um evento um pouco mais elegante do que a que a mulher de meu irmão, Laura, tivera. Ela acabou sendo levada para um fim de semana em Blackpool e teve de aguentar todas as coisas citadas. Felizmente ela não se lembrava de nada. Ainda assim, em seu casamento havia pelo menos seis de nós que não tinham bebido o suficiente para esquecer as cenas dela subindo e descendo por um mastro de *pole dance* e de um dançarino seminu rebolando em seu colo.

Claro, os quatro dias de bebedeira que Stuart e doze de seus amigos passaram em Magaluf não registraram maiores incidentes. Eles aparentemente jogaram muito golfe, jantaram cedo todos os dias e dormiram bastante. Essa é diferença fundamental entre nós e eles: os homens fazem o que fazem, nunca mais é mencionado, e eles seguem a vida como se nada tivesse acontecido. "O que acontece em Vegas fica em Vegas" é o mantra que devia valer para todo mundo. Poderia funcionar com as mulheres também, se depois de duas garrafas de *prosecco* não ficássemos sentimentais e decidíssemos filmar tudo para a posteridade, para mostrar aos nossos filhos como éramos selvagens.

— Eu não me importo — disse à minha mãe quando ela ligou para perguntar se eu preferia que fosse no exterior ou em algum lugar do Reino Unido. — Acho que Pippa já está cuidando disso.

— Bem, está — respondeu ela. — Mas ela não está tornando as coisas fáceis para quem não tem dinheiro para passear pelo mundo. Ela sugeriu um negócio de yoga na Islândia e até ir para Las Vegas. Algumas pessoas não têm dinheiro para isso, Emily.

Nem Pippa normalmente tinha, mas o pai dela estava pagando.

— Eu sei, mãe. Também não quero nada muito extravagante. Além disso, Adam e os amigos estão indo para Vegas, então isso está fora de questão — disse eu, rindo.

Mas ela estalou a língua.

— Olha só, mamãe, Pippa sabe o que está fazendo e eu tenho certeza de que ela está pensando em todo mundo.

— Bem, Pammie quer ir para Lake District — disse mamãe, indignada. Meu peito apertou.

— Pammie? O que ela tem a ver com isso? — perguntei. Esperava que, tendo dado a tarefa a Pippa, eu estaria livre da responsabilidade de decidir quem seria convidado e quem não seria. Assim, se Tess, minha colega de trabalho terrivelmente chata, não estivesse na lista, não seria minha culpa – e eu não podia imaginar Pammie na lista.

— Ela me ligou ontem perguntando quais eram os planos — disse minha mãe. — Ela queria organizar alguma coisinha para você, se ninguém estivesse cuidando disso.

Então Pippa *não a tinha* convidado, tinha sido minha mãe que a deixara entrar. Eu gemi baixinho.

— O que você disse a ela? — perguntei, mantendo minha voz alegre. Eu não tinha contado a mamãe sobre meus problemas com Pammie, porque não queria preocupá-la. Também não queria criar uma tensão desnecessária entre elas. Eu já ia estar estressada o suficiente no dia do casamento. Só queria que minha família, especialmente minha mãe, se divertisse sem se preocupar com o que acontecia nos bastidores. Pammie era problema *meu*, e eu lidaria com isso.

— Bem, eu disse que a sua amiga estava cuidando de tudo — respondeu mamãe, na defensiva. — Não devia ter dito? Você vê, eu não sei o que posso dizer nem para quem. Está tudo ficando muito complicado.

— Não, está tudo bem, mãe. Você pode dizer o que quiser. Talvez a única pessoa para quem você não deve contar muita coisa é para mim, porque é para ser uma surpresa.

— Sim, querida, eu sei. Então vou manter as coisas entre Pippa, Seb, Pammie e eu.

Depois de desligar o celular, pensei em ligar para Pippa ou Seb, para saber como estavam indo as coisas, mas lutei contra essa minha necessidade de controle e deixei quieto.

Ainda havia murmúrios de discórdia sobre o dia de embarque para minha viagem misteriosa. Eu tentei ignorá-los, mas a mesquinharia acabava chegando aos meus ouvidos.

— Sua mãe disse que não devemos convidar uma pessoa que eu queria convidar — reclamou Pippa.

— Eu acho que sua prima Shelley devia ir, mas Seb disse que Pippa acha que você não a quer lá — disse mamãe, exasperada.

Quando fui dormir na noite anterior à viagem, que começaria às seis da manhã, já estava maldizendo o dia em que tinha concordado com a porra da despedida de solteira.

— Acorde, dorminhoca, acorde — sussurrou Adam, me beijando. — O dia de cometermos nossos últimos erros antes de casar chegou.

Eu dei um soquinho sonolento nele.

— Melhor você se comportar — ameacei, antes de virar para o outro lado e cobrir a cabeça com o cobertor.

— Levante — disse ele, rindo. — Alguém vem pegar você em uma hora.

— Não podemos simplesmente ficar na cama pelos próximos quatro dias? — perguntei.

— Você vai gostar quando estiver lá. Eu, por exemplo, estou ansioso pelo meu último grito de liberdade — provocou ele.

— Isso é porque você está voando para Las Vegas! — exclamei. — Eu com certeza estou indo para Bognor. Mas não se preocupe comigo. Divirta-se como nunca, jogando, quebrando coisas e transando com desconhecidas por toda Nevada.

— Ei, nem jogando nem quebrando coisas — gritou ele do banheiro. — Não vou fazer nenhuma dessas duas coisas lá.

Nós rimos, mas uma parte de mim estava inquieta, não apenas por Adam e pelo que ele faria, mas por não saber para onde eu iria e com quem.

Cinquenta minutos depois, após me despedir de Adam – que tinha uma aparência elegantemente casual quando atravessou a rua vestindo uma calça cáqui e uma camisa polo, uma bolsa de viagem de couro nas mãos – me vi sendo vendada e empurrada para o banco de trás de um carro.

— Isso é mesmo necessário, Seb? — perguntei, rindo. — Tem certeza de que não quer me algemar também?

— Não é bem minha praia — disse ele.

— Tem alguém aqui? Olá? Olá? — chamei.

— Estamos só nós dois, boba — respondeu ele, rindo. — Alguma ideia de para onde vamos?

— Eu tinha a esperança de ser levada para um paraíso hedonista em Ibiza, mas conhecendo vocês acho que vou acabar fazendo um curso de cerâmica nas ilhas Shetland.

Ele desamarrou a venda quando entramos na M25 e, assim que entendi que estávamos indo para o oeste, soube que o aeroporto de Gatwick seria um destino provável. E, quando entramos à esquerda, em direção à M23, era Gatwick ou Brighton.

Pensei na minha mala, o conteúdo fazendo parecer que eu estava a caminho de um festival durante o imprevisível verão inglês. Botas, saída de praia, uma capa de chuva e bermudas de brim foram os últimos itens que joguei ali, em pânico, sem saber se estava indo esquiar, tomar sol ou algo entre as duas coisas.

— E se eu não tiver trazido as coisas certas? — implorei a Seb, virando para ele.

— Não se preocupe, já cuidamos de tudo — disse ele, misteriosamente.

Quem cuidou de tudo? Se fosse por Pippa, ela teria mergulhado no fundo do meu armário e achado aquelas roupas que jurei que um dia me serviriam novamente, aquela calça jeans de quando eu tinha dezenove anos e que até hoje me recusava a aceitar que nunca mais usaria. Ela ser dois tamanhos abaixo do meu corpo atual e estar horrivelmente fora de moda, com pernas largas e botões de pressão, parecia irrelevante para meu eterno otimismo. E se, Deus me proteja, fosse minha mãe a escolher as roupas, ela teria pego o macacão e a blusa de motivos florais, comprados por impulso em uma liquidação de fim de verão. Os dois ainda estavam com as etiquetas da loja, porque ambos faziam parecer que eu tinha doze anos.

Eu gemi.

— Por favor, me diga que vocês pelo menos perguntaram para o Adam. Se alguém sabe o que eu gosto ou que fica bem em mim é ele — eu disse, olhando para Seb com um ar de súplica. Ele apenas sorriu e se virou para a janela, onde um avião laranja, característico da EasyJet, voava baixo sobre a pista ao nosso lado.

Eu fui vendada novamente quando o carro parou na área de desembarque de passageiros do Terminal Sul.

— Não sei como a segurança vai deixar vocês escaparem dessa — brinquei, enquanto Seb amarrava a venda. — Isso é tráfico de pessoas.

Ele riu e me guiou pelo túnel de entrada até o saguão de embarque, o zumbido dos viajantes excitados à minha volta enchiam meus ouvidos. Nós viramos à esquerda, depois à direita e, quando paramos, estava tudo completamente silencioso.

— Um, dois... três! — gritou Seb, tirando minha venda. Eu tropecei, os vivas e os gritos me empurravam para trás. Meus olhos não conseguiam focar direito nos rostos todos à minha frente, seus sorrisos largos fazendo-os parecer caricaturas de si mesmos.

Fui cercada por uma multidão que desarrumava meu cabelo e me mandava beijinhos. Eu não conseguia saber quantas pessoas eram, muito menos quem eram.

— Ei, aqui está ela — chamou Pippa.

— Oh, parece que ela vai chorar — disse Tess, minha colega de trabalho.

Eu dava voltas, desorientada, tentando desesperadamente combinar rostos com vozes, os milhões de pixels flutuando na frente de meus olhos lentamente se transformavam em expressões reais.

— Oh, querida, você parece chocada — disse mamãe, rindo. — Você está surpresa?

— É tanta gente — eu disse.

— Somos nove — disse Pippa. — Bem, éramos nove, agora somos dez.

Levantei as sobrancelhas em interrogação.

— Eu sinto tanto — fez Pippa com a boca, sem emitir som.

Olhei em volta, localizando Pammie. Não tinha problema. Depois da conversa com minha mãe, tinha me resignado com a presença dela. Não tinha mesmo como escapar.

— Está tudo bem — sussurrei para Pippa, mas ela virou para o outro lado, com o rosto franzido de tensão.

E então eu a vi. Em pé ali. Seus cachos loiros cobrindo os ombros, um sorriso afetado, quase de piedade, estampado em seu rosto.

Charlotte.

Foi como se uma mão tivesse atravessado meu peito e esmagado meu coração, que quase parou de bater.

Tudo pareceu parar à minha volta: o barulho, a luz, o ar, tudo o que eu via era ela, caminhando lentamente na minha direção com os braços abertos. Ela devia estar só a uns três ou quatro passos, mas meu cérebro estava rodando tudo em câmera lenta, e pareceu uma eternidade até que ela chegasse.

— Olá, Em — sussurrou ela ao meu ouvido quando me abraçou, um aroma cítrico nos envolvendo. *Grapefruit*, de Jo Malone, obviamente ainda era seu perfume preferido. — Faz tanto tempo. Tempo demais. Obrigada por me incluir na sua comemoração.

Da última vez que tinha visto Charlotte, ela estava nua e montada em meu namorado, Tom. Eu nunca consegui tirar aquela imagem da minha cabeça, apesar de minha mente ter tentado me proteger, lembrando apenas de seus rostos chocados e do movimento estereotipado do lençol cobrindo os corpos. Eventualmente eu achei isso até engraçado, pois já tinha visto aqueles dois sem roupa mais vezes do que tinha tomado sopa, mas eles acharam mais importante cobrir os corpos que desengatar seus genitais um do outro. O que, vamos combinar, era o problema real ali. Ele ainda estava dentro dela, talvez não tão duro quanto antes, quando saí do quarto.

Eu achava que ia casar com Tom. Nós estávamos praticamente morando juntos, mas naquela noite ele tinha ligado do trabalho para dizer que não estava se sentindo muito bem, então achava melhor e mais gentil passar a noite em sua própria casa.

— Acredite — disse ele, fungando. — Você não quer pegar isso. Eu me lembro de pensar em como ele estava sendo cuidadoso.

— Mas deve ser só um resfriado normal — implorei, na esperança de que ele mudasse de ideia. — Pode parecer uma gripe mortal para você, mas se eu, uma mulher, pegasse, com certeza só ia ficar com o nariz um pouco entupido.

— Ah, me deixa em paz! — disse ele, rindo. — Estou aqui tentando ser previdente e tudo o que você faz é gozar da minha cara.

— Se você vier para cá, eu passo Vicky no seu peito.

— Tentador, mas eu realmente não acho legal com você. Sinceramente, estou me sentindo péssimo.

Não péssimo o bastante, pelo visto, para que minha melhor amiga não pudesse ficar cavalgando ele, quando fui até lá levando alguns remédios e uma lasanha congelada. Tudo o que eu estava pensando quando entrei foi se diria que eu mesma tinha feito a massa. *Com certeza isso me faria parecer uma namorada preocupada*, pensei, colocando a chave na mesinha cuidadosamente e subindo as escadas na ponta dos pés.

Eu pensei ter ouvido barulho quando estava na escada, mas meu cérebro ingênuo traduziu os gemidos dele em tosse e a respiração ofegante dela em falta de ar. *Talvez devesse levar um copo de água*, me lembro de ter pensado, hesitando um pouco no último degrau, ainda sem suspeitar de nada. Algumas vezes eu finjo que desci para pegar um copo de água para ele e, ao fazer isso, alertando de minha presença. Eu imagino ela se escondendo no guarda-roupa e nós todos encenando um grande episódio de comédia.

Talvez, então, eu ainda estivesse até hoje na ignorância, viajando com minhas amigas para meus últimos momentos de liberdade antes de meu casamento. Charlotte teria sido minha madrinha de casamento e eu nunca saberia de nada.

Ela ainda estava me abraçando quando Pippa pegou minha mão e me tirou dali.

— Venha, precisamos fazer o check-in — disse ela.

Eu tinha perdido minha capacidade de funcionar e fiquei ali parada, estupefata.

— Continue sorrindo — disse Seb. — Não faço ideia do que diabos está acontecendo.

— Mas ela... — disse, com a minha voz falhando. — Como isso foi acontecer?

— Eu realmente não sei — disse ele. — Nós sempre fomos nove. Pippa disse que ela apareceu do nada.

— O que você quer fazer? — perguntou ela enquanto me empurrava na direção da atendente no balcão da Monarch, cujos lábios finos estavam cerrados de impaciência. Eu vi de relance o cartaz da Faro atrás dela, mas não estava entendendo nada. Tudo o que eu sabia é que queria ir para longe dali. Sozinha.

— Quais são minhas opções? — perguntei, sarcástica. — Neste momento, eu não vejo nenhuma.

— Podemos dizer para ela ir embora — disse Pippa. — Eu não tenho nenhum problema em fazer isso, se você quiser.

Eu não conseguia pensar direito.

Eu queria chorar, mas eu preferia morrer a dar a Charlotte esse prazer. O rosto dela era um borrão sorridente por trás dos ombros de Pippa.

— Eu não acredito que isso está acontecendo.

— Então, o que você quer fazer, Em?

Olhei em volta, para todos os rostos excitados, sabendo que para Trudy, Nina e Sam, minhas antigas colegas de trabalho, essa seria a única folga que teriam no ano. Elas tinham pago um bom dinheiro pelas passagens e pela hospedagem. Não seria justo estragar tudo antes mesmo de sairmos do chão.

— Quer que eu fale para ela? — perguntou Pippa.

Eu fiz meu cérebro parar de pensar no futuro e tentei lembrar para quem eu tinha contado sobre Charlotte e Tom. Nesse momento parecia que todo mundo sabia, e tinham rido de mim pelas costas o tempo todo. Mas, pensando racionalmente, percebi que apenas mamãe, Pippa e Tom sabiam. Eu tinha me sentido envergonhada e embaraçada na época – não tinha gritado pela rua para todo mundo ouvir. Se eu fizesse uma cena agora, todo mundo ia descobrir, e isso seria não só a conversa do fim de semana de despedida de solteira como também do casamento.

— Deixe-a vir — disse, cortante. — Eu cuido disso.

Eu já tinha pensado muito sobre esse momento, sobre como seria encontrá-la novamente. O que aconteceria? Eu me jogaria em cima dela e tentaria arrancar seus cabelos? Ou ia ignorá-la? No fim, nenhuma das duas coisas aconteceu. Só me senti impotente.

— Para onde estamos indo, afinal? — perguntei, carrancuda.

— Portugal! — exclamou Pippa, carregando no entusiasmo.

Eu podia ver que ela estava tentando me puxar para cima, manter o alto-astral, mas ia ser difícil melhorar meu humor.

Eu tentei me concentrar no que diziam para mim quando sentamos no saguão de embarque, com algumas garrafas de *prosecco* já vazias. Elas estavam tão felizes, tão dispostas a fazer dessa uma viagem especial, mesmo competindo o tempo todo, pelo visto, por minha atenção. Eu virava a cabeça para um lado e para o outro, sorrindo, gesticulando de forma exagerada. Mas tudo parecia falso, como se eu estivesse fingindo, com medo de que o elefante na sala se fizesse notar.

As bagagens de mão começaram a fazer barulho de vidro se chocando quando todo mundo se levantou ao anúncio de nosso voo, as sacolas do *free shop* se agitando.

— Acho que temos álcool o suficiente para afundar um navio — disse Pippa. — Cliff Richard não precisa se preocupar de a gente beber seu vinhedo inteiro.

— Cliff Richard está aqui? — interrompeu mamãe.

— Não — eu disse. — Ele produz vinho em Portugal, não é?

— Eu não posso beber demais — declarou Tess quando começamos a andar. — Tenho uma apresentação muito importante semana que vem.

Nós todas gememos.

— Agora entendo o que você queria dizer sobre ela — disse Pippa, rindo alto e dando um tapa em minhas costas, já um pouco bêbada.

— Que surpresa a Charlotte estar aqui — disse mamãe, baixinho. — Está tudo bem agora?

Eu sorri, tensa.

— Tão bom vocês terem se entendido. Você devia ter me dito.

Eu não sabia o que dizer. Estava confusa demais para sequer começar a juntar as peças do que estava acontecendo aqui. Eu consegui evitar Charlotte por toda a viagem, mudando de direção sempre que sentia que ela estava se aproximando. Pippa e Seb foram minhas barreiras, apesar de a constante oferta de drinques do serviço de bordo não os ajudar a manter as ideias no lugar.

— Eu prometo ser mais confiável amanhã — balbuciou Seb, desistindo de lutar por minha mala na esteira de bagagem, deixando que Charlotte a pegasse.

Eu aceitei a mala sem dizer uma palavra. Não podia sequer olhar para ela, sabia que se o fizesse a imagem de seus atos voltaria e me atingiria com o peso de uma avalanche.

Eu me assegurei de ser a última a entrar no micro-ônibus, para não correr o risco de ela sentar ao meu lado. Eu não ia poder evitá-la assim por quatro dias – e esses eram para ser, supostamente, dias de felicidade. Alguém tinha que ceder. Eu quase podia me ouvir gargalhando secamente com o pensamento de que meu maior problema neste fim de semana seria Pammie.

22

Eu podia ver o reflexo de Charlotte atrás de mim, nós duas olhando para a escuridão além das janelas, curiosas para saber para onde estávamos indo. Será que, assim como eu, ela se lembra da última vez que fizemos uma viagem como essa, duas inocentes de dezoito anos prestes a entrar na cova de leões de Ayia Napa?[12] Nós rimos cruelmente enquanto nossos companheiros de viagem desembarcavam do ônibus em seus hotéis, cada um parecia menos salubre que o anterior.

— Que bom que não vamos ficar aqui — dizia ela, com a voz aguda. — Eu jamais entraria naquela piscina.

Nossa ingenuidade não passou despercebida do motorista, que ficava nos olhando pelo espelho, sorrindo e balançando a cabeça. Ele claramente sabia de algo que desconhecíamos, pois soltou uma gostosa gargalhada em nossas caras confusas quando nos desembarcou no meio de lugar nenhum.

— Isso não pode estar certo — insistiu Charlotte, quando saímos do ônibus diretamente para o meio da lama. — O panfleto dizia que era bem no centro das coisas.

Nosso motorista, que, agora vimos no crachá, se chamava Deniz, balançou a cabeça e sorriu.

A luz dura de um holofote iluminava um caminho estreito. Lagartixas saíam da frente enquanto arrastávamos nossas malas até a varanda.

---

[12] Cidade turística na ilha grega de Chipre. (N.T.)

— *Ciao* — gritou Deniz alegremente, antes de partir, e tudo o que eu queria era ir atrás dele. Mesmo com seu bigode enrolado e seus olhos brilhantes, ele parecia uma opção melhor do que a matrona sentada atrás do balcão de recepção, suando e espantando insetos com um mata-moscas. Precisamos de três ou quatro bebidas à base de anis chamadas *rakis* até conseguir ver o lado bom das coisas, e eu nunca soube quantos mais tomamos antes de apagarmos, acordando só no dia seguinte em uma espreguiçadeira, com o calor do sol de Chipre nos queimando.

Desde então nós sempre nos referimos àquela viagem – bem, pelo menos até pararmos de nos falar – como nosso "rito de passagem": uma jornada misteriosa de *raki*, dissipação e excitação. Apesar de tudo, eu sorri.

A voz excitada de Pippa invadiu meus pensamentos, me trazendo de volta ao presente.

— Acho que é aqui — disse ela. — Chegamos!

A casa, com suas paredes cor de pêssego iluminadas suavemente por luzes vindas do chão, era linda. Mas eu queria estar aqui com pessoas que amava, não com uma futura sogra psicótica e uma mulher que dormiu com meu último namorado.

— Uau! — todas gritaram em uníssono.

— Não é ruim, não é? — disse Pippa.

Todas se amontoaram na frente da porta enquanto ela abria a fechadura. Eu me deixei ficar para trás, lutando desesperadamente contra a vontade de entrar no micro-ônibus e ir embora, sem nem saber para onde. Eu controlei a vontade de chorar e então senti alguém tocando minhas costas.

— Você está bem? — perguntou mamãe, com a voz suave.

Eu consegui assentir com a cabeça e engoli o nó que se formara na minha garganta. Minha mãe estava aqui. Tudo ia ficar bem.

Pippa tinha reservado uma mesa no BJ's, um restaurante na praia, para o jantar.

— Um nome bem apropriado — gritou a quieta Tess, enquanto descíamos a escada íngreme que saía do estacionamento. — Vamos cair de boca!

— Nossa, quanto ela já bebeu? — riu Pippa.

Senti alguém tocando minha mão, me puxando para trás e, ao me voltar, vi que era Charlotte.

— Você não me disse uma palavra, nem sequer oi — disse ela.

— Agora não — respondi. — Não estou a fim.

— Então por que você me convidou?

Eu parei e me voltei para ela.

— Convidei você? Você acha que *eu* convidei você? — Ela me olhou como se tivesse levado um tapa na cara.

— Bem, sim, foi o que Pammie disse... — gaguejou ela. — Você não me convidou?

Minhas orelhas ficaram quentes. A boca de Charlotte continuava se movendo, mas suas palavras chegavam abafadas. *Pammie?* Eu não conseguia sequer imaginar como isso podia ter acontecido. Eu tentei achar uma conexão, algo que as colocasse juntas. Em minha cabeça se sucediam imagens de Pammie, Adam, James e mesmo Tom. Eles estavam todos rindo, seus rostos distorcidos como caricaturas, marionetes se mexendo para a frente e para trás. Eu os sentia tentando me fazer tropeçar, mas não conseguia ver quem estava controlando os cordões.

Elas se conheciam? Como se encontraram? Quando? Minha cabeça dava voltas, tentando encontrar sentido nisso tudo.

Uma imagem de Charlotte montada em Tom passou pelos meus olhos, e foi necessária toda minha força de vontade para não empurrá-la por cima da mureta para dentro do mar lá embaixo.

— Pammie? — perguntei, rezando para ter ouvido errado. Cada músculo do meu corpo estava tenso, pronto para lutar ou fugir. Eu me odiei por ser tão fraca. Precisava manter o controle.

— Sim, ela disse que estava me convidando em seu nome.

— O quê? Como? — perguntei, balançando a cabeça.

— Não sei — disse Charlotte. — Só sei que Pammie me ligou e disse que você gostaria que eu viesse a sua despedida de solteira. Eu perguntei se ela estava certa daquilo, se tinha entendido direito. Ela disse que sim, e eu dei pulos de alegria. Mal podia acreditar.

— Mas como você pôde imaginar que eu queria ver você novamente?

Meus olhos se encheram de lágrimas enquanto eu olhava para ela direito pela primeira vez. Quase dei um pulo, minhas emoções confusas enchendo minha cabeça de uma urgência em abraçá-la. Eu reprimi o impulso, mas não foi fácil. Eu não tinha percebido o quanto sentia sua falta até ela estar na minha frente.

Ela abaixou os olhos.

— Eu sinto muito — disse Charlotte, sua voz parecia pouco mais que um murmúrio. — Ainda não acredito que fiz aquilo.

— Mas fez — respondi, tensa, antes de virar as costas e descer as escadas.

Eu precisava de uma bebida e, graças a Deus, nossas taças já estavam cheias de vinho quando cheguei à mesa. Tomei um grande gole antes mesmo de me sentar.

— Certo, vamos jogar Fuzzy Duck? — perguntou Tess. — Damas, preparem suas taças.

— E cavalheiro — completou Seb.

Eu só podia sorrir e olhar direto para a frente, pois, se olhasse para a esquerda, veria Charlotte, e, se olhasse para a direita, veria Pammie. Não podia olhar para a cara dela nesse momento, tinha medo do que poderia fazer.

— Que tal Verdade ou Desafio? — sugeriu Seb.

— Siiimmm — gritou Tess.

Eu mantive um sorriso falso no rosto, abrindo meus lábios apenas para tomar mais vinho. A bebida já começava a anestesiar minhas extremidades nervosas.

A garrafa de terracota que até recentemente estava cheia de Lacers Rosé girou com estardalhaço antes de desacelerar e finalmente parar apontando para Seb.

— Verdade ou desafio? — perguntou Pippa.

— Desafio!

— Certo — disse ela. — Quando o garçom perguntar o que você quer comer, você precisa fazer seu pedido em português.

Ele sorriu e chamou o garçom.

— Então… Eu quero uma, como se diz, *spaghetti bolognesia con pan du garlic as aperitif*. Não conseguimos conter o riso.

— Acho que deve ter umas três línguas aí, mas eu aposto que isso não é português nem de longe — disse Tess.

— Você gostaria de queijo parmesão em seu espaguete, amigo? — perguntou o garçom sorridente com um perfeito sotaque londrino.

Todo mundo riu, mas tudo que eu conseguia ouvir era o silêncio eloquente vindo da outra ponta da mesa. Eu enchi novamente minha taça, bebi tudo e olhei para Pammie. Ela me encarou de volta, com um ar de desafio, como se me chamando para a briga.

Ninguém mais notaria, mas até aí ninguém mais a conhece como eu. Elas não sabem que aquela doce senhora que caminha devagar e se faz de mártir é, na verdade, uma vaca calculista e maliciosa. Mas se ela quer jogar esse jogo, me enfraquecer pouco a pouco até que não sobre mais nada, estou pronta.

A garrafa girou novamente e parou em Charlotte.

— Verdade ou desafio? — declarou Seb.

Ela me deu uma olhada rápida

— Verdade.

— Eu tenho uma pergunta — gritou Pippa. — Qual seu maior arrependimento?

Ela parecia saber o que estava por vir.

— Eu fui burra e acreditei que estava apaixonada — disse ela. — O único problema é que ele não estava livre para o meu amor, ele era o amor da minha melhor amiga.

Eu podia sentir Pippa e Seb se eriçando ao meu lado. Tess arfou alto.

Charlotte continuou:

— Inocentemente, acreditei que talvez as coisas se arranjariam da melhor maneira, mas claro que não foi isso que aconteceu. Nunca é.

— E então, como tudo terminou? — perguntou Tess. — Sua amiga descobriu?

Charlotte olhou fixamente para mim.

— Sim, da pior forma possível, e eu nunca vou me esquecer da expressão em seu rosto. Ela se quebrou em mil pedaços.

Meu coração encolheu.

— Bem, valeu a pena? — insistiu Tess. — Vocês ficaram juntos?

— Não — respondeu ela baixinho. — Nós dois a amávamos mais do que um ao outro, e, uma vez que percebemos a mágoa que tínhamos causado, estava tudo acabado. Um erro estúpido, com enormes consequências. — Uma lágrima correu por seu rosto, e ela rapidamente a enxugou.

— Não recomendo a ninguém — disse ela, forçando o riso, em uma tentativa de aliviar o ambiente.

Eu contive minhas lágrimas, percebendo apenas nesse momento a real extensão da dor que tinha carregado por todos esses anos. Eu nunca tinha realmente parado para avaliar a enormidade que foi perder o namorado e a melhor amiga, aparentemente para eles mesmos. Eu tinha apenas enfiado a cabeça em um buraco e tocado a vida, negando completamente o dano que aquilo tinha causado. Talvez eu tenha achado que, ao não admitir aquilo, de alguma forma tudo iria embora, desapareceria, nunca teria acontecido. Eu quase me convenci de que aquela havia sido a melhor coisa que me aconteceu; tinha separado o joio do trigo, e eu com certeza estava melhor sem eles. Mas na verdade eu não estava. Até então, Tom tinha sido o amor da minha vida, o homem com quem eu teria meus filhos. E Charlotte? Bem, ela estivera ao meu lado desde que nos conhecemos, no terceiro ano do Fundamental.

— Essas duas não se desgrudam — tinha comentado minha mãe na porta da escola. — Vão ser amigas para sempre.

A mãe dela assentira, sorrindo, e daquele momento em diante não passou um dia sem que nos falássemos. Fomos à mesma escola de Ensino Médio, passamos as férias juntas e até conseguimos nossos primeiros empregos a poucos quarteirões uma da outra, perto de Oxford Circus. Eu ligava para a mãe dela toda semana, para bater papo. E ela ligava para a minha. Parecia que tínhamos sido feitas na mesma forma, que tínhamos o mesmo sangue correndo nas veias. Mas ela acabara provando que não éramos nem um pouco parecidas.

Olhando para ela agora, enxugando as lágrimas dos olhos, eu lamentei o tempo perdido. O amor e as risadas que poderíamos ter compartilhado, substituídos por dor e ódio.

— Muito bem, quem é a próxima? — gritou Seb, girando novamente a garrafa.

Os gritinhos foram aumentando quando a garrafa começou a parar.

— Emily! — gritaram todas, batendo palmas.

— Completamente merecido! — gritou alguém. — A noiva deve se arrepender de seus pecados.

Eu sorri amarelo.

— Não tenho esqueletos no armário.

— Veremos — disse Pippa, rindo.

— Posso perguntar? — pediu Tess.

Eu me virei para ela e esperei.

— Verdade ou desafio?

— Verdade.

— Certo, você alguma vez foi infiel?

Eu nem precisei de tempo para pensar.

— Nunca.

Houve um gemido coletivo de lamentação.

— Como, nunca? Nem quando você era mais jovem? — perguntou Tess.

— Não, nunca.

Olhei para Charlotte, minha amiga mais antiga, que podia confirmar minhas palavras.

Ela balançou a cabeça negativamente.

— Bem, depende do que estamos chamando de ser infiel — disse Tess muito francamente. — Quer dizer, estamos falando de dar uns amassos, de umas brincadeiras sexuais ou de sexo propriamente dito?

Todas riram e se fingiram chocadas pelo acesso de sinceridade da normalmente quieta Tess.

— O que são brincadeiras sexuais? — perguntou Pippa. — Eles falam disso o tempo todo naqueles programas de TV populares, vocês sabem quais, e fazem aquelas coisas de entrevistar os casais em separado: "Desde que você namora com Charmaine, você já chegou a fazer brincadeiras sexuais com alguém?".

— Bem, é mais que um beijo, mas sem chegar a ser sexo de verdade — riu Tess. — Então tem de ser algo no meio do caminho.

— Ah, tá, isso torna tudo mais claro, Tess. Obrigado por nos iluminar — disse Seb.

— Talvez seja mais que isso — interveio Pammie. — Apenas ter a intenção já não é o suficiente para ser considerado desleal?

— Nossa, Pammie — disse Pippa. — Se só pensar no assunto significa que você está sendo desleal, eu seria a maior vadia da história da humanidade.

Eu dei uma gargalhada quando Pammie franziu o nariz de desgosto.

— Não estou falando de um pensamento dentro da sua cabeça. Estou falando da intenção bem real de fazer algo errado, como concordar em se encontrar com alguém quando você sabe o que pode acontecer.

— Eu não sei se isso torna você infiel, Pammie — afirmou Pippa.

— Se você mantém o encontro em segredo, não conta a seu parceiro... independentemente de você ir ou não até o fim. O mero fato de você ter ido lá sabendo perfeitamente o que poderia acontecer... isso para mim é ser infiel.

Muitas línguas estalaram e Seb e as garotas discordaram bastante.

— Isso então quer dizer que fui infiel a meu Dan um monte de vezes — acrescentou Truddy, subitamente abatida com a sugestão.

— Então você se encontrou com alguém, com a intenção específica de ir para cama com a pessoa? — perguntou Pammie.

— Bem, não, mas já conheci caras que achei atraentes em noites em que saí sozinha.

— E você combinou de se encontrar novamente com algum deles, os dois sabendo perfeitamente por que estariam ali? Porque, vamos combinar, seria a única expectativa possível — continuou Pammie.

— Bem, não — disse Trudy.

— Então está tudo bem — replicou Pammie. — O que estou dizendo é que se você se encontra com outra pessoa com a intenção real de trair seu parceiro, mesmo que você não vá até o fim, isso não é ser infiel?

Dessa vez algumas garotas assentiram com a cabeça, diferentemente de quando ela apresentou a questão pela primeira vez.

— Então talvez você possa perguntar novamente a Emily — completou Pammie.

Minhas orelhas estavam ficando vermelhas, e me virei para ela com os olhos semicerrados. Imagens de meus encontros com James passaram pela minha cabeça: nós dois aconchegados no fundo de um pequeno café; empoleirados em banquinhos no bar de um hotel, sua mão sobre a minha, a linguagem corporal que deve ter anunciado "oh, eles vão fazer aquilo, não vão?". Eu sabia como parecia na minha visão e podia bem imaginar como se pareceria para alguém que estivesse observando. Alguém tinha nos visto? Era isso que ela estava sugerindo?

Tess olhou para mim.

— Certo, vou fazer a pergunta novamente. Senhorita Emily Havistock, você alguma vez teve a intenção de ser infiel?

Pammie cruzou os braços na frente do peito e ergueu as sobrancelhas, aparentemente esperando minha resposta. Ela não podia saber, podia? Não tinha razão para James ter contado a ela. Por que ele contaria? E as chances de alguém ter visto e somado dois mais dois era de uma em um milhão. Eu estava só sendo paranoica.

Olhei diretamente para ela.

—Não, nunca.

Ela se empertigou em sua cadeira, e os outros voltaram sua atenção para a próxima jogadora, mas Pammie resmungou algo inaudível, e eu tinha certeza de que ela disse "James".

23

Que noite divertida — disse mamãe, enquanto tirávamos a maquiagem na frente do espelho do banheiro. Estávamos as duas meio tontas. Bem, eu estava, com certeza. Talvez eu estar tonta fizesse parecer que ela estava tonta também.

— Há anos que não me divertia assim — ela disse, enquanto se equilibrava em uma perna só para tirar o sapato.

Eu sorri.

— Acho que o garçom estava dando mole para você.

— Ah, para — disse ela, rindo alto e se inclinando perigosamente na minha direção, com uma perna no ar. — Oooh, Em, dê uma ajudinha aqui.

Eu a segurei para evitar que caísse.

— O que você está tentando fazer? — disse, rindo.

— Se eu pudesse só… — disse ela, antes de ameaçar perder o controle das pernas. Eu a segurei pelos dois cotovelos antes que ela se estatelasse no chão. Nunca tinha visto minha mãe desse jeito.

— E é tão bom encontrar Charlotte de novo — disse ela. — Eu gostei muito de você ter resolvido as coisas com ela. Não vale a pena perder uma amizade por causa de um homem, especialmente uma como a sua com Charlotte. Eu disse a mesma coisa para Pammie.

Só ouvir aquele nome bastou para me deixar sóbria.

— O que você disse para ela? — perguntei, tomando cuidado em manter o tom da minha voz neutra.

— Só isso — disse ela inutilmente, ainda sentada no chão do banheiro. — Quando contei a ela o que tinha acontecido, disse como era triste, porque vocês eram tão próximas, você e Charlotte, não é?

Eu podia sentir um calor crescendo sob minha pele. Sentei no chão ao lado dela.

— Por que vocês estavam falando disso, mamãe?

— Pammie perguntou se tínhamos esquecido de convidar alguém. Ela estava só checando se todo mundo que deveria ser convidado para o casamento estava na lista. Eu disse que achava que estavam todos lá, mas, quando ela começou a perguntar sobre suas amigas de infância, eu fiquei pensando.

— Ah, isso faz todo o sentido — eu disse, apesar de por dentro estar gritando *O que diabos ela tem a ver com isso?* Nós estávamos pagando por nosso casamento, e mamãe e papai estavam pagando nossa lua de mel. Pammie não tinha nenhum direito de ficar perguntando coisas.

— Aí eu disse que a única pessoa que não estava na lista, que em outras circunstâncias com certeza seria convidada, era Charlotte.

Eu assenti, fingindo paciência e tentando desesperadamente ficar sóbria.

— E então você contou a ela tudo o que tinha acontecido?

— Bem, até certo ponto, sim. Eu não achei que fosse apropriado entrar nos detalhes de *como* você descobriu. Eu só disse que Tom e Charlotte estavam se encontrando escondidos.

Senti meu peito apertar até quase explodir.

— Certo, vamos ver se conseguimos levantar você — eu disse, pegando-a por baixo dos braços.

Ela riu por todo o trajeto até a cama. Depois, deixei o quarto silenciosamente, fechando a porta.

Atravessei o saguão e o corredor até o quarto no fundo da casa, meus passos ficavam cada vez mais rápidos e mais pesados.

Escancarei a porta sem bater.

— Quem diabos você pensa que é? — perguntei, com a voz sibilando. Pammie sequer ergueu os olhos do livro que estava lendo.

— Eu estava imaginando quanto tempo você ia demorar — disse ela.

— Como você ousa? — retruquei. — Como você ousa se convidar para minha despedida de solteira e trazer *ela* junto?

— Pensei que você ficaria feliz — disse ela. — Achei que era uma oportunidade maravilhosa de reunir vocês novamente.

Ela colocou o livro sobre a cama ao seu lado e tirou os óculos, esfregando a ponte de seu nariz.

— É muito ruim — continuou ela — ter uma amiga íntima e perder contato. Aconteceu alguma coisa específica?

Ah, ela queria jogar? Está bom, vamos jogar.

— Não, na verdade não aconteceu nada — respondi, com naturalidade. — Nós só nos afastamos.

— Bem, quando eu soube que vocês se conheceram ainda meninas e eram tão próximas, eu não consegui suportar a ideia de que alguém tão especial não estaria presente no seu grande dia — disse ela, com os olhos brilhando. — Eu procurei naquela coisa do computador, como é o nome? Book Face ou coisa parecida?

Meu Deus, ela era boa nisso. Mas ela parecia ter esquecido que Adam não estava aqui agora. Ele não podia escutar seu tom de voz piedoso ou ver sua expressão afetada. Sem dúvida ele ficaria orgulhoso das habilidades investigativas de sua mãe. "Deus a abençoe", ele teria cacarejado. "Não é maravilhoso? Ela não é incrível?"

Eu sorri.

— Facebook, Pamela. Chama-se Facebook.

Ela titubeou e se aprumou rapidamente, a atitude infantil desaparecendo em um instante.

— Eu não preciso ser cortês com você — sibilou ela. — Mas, para o bem ou para o mal, você vai ser minha nora.

Olhei para ela, com uma expressão irônica.

— De fato, vou, e mal posso esperar.

— Você devia deixar de lado esse sarcasmo — disse ela. — Não combina com você.

— E você devia deixar de ser uma vaca.

Seus olhos escureceram e ela estreitou os lábios finos, revelando a gengiva acima dos dois dentes incisivos, como um cão rosnando.

— Você não tem nenhuma educação? Honestamente acha que meu filho vai ficar com alguém como você pelo resto da vida?

Eu senti que ela não tinha terminado, então fiquei lá, com os braços cruzados, esperando a conclusão do ataque.

— Ele poderia ter quem quisesse — continuou ela. — Por que resolveu se contentar com você eu não sei. Mas ele alguma hora vai cair em si, guarde minhas palavras. Só espero que seja cedo, e não tarde.

Sorri como que deixando suas palavras horríveis escorrerem de mim, como a água escorrendo das costas de um pato, mas cada sílaba era como uma espada cortando as cordas que mantinham meu coração funcionando. Eu me sentia como se tivesse sido transportada de volta no tempo, para a escola fundamental, para quando a nojenta da Fiona me atacou em um canto do parquinho e gargalhou me vendo largada no chão, com o vestido de algodão enrolado acima da cintura.

— Por que suas calcinhas estão sujas? — zombou ela. — Olha aqui, todo mundo. A Emily fez cocô nas calças.

Outras crianças vieram apontar para mim e rir, enquanto eu rapidamente arrumava meu vestido e tentava me levantar. Fiona me ofereceu a mão, mas, quando tentei segurar, ela retirou rapidamente o braço, e eu caí de novo.

— Ah, a Emily é suja e idiota. — disse ela, rindo, e todo mundo em volta riu também, alguns até por medo de serem os próximos. — Talvez você queira ir se trocar, porque ninguém vai querer sentar perto de alguém cheirando a merda.

Eu ainda podia sentir a vergonha e a humilhação; o calor que queimava meu rosto, apesar de eu ter lutado febrilmente para me controlar. Eu corri até o banheiro, onde o bando de crianças usual bloqueava o caminho. Eu abri caminho entre elas quando o sinal indicando o fim do recreio tocou.

— Emily Havistock, o sinal já tocou — gritou a sra. Calder do outro lado do playground, aparentemente me vendo com os olhos de trás de sua cabeça. Eu escolhi ignorá-la, preferindo sua ira à de Fiona. Eu fechei e tranquei a porta do box antes de abaixar a calcinha para ver se estava manchada. Não tinha nada ali, só um pouco de de poeira onde eu tinha batido no chão sujo. Eu não sei por que acreditei que seria outra coisa. Eu então caí no choro, daquele tipo que você tenta tudo para evitar, por saber que, uma vez que comece, ele pode nunca mais parar.

O tipo que estava ameaçando me acometer agora, uns vinte anos depois, quando eu estava aqui na presença de outra valentona. Eu me controlei e olhei fixamente para Pammie, com uma expressão dura.

— Quando você vai entender que Adam e eu vamos ficar juntos para sempre? — disse, minha voz tremia só um pouquinho.

Pammie estalou a língua e revirou os olhos.

— Acho que isso não vai acontecer — suspirou ela. — Você não tem a menor chance.

Eu me aproximei dela.

— Eu vou me casar com seu filho, e não importa o que você diga ou faça, não vai conseguir impedir. *Vai* acontecer, quer você goste ou não, então sugiro que comece a se acostumar com a ideia.

Pammie se inclinou ainda mais na minha direção, nossos narizes quase se tocando.

— Sobre o meu cadáver — retrucou ela.

24

Parece que você tem uma grande fã — murmurou Adam, se encostando em mim. Eram duas da manhã, e ele tinha chegado há uma hora, a maior parte da qual foi gasta fazendo amor. Eu nunca ia recusar aquilo, especialmente depois de ficarmos separados por quatro dias e com ele tendo à sua disposição todas as tentações do mundo nesse meio-tempo. Mas agora estava cansada e precisava dormir um pouco antes de o despertador tocar às seis.

— Mmm — sussurrei. — Quem?

— Minha mãe — disse Adam, todo contente. — Ela disse que se divertiu muito e que você a fez se sentir em casa.

Respirei fundo, esperando que o sarcasmo acabasse e que ele me contasse o que ela realmente dissera. Meu Deus, ela realmente tinha conseguido entrar em contato tão depressa? Falou com ele antes mesmo de mim? Ele só estava em território inglês há algumas horas.

— Então. Muito. Obrigado — sussurrou ele enquanto beijava meu rosto.

Eu me virei para encará-lo.

— Que foi? — riu Adam.

Pensei novamente na promessa que havia feito, de nunca mais vê-la depois do casamento, quando ela questionou minha relação com Seb.

O comentário dela viera do nada, quando eu estava tomando sol à beira da piscina, na manhã seguinte à nossa briga.

— Você entende que não poderá mais ver Seb com tanta frequência depois do casamento, não entende? — disse ela.

Eu nem tinha percebido que ela estava acordada, quanto mais ao meu lado na piscina. Não movi um músculo, só abri os olhos sob os óculos escuros e vi Tess e Pippa mergulhando na parte rasa.

Não tinha mais ninguém por perto.

— É mesmo? — respondi.

— Sim, é mesmo — disse ela, me imitando como uma criança. — Não é correto você ter essa proximidade com outro homem. Adam pode suportar isso até o casamento, mas, uma vez que você esteja casada, vai ter que abrir mão de Seb.

Eu continuei parada, apesar de meus músculos estarem vibrando sob a pele, e tudo o que eu realmente queria fazer era pular sobre ela e arrancar seus olhos. Mantive minha voz firme.

— Adam disse isso, foi?

— Sim, sempre foi uma preocupação dele. Desde o começo ele me disse como ficava infeliz com isso.

— Eu não sei se escapou à sua atenção, Pamela, mas Seb é gay.

Assim que essa frase saiu da minha boca, queria sugá-la de volta. Eu me senti justificando nossa relação, dizendo que o fato de ele ser gay fazia com que fosse aceitável.

— Eu entendo isso, completamente — disse ela, dando uma fungadela. — Mas não é correto. Ele nem devia estar aqui. Adam ficou horrorizado quando descobriu que você convidaria Seb.

Adam não tinha me dito sequer uma palavra. Ele não ousaria. Mas agora, pensando sobre o assunto, nunca tínhamos conversado sobre isso. Minha relação com Seb era o que era, o que sempre tinha sido, muito antes de Adam aparecer, e eu pensei, supus, que ele a aceitara, mas talvez não.

— Então o que ele disse? — perguntei, confiante.

— Ele simplesmente não conseguia acreditar — disse ela. — Gay ou não, ele ainda é um homem, e tê-lo em volta de sua namorada, indo à despedida de solteira dela, é embaraçoso para Adam.

Eu então tirei os óculos e me sentei, mas, se Pammie notou, não deixou transparecer. Ela continuou deitada com um chapéu mole cobrindo a parte de cima do rosto.

— Adam realmente disse a você que eu o deixava embaraçado? — questionei. Eu me odiei por me deixar cair na armadilha dela.

Pammie sorriu, antes de continuar.

— Ora, mas quem não ficaria embaraçado? Não é culpa de Adam, é só a reação natural de um homem. Não conheço um homem na face da Terra que ficaria feliz com você passando tanto tempo com outro homem como você passa com Seb. Não é como se espera que uma mulher comprometida e prestes a casar se comporte.

— Não estamos no século XVIII — disse, mordendo a língua para impedir que as palavras que eu realmente queria dizer escapassem. — Os tempos mudaram desde a sua época. As mulheres são diferentes.

Eu ainda estava tentando justificar nossa relação para ela.

— Pode ser — disse Pammie, calmamente, o sorriso ainda iluminava seu rosto. — Mas tudo o que estou dizendo, como um favor, de verdade, para evitar que você tenha uma discussão com Adam, é que isso vai ter que acabar. Ele não vai tolerar esse comportamento depois do casamento.

— Não vai ser Seb quem vou parar de ver — retruquei. — Vai ser você.

Seu chapéu caiu no chão enquanto ela lutava para se erguer da cadeira de praia.

— O quê?

— Você ouviu. E, se eu me recusar a ver você, sabe o que isso significa?

Ela me olhou, com o rosto contorcido de ódio.

— Vai ficar muito mais difícil para Adam se encontrar com você.

— Boa sorte com isso — disse ela suavemente, sua voz escondia qualquer temor que ela possa ter sentido. — Você sinceramente acha que ele vai escolher você em vez de mim?

— Quem mora com ele? Com quem ele divide a cama? Com quem ele faz amor? Eu diria que suas chances são bem pequenas.

— Eu não contaria com isso — disse ela, antes de se levantar e andar lentamente em direção à casa, sua saída de praia estampada flutuava na brisa. — As garotas estão se divertindo? — perguntou ela a Tess e Pippa ao passar perto da piscina, aparentemente sem qualquer preocupação no mundo. Psicopata.

E agora ela dissera a Adam que se divertiu muito e que a fiz se sentir em casa? Imediatamente senti que tinha sido enganada, como se ela estivesse brincando de gato e rato comigo. Claro que o rato sou eu.

Adam cobriu nossas cabeças com o cobertor, e pude sentir que ele estava duro novamente quando me apertou contra seu corpo.

— Foram quatro dias — disse ele rindo, quando estalei a língua. — Não consigo evitar.

— Vá dormir — eu disse, cansada. — Temos que acordar em algumas horas.

— Eu vou. Prometo. Eu me comporto e não incomodo mais, mas só se você me fizer um favor.

— Pelo amor de Deus, o que você quer? — disse, rindo.

— Mamãe perguntou se pode ir com você na prova final do vestido.

— O quê? — perguntei, sobressaltada, sentando abruptamente e me virando para ele. — Sério?

— Ela disse que vocês se deram tão bem quando estavam viajando que queria saber se tudo bem ir com você e ver o vestido. — Ele fez uma careta, como se esperasse uma réplica.

Meu queixo caiu.

— Por favor, Em. Significa muito para minha mãe. Como ela mesma disse, ela não tem uma filha, então nunca vai poder compartilhar esse momento especial com alguém. Você é o mais próximo disso que a mamãe tem. Ela vai ficar extasiada.

— Mas… — comecei.

— Sua mãe já viu o vestido, então não é como se minha mãe estivesse pisando nos calos de alguém.

— Mas Pippa ainda não viu, nem Seb. Nós quatro tínhamos combinado de passar o dia juntos no sábado, almoçar, coisas assim.

Adam se levantou, apoiado em um cotovelo.

— Seb?

Eu parei de respirar.

— Seb vai com você?

Eu escorreguei novamente para baixo do cobertor, meu coração explodindo em meu peito. Eu tinha imaginado uma mudança no ar da conversa? Tinha que ser, pois Seb era um problema que Pammie tinha criado em *sua* cabeça, não na cabeça de Adam. Então por que eu me sentia como se tivesse pisado em uma mina terrestre e aguardava agora pela explosão?

— Claro — disse, com o tom indiferente. — Por que ele não iria?

— Porque é uma coisa de menina — disse ele, secamente.

Eu me virei para ele e encostei a cabeça em seu peito, passando meu braço em volta de suas costas.

— Você está sendo sexista — respondi, rindo.

Eu o senti se afastar física e mentalmente.

— Então Seb vai se sentar em uma loja de vestidos de noite com um bando de mulheres? — perguntou ele, incrédulo. — Ele vai ver seu vestido antes de mim?

— Ah, não seja ridículo — retruquei. — É *Seb*, pelo amor de Deus.

Será que ela fizera isso? Tinha plantado essa semente absurda na cabeça dele?

— Sinceramente, eu acho um pouco demais — disse ele, cortante. — Mas ainda assim, se *ele* vai, então não consigo ver o problema de minha mãe ir também, não é?

Não tinha resposta para isso, e me deixei afundar no colchão, derrotada e infeliz. O que eu vou precisar fazer para me livrar dessa mulher perversa?

25

té minha mãe precisou se esforçar para esconder o tom de surpresa em sua voz quando eu lhe disse que Pammie nos acompanharia em nosso dia especial.

— Ah, tudo bem, querida, você decide. É seu dia — disse ela, sendo democrática.

— Isso é uma porra de uma brincadeira? — perguntou Pippa, que não tinha problemas com seu direito de livre expressão.

Constrangida, telefonei para Seb no dia anterior para contar que estava repensando a ideia de ele ver meu vestido.

— Mas quero vê-la antes de todo mundo — disse ele. Pude notar que ficou desapontado.

— Você ainda verá — respondi. — Quando fizer meu cabelo no dia do casamento.

— Então, tudo bem — disse ele de modo abrupto, antes de desligar.

Não sei por que me senti pressionada, mas essa pareceu ser a coisa mais fácil a fazer. Fazia desaparecer outro problema, o que me deixava com menos uma encrenca para lidar ou me preocupar. Já tinha muita coisa acontecendo e eu só desejava uma vida tranquila.

Ficamos esperando na estação Blackheath por vinte e cinco minutos até Pammie decidir aparecer, o que nos atrasou para o nosso compromisso na loja de noivas. Odeio me atrasar, pergunte a qualquer pessoa que conheço qual seria a última coisa que eu faria e elas responderão "atrasar-se". É sempre irritante constatar que as pessoas têm tão pouco respeito com o tempo alheio que o desperdiçam sem qualquer preocupação. Não aceito isso no trabalho e não espero nada do tipo na minha vida particular, a menos, é claro, que haja um motivo realmente sério. Incêndio, terremoto e morte são aceitáveis. Pammie, entretanto, só pôde dizer um "Desculpem-me, perdi meu trem. Não fiz com que nos atrasássemos, fiz?".

Afastei meu rosto de seu beijo teatral e fui adiante, subindo a colina em direção à Blackheath, deixando minha mãe e Pammie para trás e Pippa ofegando para me acompanhar.

Sininhos soaram quando passamos pela porta e fui, de imediato, atingida pelo calor vindo das janelas. Havia um arranjo de lírios imenso sobre uma pequena mesa redonda, no meio da loja.

— Bom dia, Emily — disse Francesca, a estilista do meu vestido, enquanto vinha em nossa direção. — Faltam apenas duas semanas para seu grande dia! Você está pronta?

Meu rosto estava vermelho e cheio de manchas, e pude sentir o suor quando ele começou a acumular na base da minha espinha.

— Quase — respondi sorrindo.

— Sinto muito, de verdade, mas você está meia hora atrasada e estamos com uma restrição de horário, pois minha próxima noiva chegará em trinta minutos.

Aquele deveria ser um dia especial, relaxado e tranquilo, mas meu peito já estava apertado como uma mola pronta a saltar de ansiedade.

— Mas não se preocupe — prosseguiu ela, tentando amainar o que tinha falado. — Tenho certeza de que vamos conseguir fazer todos os ajustes em tempo.

Eu queria me sentar, tomar um copo de água e me acalmar antes de entrar no calor do provador, mas, pelo jeito, o tempo não permitiria. Não tinha sido uma boa ideia usar meias grossas, pois fiapos de lã pretas cobriam o tapete felpudo e se prendiam entre meus dedos suados. Nada estava saindo como eu esperava, e precisei de todas as minhas forças para não chorar. Eu me lembrei de como uma crise nervosa me faria parecer, uma princesa mimada choramingando por alguns detalhes triviais.

Francesca passou o vestido, com cuidado, pela minha cabeça, enquanto eu esticava meus braços no alto, então ela o fez correr por meus ombros e por meu torso.

— Agora, o momento da verdade — disse eu, prendendo a respiração, como se isso fizesse o vestido servir melhor. — Vamos ver se precisaremos fazer ajustes. — Dei um meio sorriso, confiante de que tinha mantido minha meta de peso, mas, ao mesmo tempo, duvidando da minha força de vontade.

Eu me vi no espelho e quase não reconheci o reflexo que me olhava de volta. Adornada em camadas de *chiffon* drapeado sobre meu peito, minha cintura presa por costuras invisíveis, a seda em tom marfim caindo, até o chão, em ondulados perfeitos.

Como eu poderia estar me casando? Por dentro, ainda me sentia uma criança brincando de casamento de faz de conta e, ainda assim, ali estava eu, supostamente uma mulher adulta, pronta para assumir as responsabilidades de ser a mulher de alguém. A mulher de Adam. Imaginei-o em pé, no altar, com o rosto radiante, mas rígido de nervosismo, enquanto me aproximo dele. Minha família está sorrindo, orgulhosa da mulher que me tornei; mamãe está de chapéu azul e papai usando seu terno novo e elegante ("tem um colete, você sabe"). Meu irmão e sua pequena família, a bebê Sophie tentando escapar do confinamento das garras de sua mãe para o parquinho dos bancos abaixo. Então, viro a cabeça para a direita, para além de Adam, até seu irmão e padrinho, James, parado ao lado dele, e a culpa aperta meu coração, espremendo toda a vida dele. Sua mãe, o rosto retorcido de ódio que apenas eu consigo enxergar, está se prendendo ao braço dele.

— Você está pronta? — perguntou Francesca, colocando a cabeça através da cortina.

Assenti, nervosa. Conseguia ouvir a conversa do outro lado, a voz estridente de Pammie me cortando como se fosse arame farpado.

— Bem, vamos lá — disse Francesca —, permita que seu público a veja.

Empurrei o veludo pesado para o lado e saí.

— Oh, Em — disse mamãe em voz alta.

— Você está tão bonita — disse Pippa, seus olhos estavam arregalados, uma de suas mãos estava tapando a boca.

— Você acha? — perguntei. — É o que você esperava? — fiz a pergunta para Pippa, mas foi Pammie que respondeu.

— Não — disse ela, hesitante. — Pensei que seria... não sei... mais grandioso, acho.

Olhei para as linhas suaves que se agarravam às minhas curvas, marcavam minha cintura e emolduravam a forma das minhas coxas, antes de formarem uma poça de tecido no chão.

— Eu acho que está perfeito, Em — respondeu Pippa. — Combina bem com você.

— Está maravilhoso, querida, de verdade — disse Pammie. — Você vai se cansar um pouco dele, é claro. Mas dará uma ótima escolha de roupa, se você tiver algum lugar especial para ir.

As palavras dela me machucaram, mas Pippa e mamãe não perceberam. Acontece isso com Pammie: ela lhe faz um elogio que todos escutam, apenas para em seguida, acompanhá-lo com um tiro certeiro, quase imperceptível, exceto, é claro, por mim, sua vítima preferencial.

— Você vai fazer alguma coisa com seu cabelo? — perguntou Pammie. — Para arrumá-lo um pouco.

Francesca apareceu com uma tiara simples de diamante, na qual um véu de uma única camada se prendia.

— Você vai usar seu cabelo preso ou solto? — perguntou Pippa entusiasmada.

— Estou pensando nele preso — respondi, torcendo o nariz, ainda indecisa. Francesca puxou algumas mechas do meu cabelo ao redor do meu rosto e as prendeu com alguns grampos, antes de pôr a tiara, com cuidado, na minha cabeça.

— Isso lhe dá uma ideia — disse ela.

— Bem, não será exatamente *assim*, será? — perguntou Pammie. — Presumo que você terá profissionais cuidando dessa parte no dia do casamento.

Foi uma pergunta retórica e eu não tinha uma resposta pronta para ela.

— Então, vocês adoraram? — perguntei. — Vocês acham que Adam vai gostar?

Respostas retumbantes reverberaram pela loja: "incrível", "ele vai adorar", "lindíssima", ainda assim foi "interessante" que pareceu ecoar mais alto.

Minha cabeça estava martelando no momento em que saímos da loja, exatos trinta minutos depois. Um sol baixo e brilhante cruzou minha visão, enquanto caminhávamos pelo bairro.

— Eu reservei uma mesa em seu restaurante favorito, o Due Amici, para o almoço — disse Pippa, empolgada. — Estamos um pouco adiantadas, mas tenho certeza de que eles nos arranjarão lugares, ou poderemos tomar uma bebida no bar.

— Na verdade, você se importa se deixarmos para depois? — perguntei.

Pippa se virou para me encarar, arqueando as sobrancelhas, esperando que eu continuasse.

— Estou com uma dor de cabeça de matar e, para ser honesta, prefiro só me sentar e tomar uma xícara de chá.

Pippa segurou meu braço, afastando-nos das mães fofoqueiras que estavam muito envolvidas em sua conversa para notarem qualquer coisa.

— Estou entendendo direito? — perguntou Pippa. — Isso é um olhaamiga?

Sorri. Não usávamos essa expressão há anos. Não desde que estou com Adam, pelo menos. É nosso código secreto para "me tire daqui" e a última vez que me lembro de usá-la foi quando estava bêbada e fui persuadida a ir para a casa de algum cara depois de conhecê-lo em uma noite de karaokê no Dog & Duck da Brewer Street. Pippa estava dando uns amassos com um amigo desse cara, no canto, e a coisa toda pareceu uma grande ideia enquanto bebíamos e assassinávamos "Nutbush City Limits" no karaokê. Mas quando estávamos todos no táxi, com Pippa sentada no colo de seu novo amigo, fui atingida de repente, graças a Deus, pela sensatez. Não era o que eu queria fazer nem onde queria estar.

— Olha, amiga — gritei e Pippa deu um salto, como se ela tivesse escutado um grito da selva do próprio Tarzan.

— Sério? — perguntou ela.

— Sim. O-lha-a-mi-ga — disse eu, mais devagar, mais para meu benefício do que para o dela. Se tudo tivesse dado errado, Deus sabe os bons momentos que os caras pensaram que viveriam mais tarde.

— Ela está irritando você, não está? — perguntou Pippa, indicando Pammie com a cabeça.

Assenti e senti lágrimas arderem nos meus olhos.

— Certo, você quer voltar para minha casa?

Pensei em Adam, esperando em casa, cheio de expectativa, ansioso para ouvir sobre como tinha sido meu dia especial e eu não queria lidar com isso. Não conseguiria fingir estar feliz e mentir sobre como foi tudo perfeito e, mais ainda, não queria lhe contar como tinha sido na verdade: sua mãe tinha arruinado tudo. Ele vivia, de alguma forma, sob a falsa noção de que nós duas estávamos nos dando muito melhor nos últimos tempos e com isso parecia pensar que tínhamos ficado mais próximos. Não houve discussões bobas sobre o que Adam considerava ser uma paranoia injustificada da minha parte sempre que Pammie aparecia na conversa. Eu tinha aprendido que era muito mais fácil escutar sempre que ele falava sobre ela, sorrir e continuar, porque, de repente, estava chegando à conclusão de que ela poderia estar certa. Se as cartas *fossem* colocadas na mesa e eu o fizesse escolher, sendo honesta, não sabia o que Adam faria.

— Senhoras — disse Pippa, quando se virou para as mães. — Emily não está se sentindo muito bem, então eu vou levá-la em casa.

— Oh, o que foi, amor? — perguntou mamãe, aflita, enquanto acariciava minhas costas. — Quer que eu vá com você?

Balancei a cabeça.

— Não, obrigada, mãe. Ficarei bem, só estou um pouco enjoada, só isso.

— É provável que ela não esteja se cuidando — interveio Pammie, como se eu não estivesse lá. — Sem dúvida, está tentando perder peso com alguma dieta louca para entrar naquele vestido.

Pippa deve ter visto a minha expressão, pois ela me afastou com rapidez, impedindo-me de enfiar um murro bem entre os olhos daquela vadia de cara quadrada.

— Sou eu? — perguntei, quando estávamos em segurança no sofá da casa de Pippa, com uma dessas sopas instantâneas em canecas presas na mão. — Todo mundo diz o quanto ela é atenciosa e gentil; ainda assim, tudo que consigo enxergar é o rosto avermelhado do demônio e os chifres saindo de sua cabeça.

— Mas é assim que ela é com todo mundo. É vista como a Senhorita Inocente que, gentil, surpreende você trazendo uma velha amiga com ela em sua despedida de solteira; que implora para ir com você experimentar o vestido, pois ela nunca terá sua própria filha para compartilhar esse momento especial…blá, blá, blá. E, para ser honesta, Em, todo mundo compra esse comportamento. Nem mesmo o filho de Pammie consegue ver como ela é de verdade e o quanto ela a está machucando.

— Então, *sou* eu? — Pude sentir as lágrimas se acumularem e engoli em seco.

— Claro que não — respondeu Pippa, aproximando-se para passar o braço ao meu redor. — *Posso* ver o que ela está fazendo, mas não tenho como ajudar você, a não ser em momentos como esse. — Ela me puxou para junto de si. — Você precisa do seu futuro marido ao seu lado, fazê-lo ver o que ela está fazendo e como isso está magoando você. Não pode começar um casamento com tanto ressentimento pesando sobre vocês, porque, no fim, isso acabará destruindo seu relacionamento, se não fizer o mesmo a você. Precisa falar com Adam, contar-lhe tudo.

— Tentei fazer isso — falei, chorando. — Mas quando falo isso em voz alta, parece tão patético, como se eu fosse uma criança mimada. Até *eu* penso assim, então, Deus sabe o que Adam pensa de tudo isso.

— O que ele diz sobre Charlotte estar na sua despedida de solteira? Isso não é patético. Isso é uma linha muito real que ela ultrapassou, uma que muitos nem pensariam em pisar, muito menos ir além.

— Eu não contei a ele…

— O quê? — perguntou Pippa. — Você vai se casar em duas semanas e ainda não contou a ele uma coisa tão importante quanto essa?

Balancei a cabeça.

— Acabamos de voltar e, nos poucos momentos que passamos juntos, ou conversamos sobre Las Vegas ou sobre o casamento.

— Você está enterrando sua cabeça na areia — disse Pippa, com dureza. — Isso vai deixá-la doente.

Assenti sem muito ânimo, já ciente de que a situação estava tendo um efeito adverso em mim.

— Conversarei com Adam hoje à noite.

Quando cheguei em casa, Adam estava assistindo a um jogo de rúgbi na TV.

— Podemos conversar? — perguntei em voz baixa, quase não querendo que ele me escutasse, esperando poder empurrar o inevitável para debaixo do tapete por mais uma semana.

— Sim, claro — respondeu ele, distraído. — Mas pode esperar até o jogo terminar?

Assenti e fui para a cozinha. Peguei alguns pimentões no refrigerador e comecei a cortá-los com agressividade. Adam nem ao menos perguntou como foi o dia.

— Na verdade, não, não pode esperar — respondi, voltando para a sala de estar, com a faca ainda na mão.

Ele se sentou bem ereto, mas apenas para ver além de mim, a fim de enxergar a TV. Peguei o controle remoto na mesa de centro e desliguei o aparelho.

— Mas que diabos está acontecendo? — perguntou ele em voz alta. — É a semifinal.

— Precisamos conversar.

— Sobre o quê? — perguntou ele, soando como uma criança petulante.

Sentei-me na mesa de centro de frente para Adam, que, assim, não poderia se mexer ou se esquivar. Ele encarou com cautela a faca em minha mão.

— Temos de conversar sobre sua mãe — disse eu, colocando a faca ao meu lado, na mesa.

Ele gemeu.

— Sério? De novo? Pensei que já tivéssemos superado tudo isso, não?

— Você precisa conversar com ela — disse eu. — O comportamento dela não é aceitável e não vou permitir que isso cause problemas entre nós.

— Não causa — disse ele, inocente. — Pensei que vocês estivessem se relacionando melhor. Essa com certeza foi a impressão que tive dela, depois do fim de semana de sua despedida de solteira.

Coloquei a cabeça entre as mãos, esfregando os olhos, para me dar tempo de pensar na melhor maneira de abordar o assunto.

— Ela fez uma coisa absolutamente imperdoável em Portugal — disse eu. — E isso me causou tanta ansiedade e dor que não consigo continuar até contar e você perceber o que ela fez e como isso me atingiu.

Adam se inclinou para a frente, mas pude ver que ele estava dividido entre me tocar de modo tranquilizador e se segurar por medo de se ver contra sua mãe. Ele escolheu a última opção.

— Bem, o que ela fez de tão ruim?

Tossi.

— Ela convidou Charlotte.

Esperei que Adam se levantasse e dissesse: "Mas que diabos?", mas ele ficou onde estava.

— Quem é Charlotte? — perguntou ele, imperturbável.

Aquilo não estava saindo como eu pretendia.

— Charlotte. A Charlotte do Tom!

Adam balançou a cabeça, perplexo.

— Você está fazendo isso de propósito? — perguntei, gritando. — Minha melhor amiga, a que dormiu com Tom.

Ele pareceu confuso.

— Como isso aconteceu?

— Exatamente! Esse é meu ponto. Sua mãe pensou que seria uma boa ideia nos reaproximarmos, então ela localizou Charlotte e a levou consigo para Portugal.

— Mas isso nem mesmo faz sentido — disse ele. Pelo menos estávamos chegando em algum lugar, mas ele não estava facilitando as coisas.

— Sua mãe fez isso para me irritar — disse eu. — Manipulou a situação para incluir Charlotte no programa.

— Mas não tinha como ela saber — disse Adam, na defensiva. — Como mamãe poderia saber o que aconteceu entre vocês?

— Porque minha mãe contou a ela!

— Ah, não seja ridícula — disse ele, levantando-se do sofá. — Se minha mãe tivesse alguma ideia do que aconteceu entre vocês, nunca teria feito isso. É óbvio que ela pensou que estava fazendo uma coisa boa, um gesto gentil para surpreender você.

— Adam, que parte de toda essa história você não está entendendo? — perguntei, com lágrimas nos olhos. — Ela fez isso de propósito. Sabia por que nos distanciamos e a levou lá para me chatear.

— Mas nem em sonho mamãe faria isso — disse ele. — Acho que você está sendo paranoica.

— Você precisa falar com ela, descobrir qual é o seu problema; se não fizer isso, ela nos destruirá.

Ele soltou uma risada curta.

— Um pouco melodramático, concorda?

— Estou falando sério, Adam. Você precisa resolver isso com sua mãe. Essa vingança pessoal contra mim tem de parar.

— Ela nunca disse nada sobre você, contra você ou para diminuí-la. — Ele estava em pé agora.

— Você pode acreditar no que quiser, mas estou lhe dizendo, você está vivendo nas nuvens. Está em completa negação.

— Ela é *minha* mãe, pelo amor de Deus. Acho que a conheço melhor do que você.

Olhei para ele e mantive minha voz calma e firme.

— Seja qual for o problema dela, você precisa dar um jeito. Não suportarei por muito mais tempo.

Ele sorriu e balançou a cabeça, condescendente.

— Você me ouviu? — perguntei em voz alta, para enfatizar minha irritação. Entrei no quarto e bati a porta. Se ele não estava preparado para fazer alguma coisa a respeito de Pammie, então eu faria.

ui para debaixo da água assim que a campainha tocou, o som subitamente ensurdecido pelo crepitar
das bolhas que estouravam acima de mim.

Vá embora, implorei em silêncio.

Pensei que minhas preces tinham sido atendidas, mas, assim que me levantei, o som grosseiro ecoou pelo apartamento de novo.

— Oh, deixe-me em paz! — disse em voz alta. A campainha tocou de novo e mais uma vez.

— Tudo bem, estou indo — murmurei, irritada porque minha sessão de autocuidado tinha chegado a um fim prematuro. Enrolei o cabelo em uma toalha e peguei meu roupão do gancho na parede.

— É melhor que isso seja importante — disse eu, enquanto abria a porta, esperando ver Pippa ou Seb me encarando ali.

— James! — Por instinto, apertei meu roupão ao meu redor, na vã esperança de que isso pudesse, de alguma forma, fazer com que eu me sentisse menos vulnerável. — Adam não está — disse eu, sem abrir a porta mais um centímetro. — Ele está bebendo com os rapazes do trabalho.

— Não vim aqui para ver Adam — disse ele, sua voz estava um pouco arrastada. Com gentileza, ele empurrou a porta.

— Agora não é uma boa hora — disse eu, meu coração batia rápido, descalça, tentava segurar a porta com o pé.

— Preciso conversar com você — disse ele. — Não vim aqui para causar problema.

Olhei para ele, seus olhos gentis, suas feições suaves, seus lábios carnudos esboçavam um sorriso tímido. Ele tinha bebido, mas parecia amigável, acessível. Aliviei a pressão sobre a porta e saí do caminho, deixando-o entrar. Ele sorriu e afastou o cabelo dos olhos. Pareceu-me estar observando o Adam de dez anos atrás, da época em que ele estava com Rebecca. Eu me perguntei se os pontos acinzentados em suas têmporas e a expressão carregada que agora o acompanhava diariamente eram resultado da morte prematura dela. Não deve ter sido fácil ser um jovem com a vida planejada à sua frente, pretendendo dividi-la com a pessoa que amava, e depois perdê-la de repente e de modo desnecessário. Eu não dava crédito suficiente a Adam por ter tirado a si mesmo do buraco onde deve ter caído e reagido.

— Sirva-se de alguma bebida — disse a ele, indicando a cozinha.

Ele sorriu e arqueou as sobrancelhas de modo sugestivo.

— Eu quis dizer chá ou café, vou me trocar. — Ouvi a rolha sendo tirada de uma garrafa quando arrumava o cabelo molhado no espelho do banheiro, o vidro todo embaçado por causa do meu banho quente. A água jazia parada, as bolhas de sabão se dissiparam e eu removi o tampo, então dobrei minha toalha usada e a pendurei no gancho do aquecedor.

Não importava como eu estaria vestida... por que importaria? Mas quis checar minha aparência mesmo assim. Esfreguei o espelho embaçado, formando um círculo, e dei um pulo quando vi James parado atrás de mim, com uma taça de vinho tinto na mão.

O tempo pareceu parar, apenas o som da água da banheira gorgolejava enquanto corria.

— James, eu... — Virei-me para encará-lo, meu roupão caiu e se abriu no seio.

— Eu sinto muito... Eu... — disse ele, gaguejando. — Eu a deixarei se trocar.

Depressa, vesti uma calça *legging* e uma das camisas de Adam, enrolando as mangas enquanto entrava na sala de estar. Ocorreu-me então que talvez eu tenha feito uma escolha inconsciente e simbólica para mostrar que era a garota de Adam.

— Então, o que o traz aqui? — perguntei, de forma tão casual quanto consegui.

— Só pensei em aparecer — respondeu ele.

Fui até a janela.

— Você não dirigiu, não é? — Eu não conseguia ver o carro dele na rua abaixo.

— Não, peguei um táxi — respondeu.

— Desde Sevenoaks? — perguntei, incrédula.

Ele assentiu

— Bem, como eu disse, Adam não está, então temo que tenha sido uma viagem perdida.

— Não vim aqui para ver o Adam.

Eu me servi de uma taça de vinho tinto da garrafa que estava sobre o balcão da cozinha para me acalmar.

— Então... — disse, escolhendo ficar em pé em vez de me sentar no sofá perto dele.

— Queria conversar com você. Precisava conversar com você.

— James, não — disse eu, andando ao redor do balcão da cozinha. De alguma forma, era mais seguro ter um metro de granito entre nós.

— Você precisa saber — disse ele se levantando.

Pude sentir minhas defesas enfraquecendo. Havia uma parte de mim que desejava ouvir o que ele tinha a dizer, mas eu queria fechar meus ouvidos ao mesmo tempo. Não precisava de mais confusão na minha vida. Adam e eu tínhamos dado um passo enorme desde a última vez que eu tinha me encontrado com James. Se ele me dissesse como se sentia, temia voltar dois passos. De novo.

— Eu acho que você deve ir embora — disse eu, afastando-me.

— Você pode me ouvir por um minuto? — perguntou ele, pegando a minha mão. — Se você me der uma chance, apenas por algumas semanas, provarei como posso fazê-la feliz. — Seus olhos penetrantes me encaravam com intensidade.

— Você não está sendo justo, James. Estou prestes a me casar com seu irmão. Isso significa alguma coisa para você?

— Mas ele não vai cuidar de você do jeito que eu cuidaria.

Se eu fosse honesta comigo mesma, deveria admitir que provavelmente ele estava certo. James era a antítese de tudo pelo que seu irmão se destacava. Adam exalava confiança em qualquer situação, era sempre o primeiro a se apresentar, a fazer o pedido em um restaurante ou a baixar as calças durante os gritos de guerra dos jogos de rúgbi. Era assim que Adam era e eu estava bem ciente de que, se ele não fosse tão atirado, nunca teríamos ficado juntos. James era reservado, mais refinado e parecia refletir e medir as consequências antes de falar ou fazer qualquer coisa. Ele ainda estaria me ouvindo muito além do ponto onde Adam teria se desligado. E me tomaria em seus braços quando ao meu redor tudo estivesse desmoronando.

A cabeça dele estava a centímetros de distância, seus lábios tão próximos dos meus que eu quase conseguia sentir o gosto deles. Tudo que eu precisava fazer era fechar os olhos e ser transportada para outro lugar.

— Você merece coisa melhor — disse ele, em voz baixa. — Prometo que nunca vou machucá-la.

Afastei-me. Com todos os seus defeitos, eu sabia que Adam nunca me magoaria intencionalmente. James estava sugerindo que ele faria isso?

— Adam é bom para mim...

Eu me assustei com um barulho no patamar e me virei para ver Adam parado lá, em condição lamentável. Ambos nos afastamos, como se tivéssemos levado um choque. Eu não tinha ouvido ele entrar.

— Ei, ei, o que está acontecendo aqui? — perguntou ele, com a voz arrastada, enquanto se encostava no batente da sala de estar, afrouxando ainda mais o que já parecia ser uma gravata frouxa.

— Eu... nós... — respondi, mantendo minha cabeça abaixada, tentando disfarçar a culpa que tinha certeza estar espalhada por todo o meu rosto.

— Estou prestes a ganhar uma aposta — respondeu James, alcançando meu pescoço e puxando a gola da minha camisa. — Estou vendo que esta é minha camisa. Você deve tê-la roubado quando nós dois ficamos na casa da mamãe no Natal.

— Não é sua, caramba — disse Adam, tentando andar até nós em uma linha reta. — Vou lhe mostrar que é minha camisa Gant.

James se inclinou para dar uma olhada, sua respiração quente atingia meu pescoço.

— Rá, Eton! Eu lhe disse. Esta camiseta é minha, seu ladrão canalha.

Então, agora eu estava vestindo a camisa de James? A ironia não me escapou.

— Ei, querida — disse Adam, dando-me um beijo molhado. Por instinto, eu me afastei. Seu hálito cheirava a álcool e kebabs e ele todo cheirava a fumaça.

— O que foi, benzinho? Você não está feliz em me ver?

— Claro que estou — ri, nervosa —, mas você está cheirando mal. Você fumou? — Ficaria surpresa se Adam estivesse fumando, pois ele sabia que era um dos meus ódios de estimação.

— O quê? Claro que não. — Ele cheirou a manga do paletó e me encarou perplexo, como se isso provasse que eu tinha imaginado o cheiro.

Ele jogou o braço, sem qualquer cuidado, ao meu redor e apoiou seu corpo em meu ombro.

— Então, o que você está fazendo aqui, J-boy? — perguntou Adam, sua voz soava cada vez mais alta.

Encarei James com os olhos arregalados, desejando que ele tivesse uma desculpa plausível, pronta para ser dada.

— Preciso pegar o recibo das alianças com você — respondeu ele, com calma.

Adam, desajeitado, equilibrou-se com a mão livre. A outra ainda estava pendurada em meu ombro, prendendo-me ao chão.

— Não estou com ele, você o pegou — disse ele, parecendo confuso. — Eu sei... — Ele me largou e se agachou no chão, rindo. — Aham — disse ele, tossindo. — Lembro-me muito bem de você ter pegado.

— Talvez você esteja certo — disse James. — Já procurei na minha carteira, mas talvez esteja no bolso da minha calça.

— É onde estará — disse Adam, gritando a primeira palavra e depois murmurando, quase de modo inaudível, o restante da frase.

James e eu olhamos um para o outro e sorrimos resignados.

— E você pensou que *você* estava bêbado? — perguntei.

— Qual é, amigão? — disse ele a Adam, aproximando-se dele. — Vamos colocá-lo na cama.

— Só se você vier comigo — Adam riu. Nenhum de nós soube com quem ele estava falando. James puxou Adam e jogou o peso do corpo dele sobre o seu.

Corri para o banheiro e, depressa, desabotoei a camisa que estava usando. Não sei se fiquei surpresa ou não de a etiqueta trazer escrito "Gant".

27

Cinco dias antes do casamento, Pammie telefonou para perguntar se mais seis pessoas poderiam ser convidadas para a cerimônia. Faltando quatro dias, ela perguntou se poderia ficar comigo no hotel na noite anterior ao casamento. Três dias para o evento, ela queria que o plano de distribuição dos assentos fosse mandado para ela por e-mail.

Eu respondi um "não" retumbante a tudo que ela pediu.

— Ela está apenas tentando ajudar — disse Adam, quando reclamei sobre a interferência dela. — A pobrezinha não pode ter uma alegria?

Olhei com raiva, desapontada, mas nada surpresa. Ele deixou sua posição muito clara. Se eu fosse honesta comigo mesma, não acho que esperaria qualquer coisa diferente.

Fiel a seu modo de agir, Pammie acionou as lágrimas e bancou a inocente quando Adam, pelo que parece, levou-a para um compromisso depois do almoço, alguns dias antes. Ela alegou não ter ideia de por que Charlotte e eu brigamos, e jurou que quaisquer dúvidas que eu tivesse sobre ela e seus motivos não tinham cabimento.

— Tudo o que ela quer, mais do que qualquer outra coisa no mundo, é ser sua amiga — disse Adam, quando chegou em casa.

— Então é isso? — perguntei incrédula. — Ela diz isso e você acredita? Fim da história?

Ele deu de ombros.

— O que mais eu deveria fazer?

— Acredite em *mim* — eu disse a ele, antes de me afastar.

O "jantar de família" foi o começo de nossas celebrações, um encontro pequeno e íntimo, um tempo para ficarmos com as pessoas mais próximas e queridas antes que a loucura do grande dia caísse sobre nós. Se fosse do meu jeito, seria apenas a *minha* família, mas não sou egoísta o bastante para considerar meus desejos mais importantes do que os de Adam.

— Estou bem? — perguntei a ele, alisando o crepe do meu vestido preto, depois pegando um lenço de seda.

— Maravilhosa — respondeu ele, antes de beijar meu rosto.

— Você nem me olhou — disse eu, como provocação.

— Não preciso — disse ele.

— Isso foi bem meloso, mesmo para você.

Coloquei dois batons em minha bolsa *clutch*, um vermelho, que reservava para as noites em que saía, e um *nude*, para quando a noite estava acabando. Ainda assim, pensei, essa noite poderia acabar comigo usando o vermelho. Era, afinal de contas, a penúltima noite antes de nosso casamento e eu não pretendia fazer isso de novo.

Mamãe, papai, Stuart e Laura já estavam no bar do The Ivy quando chegamos. Mamãe, com o rosto corado, levantou, feliz, um espumante para nós, enquanto nossos casacos eram levados.

— Ei, sua mãe já está enchendo a cara — Adam riu.

— É mais provável ser *prosecco* do que champanhe de verdade — disse eu. — Pelo menos até ela saber que estamos pagando.

A noite teria sido perfeita se só estivéssemos os seis presentes, mas a nuvem negra da iminente chegada de Pammie pairava sobre mim. Conseguia sentir meu corpo encolhendo a cada segundo, com um peso enorme descendo sobre meus ombros.

Meia hora depois do horário combinado para nos encontrarmos, Pammie fez sua entrada, com James ao seu lado.

Vê-lo devastou meu cérebro, deixando-me confusa, mas me recusei a ceder àquela sensação. Hoje à noite eu seria o epítome do autocontrole.

— Que bom vê-lo — disse a James. Seus lábios pareceram tocar meu rosto por um instante a mais do que o necessário.

— Bom ver você também — disse ele, imperturbável. — Como está?

— Tudo está ótimo — respondi, ciente de transmitir o mesmo sentimento com meu olhar. — Chloe não virá? — perguntei, olhando ao redor dele.

— Não, acredito que não. Pensei que mamãe tinha lhe avisado...

Balancei a cabeça e arqueei as sobrancelhas.

— Nós nos separamos — disse ele.

— Oh, lamento ouvir isso — disse eu.

— Foi melhor assim — explicou ele. — Não era o melhor para nós, ela não era a pessoa certa para mim.

— Você nunca sabe — disse eu, quase alegre. — Ela poderia ter sido.

— Não acho. Você sabe quando é a pessoa certa, não sabe? — perguntou ele, encarando-me com intensidade.

Eu o ignorei e me virei para cumprimentar Pammie. Seus lábios estavam apertados, formando uma linha fina e tensa em seu rosto.

— Pamela, que amável — disse entusiasmada. — Isso não é emocionante? — Nós duas sabíamos que minhas palavras estavam encharcadas com sarcasmo, porém mais ninguém teria percebido.

— Emily... — disse ela. Esperei pelo comentário que tinha certeza que viria a seguir: sobre quanto peso eu teria ganho ou perdido, dependendo do humor dela, sobre a cor do meu cabelo, que estava um pouco mais claro do que o normal; ou sobre o vestido que eu estava usando. Pela primeira vez, eu me sentia preparada de verdade para isso, mas ela não comentou nada.

— Querido — disse ela, virando-se para Adam e abraçando-o, mas seus lábios continuavam grudados, como se ela os estivesse mantendo assim por medo do que poderia sair de sua boca, caso eles se abrissem.

— Mamãe, como você está? — perguntou ele, dando-lhe um abraço caloroso.

Os olhos dela se voltaram para o chão.

— Eu poderia estar melhor — respondeu Pammie, parecendo desanimada.

Em silêncio, implorei a Adam que ele não lhe perguntasse coisa alguma, que não desse a ela essa satisfação. A minha mãe derramando o conteúdo de sua taça quando se levantou do banco em que estava pareceu a resposta às minhas orações.

— Oops, desculpem-me — disse ela, reequilibrando-se. — Não tinha percebido que estava tão bêbada.

Adam riu quando pegou a taça da mão dela e a guiou à nossa mesa, segurando-a pelo cotovelo. O rosto triste de Pammie só pôde acompanhar a movimentação. Vamos reconhecer que a mulher tem um talento. Conseguiu criar um clima sem dizer mais do que três palavras.

— Então, vocês estão prontos? — perguntou minha mãe, ansiosa, mesmo a resposta permanecendo a mesma das outras três vezes em que ela me perguntara aquilo naquele dia. Mas mamãe estava entusiasmada e isso era contagiante. Eu preferia isso a aguentar a carga pesada que Pammie havia trazido consigo. Adam poderia carregar esse fardo.

— Sim, nós estamos prontos — respondi. — Tivemos alguns probleminhas no começo da semana, mas os resolvemos e não consigo ver o que possa dar errado entre hoje e sábado. — Bati na madeira debaixo da mesa. — Só falta um dia.

— Eu não ficaria tão confiante — disse Pammie, com severidade. — No dia em que me casei com Jim, a banda que tocaria no casamento não apareceu. Tínhamos contratado um show de tributo ao Abba, mas só descobrimos depois do jantar que eles não viriam.

Adam riu, sem dúvida tentado abrandar o humor dela.

— Então, o que aconteceu, mamãe?

— Mandaram uma banda substituta — respondeu ela, sua voz estava sem seus usuais subir e descer de tom. — Mas aquele pessoal se parecia mais com o Black Sabbath.

Todos que estavam à mesa gargalharam, mas a expressão de Pammie não cedeu. Seu infortúnio abjeto era formidável, mesmo para ela.

Ela baixou os olhos, torcendo as mãos. *Aqui vamos nós*, pensei comigo mesma, embora seja possível que eu tenha dito isso em voz alta, já que Adam virou para olhar para mim.

Pammie fazendo o que Pammie fazia de melhor.

Eu não validaria sua necessidade de atenção perguntando o que estava errado, mas minha mãe, inocente como ela só, fez a pergunta no meu lugar.

— Oh, Pammie, o que há de errado?

Ela balançou a cabeça e secou uma lágrima errante, a única que conseguiu espremer de seus olhos.

— Não é nada — respondeu, no seu modo único de dizer "não se preocupe comigo", que eu costumava traduzir para "*ei, todo mundo,* se preocupe comigo". Eu estava para além de cansada disso. Engoli todo o conteúdo da minha taça e o garçom atento já a estava enchendo de novo, antes mesmo de eu recolocá-la na mesa.

— Ah, bem, levante a cabeça — disse eu, erguendo minha taça —, poderia ser pior.

— Emily — disse minha mãe em tom de reprovação.

— Eu não acho — murmurou Pammie, num tom de voz que mal dava para ser escutado.

Eu ri de modo teatral, como se fosse uma personagem de opereta.

— O que foi então? — perguntei, virando o holofote direto para ela, como ela gostava. Vamos conceder isso a ela, pensei: passar por isso, deixar para trás e continuar com nossa noite. Então, talvez possamos torná-la uma ocasião que celebre minha união com Adam, como deveria ser.

— Em — disse Adam em voz baixa —, deixe para lá.

— Não, vamos lá, Pamela — disse eu, ignorando-o. — O que foi?

Ela olhou para baixo de novo, supostamente envergonhada pela cena que estava causando.

— Eu não ia falar sobre isso hoje à noite — respondeu ela. — Não parecia certo.

— Bem, todos estamos atentos agora, então pode falar — disse eu. Ela mexeu em seu colar, nervosa; seus olhos não encaravam os nossos, concentrando-se, em vez disso, no restaurante cheio atrás de nós.

— Temo trazer algumas más notícias — respondeu ela, quase resmungando, dando duro para produzir outra lágrima.

Adam soltou minha mão e segurou a dela.

— O que é, mamãe? Você está me assustando.

— Estou com câncer, filho — respondeu ela. — Sinto muito. Eu não queria, de verdade, contar para você esta noite. Não queria arruinar sua noite especial.

A mesa caiu em completo silêncio. Minha mãe ficou boquiaberta e o restante da minha família desviou o olhar, sem jeito. James abaixou a cabeça, como se ele já soubesse dessa informação. Eu não sabia se ria ou chorava.

— Ah, meu Deus. — Não sei de onde aquelas palavras vieram exatamente. Meu mundo tinha ficado nebuloso, tudo se movendo em câmera lenta.

— O quê? Como? — perguntou Adam.

— É câncer de mama — respondeu ela, em voz baixa. — Está no estágio três, então ainda há alguma esperança.

— Há quanto tempo você sabe? Quem... Que especialista está lidando com isso? — perguntou Adam, suas perguntas se fundindo em uma só.

— Tenho sido bem cuidada, filho. Tenho um ótimo médico no Princess Royal Hospital.

— O que eles estão fazendo?

— Estão fazendo tudo que podem. Fizeram muitos exames e eu fiz uma biópsia. — Ela fez uma careta e colocou a mão sobre o peito para dar mais efeito. — Ainda não têm certeza do quanto se espalhou. Eu realmente não queria falar disso esta noite. Vamos lá, não arruinemos esta noite especial.

Eu nem mesmo conseguia encontrar as palavras que estavam na minha cabeça, imagine tentar dizê-las em voz alta, mas isso provavelmente foi o melhor que poderia acontecer.

— Então, quando vão saber mais? — perguntou Adam. — Quando saberemos com o que estamos lidando?

— Vou passar por um tratamento, com certeza — respondeu ela —, mas os médicos não sabem por quanto tempo. — Ela deu uma risada oca. — Ou se, de fato, vale a pena encarar um tratamento. Mas temos de aceitar tudo o que nos é oferecido, não é? Quem disse que pequenos milagres podem acontecer?

Adam colocou a cabeça entre as mãos.

— Mas vamos lá — disse ela, de repente, animada. — Agora vamos esquecer tudo isso. Esta é a noite de Adam e Emily. Não saberemos de mais nada até que vocês voltem de sua lua de mel.

— Nós não vamos para lugar nenhum até você passar por isso — disse Adam.

— O quê? — perguntei, espantada.

Adam se virou para olhar para mim, com uma expressão exasperada.

— Não seja bobo. — Ela sorriu e apertou a mão dele. — Não há nada que você possa fazer. Vocês dois devem ir para sua lua de mel. Tudo deve continuar como o planejado.

— Mas e o tratamento? — perguntou ele.

— Farei quimioterapia, começando na segunda-feira. Adiei até depois do casamento para o caso de meu cabelo cair. — Ela deu uma meia risada. — Preciso estar com a minha melhor aparência para o evento.

Pammie me encarou e sorriu piedosamente. Eu devolvi o olhar, desafiando-a a me mostrar um cintilar de culpa, um pingo de remorso pelo que havia acabado de fazer. Mas não houve nada, além de um brilho de autossatisfação emanando das profundezas de seu ser.

28

De maneira nada surpreendente, depois das notícias aterradoras de Pammie, o jantar chegou a um fim prematuro, e tanto Adam quanto James insistiram em levá-la para casa e certificar-se de que ela estava bem. Mamãe foi para casa comigo, enquanto papai voltou com Stuart e Laura.

— Vou fazer uma xícara de chá para nós — disse mamãe, ocupando-se na cozinha, enquanto me sentei apática no sofá. — Vai fazer com que nos sintamos melhor.

Será? Não sei por que nós, britânicos, sempre pensamos que um chá vai tornar tudo melhor.

Ela ainda estava em choque pelo anúncio de Pammie, assim como eu estava, mas por um motivo totalmente diferente.

Mamãe trouxe duas canecas fumegantes para a sala de estar e as colocou sobre a mesa de centro.

— Bem... — disse ela. — Não consigo tirar aquilo tudo da cabeça, você consegue?

Balancei a cabeça.

— Parece inacreditável, não parece?

Se mamãe percebeu a entonação na minha voz, não comentou. Ela puxou um lenço da manga de seu casaco – que tinha comprado especialmente para esta noite – e assoou o nariz.

— É que isso é tão difícil de compreender... Num minuto, você pensa que está bem e, no próximo, recebe uma notícia como essa. É insuportável pensar sobre uma coisa dessas, o que será que está passando na mente de Pammie agora. — Mamãe abaixou sua cabeça. — Pobre Pammie.

Olhei para minha mãe, minha orgulhosa mãe, que só tinha os melhores desejos para Stuart e para mim em seu coração, que cuidava do meu pai, que tinha colocado sua carreira como enfermeira de lado para cuidar de todos nós, e que tinha feito o cabelo toda entusiasmada por esta noite. E então eu pensei em Pammie, que estava tão consumida pelo ciúme que tramara um plano horrendo para me destruir, apenas para sua própria diversão distorcida.

Aproximei-me do sofá, para me sentar do lado de minha mãe e segurar suas mãos trêmulas entre as minhas.

— Mamãe, tenho uma coisa para lhe contar. Uma coisa que preciso mesmo que você escute.

Lágrimas rolavam por seu rosto, quando ela olhou para mim, a preocupação e o medo do que eu poderia lhe dizer transpareciam nele.

— O quê? O que é? — perguntou ela.

— Pammie não está com câncer.

— O quê? O que você quer dizer com isso? — perguntou ela, balançando a cabeça, confusa. — Ela acabou de nos contar que está.

— Sei o que ela disse, mas ela está mentindo.

— Oh, Emily — disse ela, engasgando e levando a mão à boca. — Como você pode falar uma coisa dessas?

— Mamãe, por favor, escute. Não quero que você fale uma palavra até que eu tenha terminado, aí você pode dizer o que quiser. Combinado?

Contei a ela tudo. Do começo, desde o dia posterior ao Natal, até o que ela fez com Charlotte no fim de semana da minha despedida de solteira. Mamãe ficou sentada, boquiaberta, incapaz de articular qualquer coisa que ela quisesse dizer. Continuou tentando, mas não conseguia formar as palavras.

Quando eu terminei, estava soluçando, e ela me abraçou e me embalou em seus braços.

— Eu não fazia ideia — disse ela. — Por que você não me contou?

— Porque eu sabia que isso a preocuparia — respondi. — Só estou lhe contando agora porque não consigo suportar vê-la assim.

— Então *Pammie* levou Charlotte para a festa de despedida de solteira? — perguntou ela, incrédula. — Mesmo depois de tudo que contei a ela?

Assenti.

— Aham?

— Se eu tivesse alguma ideia do que estava acontecendo, nunca iria... E aqueles pobres meninos? Quem faria isso com os próprios filhos?

— Eu cuidarei de Adam — respondi.

— Você contará a ele? — perguntou ela. — Contará a ele o que você sabe? Tem certeza de que entendeu isso direito, Em? É uma acusação e tanto para se fazer, e se você estiver errada...

— Lidarei com Adam no meu próprio tempo — respondi a ela. — Vamos deixar passar o casamento e depois vou pensar no que fazer. Tentei contar a ele, mas Adam não quer enxergar. Aos seus olhos, ela não comete erros. Contudo, alguma coisa vai acontecer. Se eu der a Pammie corda o bastante, ela mesma se enforcará.

— Tem certeza de que quer prosseguir com o casamento? Se você não tiver certeza... — perguntou ela.

— Amo Adam do fundo do meu coração e mal posso esperar para ser sua esposa. Não estou me casando com a mãe dele, Pammie é apenas um detalhe com o qual terei de encontrar um jeito de lidar.

— Sinto muito, Em...

— Eu cuidarei disso — disse para minha mãe, em tom seguro. — E, além disso, Charlotte e eu estamos nos falando de novo, então isso não é de todo ruim.

Trocamos sorrisos e abraços. Eu já me sentia um milhão de vezes melhor.

29

Quando Adam chegou, minha mãe, relutante, já tinha ido para casa.

— Prometa-me que você vai ficar bem — disse ela quando já estávamos na porta. — Posso ficar, se você quiser.

— Vou ficar bem — falei. — Só preciso ter certeza de que Adam está bem. Nós nos vemos no hotel amanhã à tarde. Você sabe o que precisa trazer, não é?

Ela sorriu. Tínhamos repassado aquilo cem vezes.

— Tenho minha lista — disse ela, acenando enquanto entrava no carro do papai.

Adam parecia arrasado, como um homem estilhaçado em mil pedaços. Eu queria tanto tirar a dor dele, mas precisei esperar. Tive de ser paciente. Não podia apenas me envolver e dizer tudo o que disse à minha mãe. Com ele seria diferente. Era sobre a mãe dele que estávamos falando, e eu precisava ter muito cuidado ao conduzir a conversa.

— Não posso acreditar que isso está acontecendo — disse Adam, sentado na mesa de jantar com a cabeça entre as mãos.

Eu me aproximei e o abracei por trás, mas o corpo dele estava tenso contra o meu.

— Nós vamos superar tudo isso — eu disse tranquilamente. — Depois que o casamento e a lua de mel acabarem, vamos pensar em um plano.

— Como posso me bronzear nas ilhas Maurício enquanto a mamãe estará aqui lutando pela vida dela? Isso não está certo.

— Mas ainda não sabemos com o que estamos lidando — eu disse. — Quando voltarmos para casa, teremos mais informações.

Eu não esperava que Pammie pudesse manter essa farsa cruel por muito mais tempo do que isso.

— Talvez sim, mas, se a primeira sessão de quimioterapia dela for na segunda-feira, quero estar aqui para isso — afirmou Adam.

Podia sentir meu coração encolhendo, mas me obriguei a ficar calma.

— Nós vamos nos casar... amanhã! — falei, checando meu relógio. — Vamos lidar com isso um dia de cada vez.

— Neste momento sequer acredito que possamos ir em frente com essa história de casamento — declarou Adam. — Não me parece certo celebrar, não quando minha mãe pode estar morrendo.

Eu não disse uma palavra. Calmamente me afastei, deixando-o sozinho para que se desse conta do que tinha acabado de dizer. Quando entrei no quarto, silenciosamente esmurrei um travesseiro para extravasar minha frustração.

Eu estava cochilando quando Adam entrou no quatro, mas acordei quando ele deslizou para a cama.

— Como você está se sentindo? — perguntei. — Melhor?

Ele deu um suspiro pesado.

— Acho que devemos adiar o casamento.

Eu me sentei empertigada, minha cabeça estava girando.

— Como é?

Adam limpou a garganta.

— Não acho que podemos seguir adiante nas atuais circunstâncias. É um grande choque e preciso de tempo para pensar sobre isso.

— Você está falando sério?

Adam assentiu.

— Honestamente, de verdade? — Minha voz estava ficando esganiçada, subindo uma oitava a cada sílaba.

— Isso não parece certo, Em. Admita. Esta não é uma situação ideal para se casar. Não queremos que nosso casamento seja uma confusão, queremos?

Se era minha validação o que Adam buscava, ele tinha vindo ao lugar errado.

— Sua mãe tem câncer. — Fiz o sinal de aspas com os indicadores quando disse a palavra "câncer".

— O que diabos isso significa? — Ele se levantou da cama, nu, exceto por sua cueca boxer, e passou a mão pelo cabelo. — Ela tem *câncer*, Em. Deus!

Olhei para Adam, andando de um lado para o outro, e pude literalmente sentir o desamparo e a raiva que emanavam dele. Parecia um bichinho preso em uma gaiola, sem lugar para ir; sem ter como soltar o vapor que estava se acumulando dentro dele. Eu poderia, de alguma forma, aliviá-lo um pouco de seus problemas, pelo menos erguendo a válvula da panela de pressão em que ele se colocara. Eu poderia dizer a ele que achava que ela estava mentindo, *sabia* que ela estava mentindo. Eu poderia compartilhar minha crença de que ela inventara aquilo tudo para impedir o casamento. Mas a afirmação soava ridícula. Quem faria uma coisa dessas? Nenhuma pessoa normal e sensata poderia sequer imaginar contar uma mentira tão vil e perversa. Eu poderia contar-lhe tudo o que a mãe dele tinha feito e dito desde que começamos a ficar juntos, como ela movera montanhas para nos separar, boicotando-me a cada ocasião, e que, agora, ela recorria a isso, o golpe mais baixo de todos os tempos, depois de oito meses de ruindades e ameaças. Adam acreditaria em mim? Improvável. Ele me odiaria? Definitivamente. Pammie então venceria? Sem dúvida.

Não. Não havia nada a ganhar se dissesse a verdade, mas nem em pensamento eu permitiria que Pammie seguisse em frente com suas mentiras maldosas. Íamos nos casar, quer ela gostasse ou não.

— Acalme-se — falei, levantando-me da cama e indo até Adam.

— Acalme-se? *Acalme-se*? Deveria me casar amanhã e minha mãe tem câncer. Como diabos você espera que eu me acalme?

— Nós *vamos* nos casar amanhã — eu disse, corrigindo-o. — Estamos juntos nisso.

Fiz menção de abraçá-lo, de passar meus braços ao redor dele, mas a mão dele voou na minha direção e me impediu de continuar.

— Nós não estamos juntos nisso — disse ele. — Você não fez nenhuma tentativa de disfarçar seus sentimentos por minha mãe e, vamos ser honestos, não jogaria uma boia para ela em alto-mar se ela estivesse se afogando, então não vamos fingir que você realmente se importa e compartilha da minha dor.

Eu recuei.

— Você não está sendo justo. Não faça isso comigo. Sua mãe fez questão de me fazer sentir mal recebida desde o dia em que nos conhecemos, e eu tentei de verdade me dar bem com ela, mas você sabe de uma coisa, Adam? Ela tornou isso impossível!

Adam ergueu a mão com força e, por uma fração de segundo, pensei que ia me acertar, mas ele se virou e acertou o guarda-roupa com o punho cerrado. As caixas de papelão onde eu guardava minhas recordações deslizaram da prateleira mais alta e cuspiram seu conteúdo ao atingirem o chão.

Congelei. Abri a boca, mas não conseguia articular as palavras.

— Sinto muito, Em — gritou Adam, caindo de joelhos no chão. — Eu não sei... Simplesmente não sei.

A parte de mim que o amava queria se ajoelhar ao lado dele e embalá-lo em meus braços, mas outra parte parecia estranhamente distante, como se estivesse testemunhando um estranho desolado lutando para se manter à superfície, tentando juntar os destroços de sua vida. Descobrir esse lado do homem que eu amava, um lado que nunca tinha visto, no dia anterior ao nosso casamento foi irritante e assustador na mesma medida.

Sentei-me na cama e esperei. Precisava de algum tempo para processar o que estava acontecendo, para garantir que eu permanecesse no controle total, porque o desejo de descarregar tudo o que estava na minha cabeça era avassalador. Mas assim que o pânico atingiu meu peito, a percepção de que ele poderia cancelar o casamento me atingiu.

— Sinto muito, Em — começou ele de novo, meio que rastejando em minha direção e descansando a cabeça nos meus joelhos. — Só não sei o que fazer.

Eu acariciava a parte de trás de sua cabeça.

— Tudo vai ficar bem. Eu prometo.

— Como você pode fazer isso? Como pode prometer? Ela pode morrer.

Eu queria gritar com ele. *Sua mãe não vai morrer porque ela sequer está doente.* Em vez disso, eu disse:

— Cuidaremos dela. Ela vai ficar bem.

Adam olhou para mim, com os olhos vermelhos.

— Você acha mesmo?

Assenti.

— Acho que ela gostaria que continuássemos com o casamento. Na verdade, sei que ela gostaria. Sua mãe não ficaria feliz se alterássemos os planos e cancelássemos tudo. — Eu quase podia me ouvir rindo.

— Você provavelmente está certa.

— Pessoas são diagnosticadas com câncer a cada minuto de cada dia. — Ao dizer essas palavras, eu me odiei por deixar Pammie na mesma situação que milhões de pessoas que estavam realmente lutando contra essa doença hedionda. — E hoje em dia as chances são muito boas.

Ele assentiu com tristeza.

— Muito melhor do que costumavam ser. Eles fizeram avanços verdadeiros na área.

Eu poderia dizer, pelo olhar vidrado em seus olhos, que eu não estava conseguindo atingi-lo.

— As pessoas sobrevivem, milhões já fizeram isso. — Peguei as mãos dele e apertei. — As chances de sua mãe ficar bem são enormes. Vamos entender com o que estamos lidando e apoiá-la nessa luta.

— Eu sei. Sei de tudo isso. — Adam deu uma fungadela. — Mas simplesmente não consigo lidar com isso agora, além de todo o resto.

— Eu entendo, então vamos continuar normalmente. Mas vamos ter ainda mais problemas para lidar se cancelarmos o casamento. — Dei um suspiro exagerado.

— Mas prefiro fazer isso a ficar me debatendo sem sentido. Não posso me concentrar em nada que não seja minha mãe, não agora. Ela precisa que eu esteja lá para ela.

Adam não estava me ouvindo. Minha mente correu adiante e eu fui listando todas as pessoas que teria de contatar se o casamento não fosse adiante. Era algo insuportável de se pensar. Aquilo não estava acontecendo. Eu não permitiria.

Eu o segurei pelos pulsos, agarrando-os com força, olhando diretamente em seus olhos.

— Ouça-me — eu disse com firmeza. — Vamos nos casar amanhã e sua mãe vai ficar bem. Ela vai se divertir, todo mundo vai estar lá para mimá-la, e nós vamos viajar para nossa lua de mel. James cuidará dela enquanto estivermos fora, ele é mais do que capaz, e então, quando voltarmos, iremos ao hospital com ela, descobriremos o que está acontecendo e seguiremos dali. Certo?

Adam balançou a cabeça, mas eu ainda não estava convencida de que estava conseguindo fazê-lo entender.

Ele se levantou do chão e começou a se vestir.

— O que você está fazendo? — perguntei, o pânico rastejava pela minha garganta. — Aonde você vai?

— Vou para a casa da minha mãe — respondeu ele.

— O quê? Você não pode, são cinco horas da manhã.

— Preciso vê-la.

— Pelo amor de Deus, Adam, você está exagerando.

— Como alguém pode exagerar quando descobre que a mãe tem câncer? — sussurrou ele, com seu rosto perto do meu.

Eu estava assustada. Adam era sempre tão controlado, o homem a que todos buscavam pedindo orientação. Ele era o homem a quem procurar. O homem que liderou uma equipe de analistas, o membro da família a quem todos pediam conselhos, o homem que havia trazido razão e estrutura à minha vida. Adam era todas essas coisas, mas agora não passava de um coelhinho apanhado pelos faróis de um carro, indeciso entre correr na direção deles e fugir. Era doloroso assistir, e eu odiava Pammie ainda mais pelo que tinha feito com ele. Conosco.

Lágrimas brotaram dos meus olhos.

— Você não pode me deixar aqui dessa maneira — disse eu. — Preciso de você aqui.

— Não, não precisa — disse ele. — Com o que você tem de se preocupar, além de cancelar um maldito buquê e um bolo?

Olhei para Adam de boca aberta.

— Minha mãe está morrendo e você fazendo drama por um bolo de andares? Ponha a mão na consciência.

— Se você for embora, juro que...

A porta bateu assim que eu me levantei e, naquele momento, eu soube que não tinha escolha a não ser mostrar ao mundo quem Pammie realmente era.

30

Não achei que o sono seria possível, mas devo ter adormecido, já que estava claro lá fora quando abri os olhos. Olhei para o relógio ao lado da cama: 8h02. Minha cabeça latejava quando a ergui da cama, a tensão como uma mola enrolada, pronta para saltar. Havia um nó duro no fundo da minha garganta que não tive como engolir. Cambaleei até o espelho e vi olhos inchados e um rosto mancha-do olhando para mim. Meu travesseiro tinha deixado marcas que atravessavam meu rosto.

Não era assim que eu deveria passar a véspera do meu casa-mento, se, de fato, eu fosse mesmo me casar.

Estiquei-me de volta à cama para apanhar meu celular e ajustei minha visão enquanto olhava para o protetor de tela, esperando ver uma lista de chamadas perdidas e mensagens coladas junto da foto que mostrava Adam e eu.

Nada de mensagens ou chamadas perdidas. Eu não tinha ideia de onde estava Adam ou do que diabos estava acontecendo. Liguei para ele, mas caiu direto na caixa postal. Tentei de novo, mesmo resultado.

Não daria a Pammie a satisfação de ligar para ela, então optei pela segunda melhor escolha, James.

Ele atendeu no segundo toque.

— Alô! Em?

— Sim — consegui dizer. — Você sabe onde Adam está? Ele saiu cedo esta manhã e eu não consigo encontrá-lo.

— Você parece perturbada, está tudo bem?

Não. *Sua família é louca como o diabo.*

Em vez disso, eu disse:

— Sim, estou bem. Alguma ideia de onde ele possa estar?

— Ele está com a mamãe. Ele assumiu meu posto algumas horas atrás, para que eu pudesse voltar para casa e dormir um pouco.

— Ele disse alguma coisa para você? — perguntei otimista, tentando impedir que o desespero se tornasse perceptível em minha voz. — Tivemos uma briga e ele está falando sobre cancelar a coisa toda, James. Não sei o que fazer.

— Jesus.

— Ele parece inflexível na ideia de que essa é a atitude certa a se tomar.

— Você quer que eu vá praí?

Não. Sim. Não. Eu não sei.

— Em? Você quer que eu vá praí? — perguntou James de novo, falando mais alto e parecendo mais preocupado.

— Não, apenas peça a ele que ligue para mim. Ele não está atendendo o celular.

— Talvez isso seja melhor para vocês — disse ele, sua voz quase inaudível.

O quê? Eu tinha ouvido aquilo mesmo?

— Vai dar tempo a vocês, para saberem se é o que realmente querem.

— Como uma coisa dessas poderia ser melhor para nós? — choraminguei. — Mas é claro, por que eu esperaria qualquer outra coisa? Você está determinado a sabotar esse relacionamento desde o começo. Aposto que você está adorando a coisa toda, não é?

— Eu sempre tive as melhores intenções no coração.

— A única coisa que você sempre quis foi ver o seu irmão sofrer.

— Isso não é verdade — disse ele baixinho.

— Olha, eu realmente não me importo. Só preciso descobrir o que diabos está acontecendo.

— Vou até a casa da minha mãe agora e ligo de lá para você — disse ele, solene.

Eu não conseguiria pensar direito até falar com Adam. Havia muito a discutir. Ele não podia voltar atrás agora. O que as pessoas pensariam? Os planos e os sacrifícios que fizeram para estar lá, para compartilhar nosso dia especial. As folgas que pediram no trabalho, as babás, as passagens de trem – e isso falando apenas dos nossos convidados. O que eu diria para o pessoal do hotel, o juiz, o florista, a banda?

Liguei para Pippa. Ela só precisou ouvir dizer o seu nome e já estava a caminho.

— Não se mova. Chego aí em dez minutos — disse ela.

Ela deu uma olhada em mim ao passar pela porta e disse:

— Eu juro por Deus, se ele encostou um dedo em você...

Eu balancei a cabeça, entorpecida.

— Pammie tem câncer e Adam foi embora.

— Ela ergueu as sobrancelhas, intrigada.

— Exatamente — eu disse.

Não havia nada que ela ou outra pessoa pudesse fazer, além de me preparar um chá e esperar. A espera, não o conhecimento, era excruciante.

Já eram dez da manhã quando meu celular tocou. O nome de Adam piscou na tela. Naquele mesmo segundo, Pippa se atirou, arrancou o celular da minha mão e colocou no viva voz.

— Agora, escute-me, seu desgraç... — disse ela.

— Em? — disse a voz masculina.

— Se você não voltar para casa dentro da próxima meia hora... — continuou Pippa.

— Em, é o James.

Pippa entregou o celular.

— Adam está com você? — perguntei, sem fôlego.

— Sim, mas ele não está bem. E parece bem decidido.

Meu coração se partiu em milhões de pedaços.

— Coloque ele na linha.

— Ele não quer falar com você agora — disse, com remorso.

— Coloque Adam no celular agora! — quase gritei.

Pippa roçou minha perna e pegou a minha mão, que estava se debatendo no ar, procurando desesperadamente por algo tangível para agarrar, para me manter parada, embora eu já estivesse sentada.

Ouvi um murmúrio e, então, a voz de Adam.

— Eu tomei esta decisão — disse ele, pragmático. Como podia soar tão frio? — Vamos adiar o casamento até que minha mãe se recupere.

— Mas...

— Está decidido, Em. De qualquer maneira, já comecei a ligar para quem tenho o contato. E já falei com a agente de viagens e ela vai descobrir se poderemos manter o adiamento da lua de mel ou se receberemos de volta o dinheiro da entrada.

Se fosse possível meu sangue gelar, era isso que eu estava sentindo. Uma sensação gelada começou a cobrir minha pele a partir do meu pescoço e desceu por minhas costas e peito, atingindo minhas entranhas, envolvendo-as por cima e por baixo. Quando atingiu a acidez quente do meu estômago, joguei meu celular em Pippa e corri para o banheiro, enjoada.

Soava como se ela estivesse falando embaixo d'água, e eu não conseguia articular as palavras enquanto mantinha minha cabeça no vaso. Estar nessa situação já induzia as contrações de meu corpo, o que fazia ainda mais bile quente arder pela minha garganta.

Em segundos, Pippa estava ajoelhada ao meu lado, segurando meu cabelo e esfregando minhas costas.

— Vai ficar tudo bem — sussurrou ela. — Vou resolver tudo.

Fui balançar a cabeça para concordar, mas vomitei outra vez.

Pippa me forçou a tomar um banho e lavar o cabelo, prometendo que isso faria do mundo um lugar um pouco menos intimidante.

Eu dei a ela minha agenda de contatos. Quando voltei para a sala, só restava ligar para a equipe de cerimônias do hotel e o pessoal do cartório.

— Temo que isso seja algo que você tenha de fazer — disse ela. — Eu poderia ser qualquer um.

Assenti com triste concordância.

— Vou preparar uma xícara de chá para nós — disse ela, dirigindo-se para a cozinha e se ocupando ao fazer barulho, batendo as portas do armário e procurando xícaras.

— Ah, meu Deus, isso é incomum — disse a insensível coordenadora de casamento do hotel. — Nunca tivemos alguém que cancelasse tão tarde no dia anterior.

— Bem, esta situação não foi uma escolha — respondi de maneira dura, quase alheia ao que ela dizia. Eu tinha colocado a mim mesma no piloto automático, incapaz de sentir ou lidar com pessoas reais e emoções. Eu me senti como um robô, seguindo rotinas pré-programadas, com medo de um curto-circuito. Mal notei quando o celular foi tirado da minha mão.

— Sim, é Pippa Hawkins aqui, a dama de honra. Eu a ajudarei com qualquer coisa que precisar...

Minha cabeça caiu nos meus braços cruzados acima da mesa, e meu corpo começou a estremecer quando os soluços tomaram conta.

31

Adam finalmente apareceu uma hora antes do horário em que deveríamos nos casar. Nosso apartamento recebeu um fluxo constante de visitantes entre o dia e a noite em que ele estivera fora, todos cuidando de mim, para terem certeza de que eu não me jogaria de uma ponte. Mas apenas Pippa ficou quando ele, no fim das contas, voltou para casa, com a aparência desgrenhada e o rosto vermelho.

Imaginei esse momento mil vezes, mas agora, bem na minha frente à mesa de jantar, ele parecia com alguém que um dia eu havia conhecido. Não o homem que eu tinha amado e com quem vivi nos últimos oito meses. Senti como se tivéssemos dividido algum ponto das nossas vidas passadas e mal podia relembrar os detalhes. Eu não sabia se essa era uma maneira de o meu cérebro me proteger da realidade. De amortecer a pancada pelo que realmente estava acontecendo.

Pelo canto dos olhos, podia ver Pippa apanhando seu casaco, mas meu olhar estava sobre Adam, desafiando-o a me encarar de volta. Ele evitou o meu olhar.

— Eu vou embora — disse Pippa. — Tudo bem?

Assenti, meus olhos nunca desviavam de Adam.

A tristeza e a sensação de vergonha que eu sentia haviam sido substituídas por uma raiva que agora era real e tão perto da superfície que me senti como um animal feroz sendo puxado pela coleira. Adam precisava apenas dizer uma palavra para arrebentar a corrente.

— Preciso que você entenda — disse ele.

Levantei da cadeira com tanta violência que ela caiu para trás.

— Você não pode exigir coisa alguma de mim — disse eu, veemente. — Passei por uma montanha-russa de emoções e você ousa vir aqui e me tratar com indulgência, dizendo que preciso entender alguma coisa?

Por um minuto, pensei que Adam ergueria a mão para mim – os ombros dele estavam para trás e o peito estufado, mas então ele pareceu murchar, como um balão estourado, e o ar literalmente escapou de seus pulmões. Eu não sabia qual versão dele preferia. Ao menos, se retaliasse, eu teria com o que trabalhar, algo para confrontar. Mas essa versão vazia do seu antigo ser era patética de se observar, uma ruína em desintegração que dificilmente merecia respeito. Eu queria que ele colocasse a boca no trombone, e não que desabasse aos meus pés.

— Precisamos conversar — disse Adam, calmamente.

— Pode ter certeza de que sim — respondi.

— Como adultos. — Ele puxou uma cadeira do outro lado da mesa, a única coisa que me impedia de me jogar contra ele, e sentou temeroso. Adam parecia como eu me sentia. Exausto.

Houve um breve momento em que pensei que ela poderia ter lhe contado a verdade. Ter tido coragem de dizer a ele o que realmente fez, mas, enquanto eu tentava imaginar a cena na minha cabeça, ela simplesmente não se realizava.

— Então? — perguntei.

— Você precisa se acalmar — disse ele.

— E você está sendo condescendente outra vez, então, se vamos chegar a algum lugar, é melhor parar com isso.

Abaixou a cabeça.

— Desculpe.

— Então, vendo que não fiz absolutamente nada de errado, por que não começa tentando explicar por onde diabos andou e por que esteve incomunicável por boa parte das últimas trinta e seis horas? — Mordi o lábio e pude sentir o forte gosto metálico do sangue na minha língua.

— Eu apenas queria começar a tentar explicar como eu me senti, como *tudo* pareceu para mim — disse ele.

Cruzei os braços e esperei.

— Eu estava completamente comprometido em casar hoje. Você precisa saber disso.

Minha expressão não mudou.

— Mas, quando minha mãe nos deu a notícia, senti como se meu mundo inteiro implodisse. Senti como se tudo tivesse se partido ao meu redor. Pensei no casamento, na lua de mel, no diagnóstico da minha mãe, e nenhum deles parecia real.

— Você perdeu a perspectiva — cedi.

— Sim, talvez eu tenha perdido. Mas não pude ver como eu poderia seguir em frente com nossos planos. Eu não poderia ter entrado na igreja e me mantido firme.

— Ninguém estava pedindo isso a você — disse. — Você ia se casar, e contaram que sua mãe tem câncer. Ninguém esperaria que você estivesse de outra maneira que não afetado.

— Mas foi como um ataque de pânico gigantesco. Eu tinha essa sensação esmagadora no peito, e meu cérebro parecia paralisado. Não conseguiria me recompor a tempo para o casamento.

— E ainda assim aqui está você, aparentemente do outro lado, quarenta e cinco minutos antes da hora — comentei com amargura.

— Conseguiremos superar? — perguntou Adam, com a cabeça abaixada.

— Eu preciso ficar sozinha um pouco para lidar com isso.

Adam me encarou, com o rosto desolado.

— Não me importo para onde vai, mas não o quero aqui, não até que eu decida o que eu quero.

— Você está falando sério? — perguntou.

As palavras dele não precisavam de uma resposta.

— Minha mãe e meu pai ficarão aqui hoje à noite, já que *pensavam* que iam ao casamento da filha e agora não têm nada melhor para fazer. E Pippa e Seb estarão aqui também, então...

Adam se levantou.

— Eu vou pegar algumas coisas.

— Faça isso — disse eu, virando as costas para ele enquanto entrava na cozinha, onde me servi de uma taça generosa de Sauvignon Blanc.

Ouvi a porta da frente bater um pouco depois, e então caí chorando no sofá. Não sabia se era porque aquele deveria ser o dia do meu casamento ou porque Pammie tinha finalmente vencido. Eu literalmente tinha rido na cara dela quando ela disse que Adam só casaria por cima de seu cadáver. Agora, quem estava rindo?

32

**ão atendi as ligações de Adam por dez dias. Não por-
que estivesse fazendo joguinhos ou procurando**
atenção, mas porque sinceramente precisava ficar sozinha, sem a influência dele, para descobrir o que desejava.
Eu me forcei a voltar ao trabalho, embora tivesse tirado uma licença,
ingenuamente acreditando que ter um propósito faria com que me
sentisse melhor, mas, quando encontrei Adam perambulando na
porta do meu escritório, não pude mais ignorá-lo. Eu tinha passado
todo aquele tempo sem saber como me sentiria quando o visse de
novo, ou *se* eu sentiria alguma coisa, e então literalmente perdi o
fôlego só de olhar pra ele. E achei que aquilo deveria significar algo.
Eu me senti sem ar, como se fosse sugado de mim.

— Isso não é justo. Você não pode me ignorar assim — suplicou.

— Não venha me dizer o que é justo — disse eu, sem interromper o passo enquanto caminhava em direção à estação de
metrô Tottenham Court Road. — Preciso de espaço e de tempo.

— Eu preciso falar com você.

— Não estou pronta para ter essa conversa agora — respondi,
aumentando a velocidade.

— Pode parar só um minuto?

Virei o rosto para ele. Adam tinha perdido peso. Seu terno
antes bem-ajustado agora pendia de seu corpo, e o cinto não tinha furos suficientes para ser apertado adequadamente, deixando
uma folga grande o bastante para caber minha mão. O rosto estava

desolado, e parecia que ele não fizera a barba desde a última vez em que nos vimos.

— Para quê? — rosnei, já sabendo que não o morderia. Não tinha mais energia, toda ela havia sido gasta.

— Podemos, por favor, nos sentar e resolver as coisas? — Corri os olhos pela Golden Square, seus narcisos estavam orgulhosamente de pé, mas ainda assim, com o sol se pondo, não parecia tão acolhedor sentar em um dos bancos. Havia um café na esquina e fiz um gesto naquela direção.

— Cinco minutos — disse eu. — Podemos ir ali para um café — sugeri, ainda que pudesse matar por algo mais forte.

— Obrigado — respondeu Adam, agradecido.

Ironicamente, esses cobiçados cinco minutos se passaram falando sobre qualquer outra coisa que não a razão de estarmos ali. Eu disse a ele que Sophie estava andando, e ele me contou que precisava renovar o contrato da academia. Parecia insuportavelmente esquisito bater papo com o homem com quem vivi. Ele poderia muito bem ser um estranho, eu me sentia distante dele. Uma lágrima quente ameaçou cair quando percebi isso, mas não pisquei e a segurei.

Outros cinco minutos passaram lentamente, com ambos olhando pela janela, sem palavras para dizer.

— Já estamos aqui há dez minutos e você sequer me perguntou sobre a minha mãe — disse Adam.

Não havia me ocorrido. Por quê? Porque eu sabia que ela estava perfeitamente bem: livre do câncer, livre de moralidade e de consciência tranquila.

— Sinto muito — disse, incapaz de manter a acidez fora do tom. — Como está Pammie?

— Não poderemos seguir em frente se você não a aceitar e aceitar o que aconteceu — disse. — Isso não é culpa de ninguém, Em. É só como a vida acontece às vezes.

— E eu devo perdoá-la porque ela diz que está doente? — perguntei.

— Ela não *diz* que está doente, ela *está* doente — disse áspero. — Como você se sentirá se, Deus me livre, alguma coisa acontecer?

Dei de ombros. Não poderia me importar menos.

Adam me olhou com olhos apertados.

— Você precisa olhar o quadro todo. Poderemos nos casar quando quisermos. Minha mãe pode não estar aqui por muito mais tempo.

— Exatamente, é por isso que você tomou a decisão errada — disse a ele. — Nós deveríamos ter nos casado para que sua mãe estivesse lá.

— Talvez sim, mas o que passou, passou, e precisamos superar isso juntos.

— Então, como vai Pammie? — disse, ignorando seu apelo velado.

— Ela está indo bem, obrigado — disse, com uma ponta de sarcasmo na voz. — Fomos à primeira sessão de quimioterapia dela semana passada, e ela tem outra agendada em breve.

Senti como se tivesse sido atingida por um caminhão de dez toneladas.

— Nós?

Ele assentiu.

— Sim, eu a levei ao hospital na última segunda-feira. Só queria ter certeza de que estava bem. Você faria o mesmo pela sua mãe, Em, você sabe que sim.

Eu lutava para entender. Ele foi com ela? Para um compromisso fictício? Como diabos ela conseguiu isso?

— É tão angustiante o que eles precisam enfrentar — continuou. — Os efeitos colaterais que minha mãe sofre não são tão ruins no momento; ela se sente um pouco enjoada e está muito cansada, mas disseram para nos prepararmos, porque podem piorar com o tempo. — Adam esfregou os olhos. — Honestamente, você não desejaria isso ao seu pior inimigo.

Eu estava tão chocada que não consegui conjurar o que era preciso para estender as mãos e confortá-lo. Pela primeira vez desde o "anúncio" dela, comecei a imaginar se não poderia ser verdade. O calor da descoberta rastejava dos dedos dos pés ao pescoço, descarregando no meu rosto. Furtivamente, tirei o casaco em um esforço para me resfriar.

Não havia me ocorrido por um único segundo que Pammie estivesse dizendo a verdade. Eu pensei em como isso me faria parecer. Como meu comportamento recente seria visto pelas pessoas ao meu redor. Eu estava apostando que as mentiras dela iam ser descobertas. Que ela ia ser descoberta como a fraude cruel que é. Mas e se tudo o que ela dizia fosse verdade?

— Como é lá? — consegui dizer. — No hospital, quero dizer.

— Eu precisava me certificar de que Adam falava sobre o que eu pensava que ele estava falando.

— Deixam o mais confortável que podem para os pacientes — disse ele, meu coração afundava com cada sílaba. — Há algumas outras mulheres na sala, sabe, todas passando pelo mesmo tratamento, o que ajuda minha mãe, porque, sabe como é, ela não gosta de ficar sozinha. — Ele sorriu. — Então é bom que ela possa conversar, saber o que está prestes a acontecer, preparar-se para o que quer que seja. Também a ajuda a perceber que não está sozinha, o que acho que é o mais importante. — Ele abaixou a cabeça. — Entretanto, mamãe não parece muito bem, Em — disse Adam, antes de os ombros caírem e tremerem com a subida e a descida do peito.

Fui para o outro lado da mesa e deslizei no banco para alcançá-lo. Ele soluçou enquanto colocava meu braço ao redor dele, então pegou minha mão com força e a levou à boca.

— Eu amo você — sussurrou ele. — Sinto muito.

— Sshh, está tudo bem. — Eu não sabia mais o que dizer. Passei tanto tempo com essas ideias na cabeça, repassando a injustiça de tudo e a conspiração que pensei que Pammie estava orquestrando desde o dia em que me conheceu, que não pensei em como Adam se sentia. Eu o havia descrito como tolo e o considerado menos homem por se permitir ser enganado. Mas não era assim que *ele* se sentia; estava desolado. Cancelou o casamento com a mulher que amava e acreditava, pois não havia razão para não acreditar, que sua mãe estava morrendo.

— Provavelmente não é o melhor lugar para ter essa conversa — falei, meio que rindo, enquanto observávamos pedestres apressados pela janela.

— Não, provavelmente não — concordou Adam, antes de se virar para mim e me dar um beijo molhado na minha testa.

— Você vai visitar a minha mãe? Ela quer mesmo ver você, acredite ou não, para dizer que sente muito.

Apesar de tudo, recuei um pouco.

— Não tenho certeza — falei, não mais no controle dos meus pensamentos ou de como chegavam nos meus lábios.

— Por favor, significaria tudo para ela… Para nós dois.

Assenti.

— Tudo bem. Talvez.

— Ela tem quimioterapia na próxima quarta-feira, que é o seu dia de folga. Talvez pudesse passar por lá e nos encontrar, que tal? A menos, é claro, que eu possa voltar para casa… Daí, iríamos juntos.

Eu não tinha certeza de mais nada. Ao contrário de acalmar o enxame de ideias na minha cabeça, a revelação de que Adam ia ao hospital com Pammie só serviu para alimentá-lo, fazendo-os zumbir até que latejassem em minhas têmporas.

33

Não era a possibilidade de Adam voltar para casa que me causava uma dor de cabeça lancinante. A pressão de encontrar Pammie era o que me estressava. Eu podia sentir, literalmente, a tensão percorrendo meus ombros e subindo pelo meu pescoço.

Instintivamente, abri a geladeira para pegar uma garrafa de vinho, mas parei. O álcool já havia percorrido um longo caminho entorpecendo minhas terminações nervosas, mas eu não podia usá-lo de muleta para sempre. Precisava me erguer sozinha, em sintonia com meu corpo e meu cérebro, para realmente sentir o que sentia, em vez de existir na nuvem nebulosa da depressão e do deslocamento da realidade que me envolveu por uma quinzena.

Olhei desejosa para a garrafa de Sauvignon Blanc, resfriada à perfeição. Pippa deve tê-la trazido quando veio para o jantar no domingo à noite, embora imaginar que tenha vivido o bastante para contar a saga foi um milagre. Não tive a intenção de beber no dia, mas, quando eu disse que havia visto Adam, ela exigiu me visitar para saber de todos os detalhes.

Pippa se sentou boquiaberta no sofá, enquanto eu perambulava para cima e para baixo na frente dela, sem dúvida entediando-a com todas as minúcias da nossa conversa. Apesar de eu estar obviamente estressada, foi ótimo ter Pippa por perto outra vez. Senti falta de vivermos juntas e das conversas que costumávamos ter. Ela era a entidade mais próxima que eu tinha de um segundo cérebro; quando o meu jorrava disparates, o dela era a voz da sanidade de que eu às vezes precisava.

— Você tem certeza de que está fazendo a coisa certa... — perguntou ela — permitindo que ele volte?

Assenti dolorosamente devagar, embora apertasse as mãos, não mais convicta das minhas próprias decisões.

— Mas você ainda vai ter que lidar com *ela* — disse Pippa. Nem ela conseguiu pronunciar o nome "Pammie". — Ela estará sempre por perto. Adam vale mesmo isso?

— Eu o amo, Pip. O que devo fazer? E vamos dar a ela o benefício da dúvida por um momento. Pode muito bem estar dizendo a verdade.

— Nah, não acredito — afirmou ela, balançando a cabeça — Lembra quando brinquei sobre não haver muitas sexagenárias psicóticas no mundo?

Assenti.

— Eu errei.

Nós duas rimos.

Meu celular tocou e nos fez pular.

— Alô? — eu ainda ria quando atendi o celular.

— Como vai você, sumida? Que bom ouvi-la parecendo feliz! — disse Seb.

Eu me senti culpada instantaneamente e pensei que deveria voltar à minha caixa da tristeza, mas então percebi que era a primeira vez que ria em duas semanas e não tinha feito nada errado, embora me desse conta de que Seb estava prestes a me dizer o contrário.

— Desculpe-me — respondi. — Minha vida está muito estranha.

— Tão estranha que não podia confiar no seu amigo para ajudar?

Suspirei. Estava dolorosamente ciente de que não havia retornado algumas das ligações dele, prometendo a cada vez que amanhã seria o dia, mas não ligava no dia seguinte e essa dinâmica estava me dando nos nervos. Nosso relacionamento não costumava ser difícil. Eu só podia pensar em uma razão que o tornara complicado, mas eu era a única culpada por deixar que influências externas se infiltrassem na ligação especial que dividíamos.

— Sinto muito mesmo — cedi.

— Você está em casa? Posso ir até aí? — perguntou.

Hesitei.

— Ah...

— Não se preocupe, é óbvio que está ocupada — disse ele, desanimado.

Que diabos eu estava fazendo?

— É claro que pode. A Pippa está aqui. Seria ótimo ver você.

Seb deu um beijo casto no meu rosto quando entrou, nada como o abraço que eu esperava, dadas as circunstâncias. Conversamos nos sentindo um pouco desconfortáveis durante a primeira garrafa de vinho, contornando a questão que parecia estar entalada entre nós, ainda que eu não soubesse exatamente o que era. Seb estava reticente e excepcionalmente desanimado, o que me colocou na defensiva esperando que ele soltasse a bomba. Eu tinha consciência de que o evitava desde o cancelamento do casamento, mas evitei todo mundo, a não ser Pippa e minha mãe. Mas sabia, no fundo do coração, que Seb tinha sido sempre muito fiel a mim em tempos difíceis, e ele sabia também.

Ele estava abrindo a segunda garrafa de Pinot Grigio quando disse:

— Então, qual foi a verdadeira razão para que você não quisesse que eu fosse à prova do seu vestido?

De todos os cenários possíveis que pularam na minha cabeça durante a última hora, aquele não era um deles. De imediato, senti meu rosto corar.

— Como falei para você — disse eu, em voz baixa —, queria deixar a surpresa para o grande dia. — E não era a verdade? Eu certamente me esforcei para me convencer de que era.

— Então, não teve nada a ver com o que Pammie disse a você? — Ele ergueu os olhos da garrafa entre os joelhos para mim.

— O quê? Quando? — perguntei, embora já estivesse sendo golpeada com a ideia de que algo estava errado.

— Na piscina, em Portugal.

Virei-me para Pippa, tentando compreender o que ele estava dizendo, mas ela deu de ombros.

— Desculpe, não estou entendendo — disse eu, esperando forçá-lo a falar.

— Eu estava sentado no banco do outro lado da cerca-viva — disse Seb. Meu coração perdeu um compasso enquanto eu tentava freneticamente lembrar cada palavra que tinha dito à Pammie.

— Eu estava esperando, na verdade apostando, que, ao dizer que me escolheria em vez dela, tinha sido sincera. — Eu o encarei, boquiaberta.

— Mas… Eu disse a verdade, fui sincera.

Seb ergueu as sobrancelhas, intrigado.

— Entretanto, assim que voltamos para casa, você me disse que não me queria na prova do vestido e não tenho notícias de você desde que o casamento foi cancelado. Não queria ser um fardo, Em, então se eu estar na sua vida torna as coisas difíceis, prefiro que você simplesmente me diga…

Balancei a cabeça com força quando as palavras dele me atingiram, como se tentasse sacudir a verdade delas para fora do meu cérebro.

— Não é assim — eu disse.

— Então, Adam tem problema comigo? — perguntou ele. Eu me lembrei de quando fomos ao cinema, antes mesmo de Adam conhecer Seb, e os comentários mordazes quando descobriu que Seb seria o primeiro a ver o meu vestido. Tirei a dúvida da cabeça.

— Não seja tolo — eu disse. — Adam nunca se sentiria intimidado por você. É só Pammie sendo Pammie… Você sabe como ela é. — Eu me aproximei e coloquei o braço à sua volta. — Desculpe-me se pensou que eu estava sendo indiferente por qualquer outra razão além de, suponho, constrangimento e remorso pelo casamento.

Seb me deu um abraço caloroso, aquele que eu esperava e queria receber desde que ele chegara.

— Mas sou eu — disse ele. — Desde quando deixamos coisas como o constrangimento ficar entre nós?

Eu sorri.

— Sempre estarei aqui por você — disse ele. — Para o melhor ou para o pior — continuou.

— Deus do céu — interrompeu Pippa. — Talvez *vocês* dois devessem se casar.

Rimos todos juntos, o que, alguns dias antes, parecia algo impossível.

Mas agora, sentada no carro de Adam em direção a Sevenoaks, a vida não parecia tão leve e, apesar de tudo, eu desejava ter tomado aquele drinque, só para me sentir mais leve. Meu cérebro estava tão confuso que tinha problemas em distinguir os detalhes do todo.

— Você está bem? — perguntou Adam, percebendo a minha ansiedade.

Sorri de volta, quando ele se inclinou para pegar a minha mão.

— Ficará tudo bem — disse ele, para me tranquilizar.

Duvidei disso quando me lembrei de que, na verdade, nada ali era sobre mim. Era tudo sobre Pammie, que poderia ou não ter câncer (minha mente oscilava de um lado para outro, mas eu tendia a abraçar a última hipótese nove vezes entre dez). Ainda assim, até eu ter certeza absoluta de que era mentira, prometi a mim mesma que assumiria o pior. Ironicamente, senti a carga diminuir um pouco quando me permiti acreditar que ela dizia a verdade. Ao menos havia algo tangível para trabalhar, e todos nós poderíamos seguir em frente e ajudá-la na batalha. Mas e se Pammie tivesse mentido?

— Oh, Emily querida, que bom vê-la — disse Pammie, abraçando-me na porta de entrada. — Nem consigo começar a dizer o quanto sinto. De verdade. Sinto muito, muito mesmo. Nunca diria nada se pensasse por um momento que...

Sorri, tensa. Independentemente de ela estar doente ou não, ainda não precisava gostar dela.

— Querido! — exclamou quando Adam a alcançou. — Céus, como senti sua falta.

— Eu só fiquei fora dois dias — riu Adam, revirando os olhos.

— Sim, sim eu sei. Você deveria estar em casa com Emily, lá é o seu lugar. — Eu não sabia se ela estava tentando convencer a si mesma ou a nós.

— Como você está? — perguntei, tão sincera quanto pude. — Como se sente?

Pammie baixou os olhos.

— Ah, você sabe, já estive melhor, mas não posso reclamar. Não fiquei tão enjoada e ainda tenho todo o meu cabelo. — Ela bateu de leve no topo da cabeça.

— Senhoras, vamos entrar antes que toda a rua nos ouça? — pediu Adam, nos levando pelo vestíbulo de teto rebaixado.

— Ah, é claro, é que estou tão feliz que estejam aqui. Os dois. — Ela tomou a minha mão e me levou à sala de estar.

— Como você tem passado? — perguntou, quase verdadeira. — Tenho pensado muito em você.

Olhei para Adam, e ele sorriu calorosamente de volta, como um pai orgulhoso. Acreditou em cada palavra que ela disse. Ela o tinha envolvido completamente. Senti uma real pontada de desgosto. Nada tinha mudado.

— Na verdade, estou bem — menti.

Houve um silêncio estranho, mas Adam parecia indiferente enquanto ficou ali, medindo cada uma de nós.

— Não temos muito tempo — disse ele —, e o trânsito está horroroso.

— Ah, devemos ir, então — disse Pammie, recolhendo o cardigã e a bolsa de mão de uma cadeira. — Vamos deixar a conversa para depois.

Forcei um sorriso.

— Veja, fiz alguns sanduíches, no caso de sentir vontade. Apenas tire o filme plástico quando quiser, e há bolo dentro da lata na despensa. De limão, eu mesma fiz — disse ela, orgulhosa.

— Que adorável — respondi, ciente da falsidade da nossa conversa; não conseguia lembrar a última vez em que trocamos tais cordialidades. — Você não deveria ter tido esse trabalho.

— Não seja boba, é o mínimo que posso fazer por você vir até aqui. E não vamos demorar muito, de qualquer forma, eles só precisam me conectar e depois vamos embora. — Pammie puxou a manga da blusa para revelar uma gaze exagerada enrolada em seu braço — Talvez possamos ter uma conversa apropriada quando eu voltar?

Assenti, mas olhei para Adam.

— Você não quer que Emily venha conosco? — perguntou, percebendo minha confusão. Eu não havia contemplado a possibilidade de irem sem mim.

— Por Deus, não — disse Pammie. — Não há razão para isso. Tomaremos uma xícara de chá e comeremos bolo quando eu voltar, tudo bem? — Ela olhou para mim e então para Adam, e todos nós concordamos em silêncio.

— Desculpe, eu não sabia que ela esperava que você ficasse aqui — sussurrou Adam, enquanto se inclinava para dar um beijo de despedida.

— Serei o mais rápida que puder.

— Não se preocupe — disse eu, firme. — Vejo vocês quando voltarem.

— Sinta-se em casa — disse Pammie enquanto se encaminhavam para a porta.

Eu a observei arrastar os pés pela entrada da casa e então dizer a Adam o que desejava que ele fizesse com a sua bolsa antes de ajudá-la a se sentar, colocando uma mão protetora na cabeça dela enquanto lentamente Pammie se inclinava na direção do banco do passageiro.

Preparei uma xícara de chá e me sentei no sofá, imaginando o que faria com as horas que se estendiam à minha frente. Sempre me senti desconfortável em ficar na casa de outra pessoa sem sua presença. Há algo inquietante sobre estar cercada pelos pertences de outras pessoas, coisas nas quais você sabe que não deve tocar. Apanhei a revista *The Lady* da mesa de centro e dei uma folheada, mas estava cheia de matérias e propagandas direcionadas a uma vida diferente da minha. Infelizmente, não precisava de um mordomo, um guarda-costas ou uma tripulação de iate naquele momento.

Pensei em ligar a TV só para ter um ruído de fundo para quebrar o silêncio, mas então vi o aparelho de som no canto, um sistema antiquado, com uma gaveta para três CDs. Tive um desses no meu quarto quando era adolescente, e me lembro da longa tarde que levou para que meu pai e eu lêssemos as instruções do manual do aparelho. Por mais que os tempos tenham mudado e as coisas tenham avançado, levei ainda mais tempo do que deveria para encontrar o botão "liga" e pressionar ejetar. *Os maiores sucessos de Simon e Garfunkel*, um dos favoritos da minha mãe, já estava na gaveta, então fechei e apertei o play. O acorde inicial de guitarra de "Mrs. Robinson" encheu a sala, levando-me de volta àquelas tardes de sábado, quando minha mãe passava o aspirador ao redor dos nossos pés enquanto Stuart e eu estávamos sentados no sofá.

— Ergam os pés! — dizia ela enquanto nós dois ríamos.

Os álbuns de fotos que Pammie folheou orgulhosa durante minha primeira visita estavam alinhados na prateleira acima, espremidos entre dois alto-falantes pequenos. Observei as lombadas, os anos escritos com caneta preta. Eu só conseguia lembrar que o álbum que me mostrou era de couro marrom, mas agora, quando os toquei, vi que eram de plástico barato, dando o seu melhor para imitar couro. Apanhei o primeiro dos três álbuns marrons, a capa brega grudada na do álbum vizinho. Imagens de jovens Pammie e Jim pulavam das páginas, claramente no auge de sua paixão, olhando um para o outro com adoração, enquanto os outros ao redor apenas observavam. Adam era idêntico a Jim quando era um jovem de vinte e poucos anos – e James era ainda mais parecido. Jim tinha seu braço orgulhosamente ao redor dos ombros de Pammie, sua presença como um alerta para qualquer aspirante a pretendente. Outra foto mostrava Pammie sobre o capô de um Hillman Imp, usando um vestido de estampas geométricas, enquanto as amigas, com os rostos espremidos, estavam devidamente instaladas dentro do carro. Eu podia apenas imaginar a conversa delas, cheia de inveja, enquanto o maravilhoso Jim estava atrás da câmera, admirando sua namorada. Mais uma página e Pammie, Jim e seus amigos estavam acomodados sobre uma manta de piquenique que, apesar de estendida entre dunas de areia, era erguida do chão pelo vento forte. Inglaterra no verão, sem dúvida – talvez Camber Sands ou Leysdown, na costa sul. Imaginei a liberdade que o final dos anos 1960 permitia aos jovens e senti uma ponta de inveja. Viver com tanto desembaraço, sem nada que os prendesse, deve ter sido fortalecedor. Imagino se nos sentiremos assim sobre nossa época, quando olharmos na direção do passado.

Os quatro casais, os homens com costeletas e as garotas com enormes cachos no cabelo, estavam sorrindo, mas ainda parecia o Show de Pammie e Jim. Eram claramente o Elvis e a Priscilla de sua turma, sempre o centro das atenções e competindo por risadas.

Então parecia que Pammie fora o centro das atenções durante toda a sua vida. Era onde se sentia confortável, ingenuamente acreditando que aquilo a validava de alguma maneira e que, sem todo o drama à sua volta, ela seria insignificante. Pensei como deveria ser exaustivo procurar constantemente os holofotes. No fim do álbum, as fotos em preto e branco apareciam intercaladas com flashes de cor, enquanto o monocromático era gradualmente substituído pelo brilho vivaz de uma Polaroid. Você podia ver o espanto genuíno em seus rostos enquanto se maravilhavam com a loucura dessa invenção dos dias modernos. Será que meus netos, ou até mesmo meus filhos, olharão para o passado através de um iPhone antiquado e verão a mesma expressão maravilhada em nossos rostos?

Eu me lembro de ver a primeira foto na primeira página do álbum seguinte, uma foto de Jim e Adam, um ao lado do outro, alimentando patos. Adam com meia fatia de pão na mão, olhando fascinado para o pai. Imagino que, se soubessem na época que teriam tão pouco tempo juntos, teriam feito algo diferente. Dizem que não gostaríamos de saber a data da nossa morte, ainda que pudéssemos, mas, quando olho para uma foto assim, me pergunto se não seria melhor. Para que tivéssemos a chance de usar nosso tempo com mais sabedoria e passá-lo com as pessoas que amamos.

Sentei de volta no sofá com o álbum no colo e pulei para o fim, onde lembrei ter visto a foto de Adam e Rebecca, tão solicitamente deixado aberto por Pammie. Então pensei sobre isso e em cada uma das coisas que Pammie fez, desde o início, que foram forçadas, meticulosamente planejadas para gerar transtorno e confusão. Ninguém mais percebeu, é claro – e é aí que reside a esperteza dela. "Que adorável!" exclamaram todos, quando ela cozinhou um enorme jantar de Natal quando sabia que eu já havia jantado, e quando ela secretamente organizou para que uma amiga com quem eu não mantinha contato há anos aparecesse na minha festa de despedida de solteira, uma amiga que tinha dormido com meu último namorado. Sim, "a boa e velha Pammie".

Revirei o álbum de trás para frente, e depois para trás de novo, à procura da foto de Rebecca. Esse era definitivamente o álbum certo: eu me lembrava de todas as fotos nele. Folheei de novo, página por página, mas não havia foto nem legenda que dizia "Querida Rebecca – sinto sua falta todos os dias.".

Onde diabos estava? E por que tinha sido eliminada? Olhei pela sala e vi as gavetas embaixo do aparelho de som. Olhar os álbuns já parecia intromissão demais, mas me senti obrigada a ir mais longe, apesar da sensação de nervosismo em meu estômago. Abri uma gaveta e pude ver pilhas de talões de cheques, todos usados e presos com um elástico. Faturas e extratos apontavam para fora de pastas de plástico. Eu os levantei, com cuidado para não mexer muito, e tirei o último talão de cheques do elástico apertado. Passei o dedo pelos canhotos, todos cuidadosamente marcados com data, beneficiário e valor pago. Meus olhos rapidamente leram nomes aleatórios: British Gas, Southern Electric, Adam, Homebase, Virgin Media, Adam, Waterstones, Thames Water, Adam. Olhei com mais cuidado e vi que Pammie pagava duzentas libras por mês para Adam há anos, mas quando procurei um valor semelhante para James – afinal, seria justo –, não havia registros. Confusa, coloquei cuidadosamente a pasta de volta na gaveta e tentei me convencer a parar ali, mas senti que havia tocado uma casca de ferida e não ficaria satisfeita até tirá-la. Justifiquei minha atitude dizendo a mim mesma que estava em busca da fotografia perdida, mas essa mulher tinha tanto a esconder que senti um arrepio de excitação pelo que mais poderia encontrar.

A outra gaveta do armário era difícil de abrir, e tive de forçá-la de um lado para o outro até conseguir. Havia duas pilhas de cartões berrantes, cada uma delas atada com uma fita. Tirei o cartão do topo, uma mensagem de aniversário para ela de Adam. O mais antigo era um cartão de condolências com uma nota dentro e com a letra de Adam.

Querida mamãe,

*Só você pode entender como é perder alguém de maneira tão repentina,
tão desnecessariamente. Eu continuo me perguntando "E se...?", como tenho certeza de que você já fez milhões de vezes. E se eu estivesse lá? Seria
diferente? Teria conseguido salvá-la? Essas perguntas param algum dia,
mãe? Será possível, em algum momento, dormir tranquilo sabendo que as
coisas poderiam ter sido diferentes...*

Meu coração se partiu enquanto li as palavras pungentes, e
uma pequena parte doeu por Pammie também. Eu não poderia
sequer imaginar como era perder alguém tão próximo. A outra pi-
lha, muito maior em comparação, eram de James, com amor para
cada ocasião possível: aniversários, Natal, Dia das Mães e mesmo
aquelas datas para as quais eu não sabia que existiam cartões –
Páscoa, Dia de São Davi. Pammie tinha sorte por ter dois filhos
que pensavam nela com a frequência de Adam e James. Que pena
não compartilhar esse traço deles, preferindo ver todas as mulheres como uma ameaça à quantidade de carinho e atenção que eles
tinham por ela. Hoje ela poderia ter duas noras igualmente aten-
ciosas, felizes e dispostas a ajudá-la no que poderia ou não ser sua
batalha mais difícil.

Não havia outros cantos ou fendas que contivessem quaisquer
mistérios na sala de estar, então dei uma espiada rápida pela cozinha, mas, além do obrigatório "armário masculino", que abrigava
pilhas velhas, menus de comida *delivery* e chaves que não tinham
mais fechaduras, não havia nada além de talheres e utensílios.

Eu me imaginei voltando à sala de estar, pegando o meu chá e
ouvindo "Homeward Bound", a música que tocava. Então, como é
que meu pé foi parar no primeiro degrau da escada? Olhei para os
degraus estreitos, para o carpete puído e imaginei o que acontecia
quando a escada virava para a direita e desaparecia. O papel de
parede cafona verde-limão, com detalhes extravagantes de rodo-
dendros, estava começando a desbotar onde o sol batia várias vezes
ao dia. Mas no topo da escada, onde havia uma sombra constante, o
verde das folhas ainda era forte e brilhante.

Tentei me convencer de que estava subindo para olhar mais de perto, para realmente apreciar a profundidade da cor, mas eu nem parei. Meus pés pareciam se levantar até os últimos três degraus, que não podiam ser vistos do saguão, e para dentro do quarto com a porta aberta.

A cama dupla e o armário pequeno eram suficientes para ocupar todo o quarto, mas no lado oposto, nas alcovas de cada lado da chaminé, havia dois armários altos. Juro que ainda sentia o cheiro de pinho emanando da mobília, cada peça com seu próprio tom de marrom-alaranjado.

A luz do sol penetrava por uma abertura através das cortinas finas, jogando um feixe de luz pelo quarto. Andei ao redor da cama, o piso rangia enquanto eu seguia, e me sentei no chão em frente à cômoda mais distante da janela.

A gaveta de baixo parecia pesada, então levantei seu peso para fora do suporte enquanto a fazia deslizar. Estava cheia de caixas ornamentadas e berloques decorados. As fibras nervosas na minha mão formigavam enquanto meus dedos desajeitados lutavam contra o fecho da caixa de joias de madeira que implorava para ser aberta. Havia dentes de leite arrumados cuidadosamente em uma almofada de veludo vermelho, o esmalte branco amarelado com os anos, e duas pulseiras com os nomes de Adam e James. A culpa tomou conta de mim quando vi um par de abotoaduras prateadas, presumivelmente de Jim, e fechei a caixa com força. Inclinei a cabeça para trás, apoiando-a no colchão, os membros encolhidos entre o armário e a cama. Que diabos estava fazendo? Essa não era eu. Não era isso que eu fazia. Permiti que essa mulher me transformasse em alguém não melhor do que ela. Apesar de todas as coisas terríveis que Pammie tinha feito, eu não permitiria que ela mudasse minha essência: distorcer valores morais que meus pais se esforçaram tanto para me ensinar. Coloquei a caixa de volta na gaveta, inclinando-a para que coubesse. E me assustei quando ela virou, o lado de baixo para fora, revelando um compartimento secreto.

Olhei para ele por um tempo, me lembrando do mantra que acabara de recitar, e me forcei a ignorar. "Feche a gaveta", repetia em voz alta, na esperança de que me ouvir dizendo isso me impediria de fazer o que sabia que viria a seguir. Cuidadosamente, ergui-a outra vez e fiz a parte de baixo deslizar para trás. Não sei o que esperava ver, alguns ossos velhos ou algo assim, então foi um anticlímax encontrar apenas um inalador velho, do tipo que vi com uma garota na escola. Molly, acho que era o nome dela. Nunca me esqueceria de vê-la desmaiar na aula de educação física, logo depois de nos mandarem correr ao redor do campo duas vezes para nos aquecermos para o *netball*.[13] Pensamos que fosse uma piada a princípio, mas então ela começou a chiar e agarrar o peito. Eu mal a conhecia, mas não consegui dormir aquela noite, e quase chorei quando nos disseram na assembleia da manhã seguinte que ela ficaria bem.

Eu não sabia se Pammie sofria de asma, mas talvez fosse Jim, raciocinei. As pessoas encontram conforto nas lembranças mais estranhas. Havia algo embaixo, um recorte ou uma foto, e cuidadosamente levantei o inalador para ter uma visão clara. Meus olhos fecharam, como se desesperadamente tentassem impedir a mensagem que meu cérebro já havia recebido. Tentei reagir, lutando furiosamente para erradicar a imagem antes que ela alcançasse a parte de minha mente que a reconhecia. Mas eu já tinha visto e não havia como voltar atrás. Rebecca. Sorrindo para mim, com o homem que amava ao seu lado. A foto que faltava no álbum.

— Ei, voltei! — chamou Adam lá de baixo.

Que diabos ele fazia aqui? Só tinha saído há meia hora. Larguei a caixa, o inalador caindo na gaveta, e me agitei furiosamente para recolher tudo e deixar no lugar. A adrenalina corria pelas minhas veias, pulsando energia extra pelas mãos, tornando quase impossível fazer o menor movimento sem tremer.

— Você está aqui? — disse ele. Podia ouvir o ranger do assoalho enquanto ia da sala à cozinha. — Em?

Se eu pudesse impedir que minhas mãos tremessem, conseguiria deixar tudo na mesma posição. Eu podia ouvir os passos do saguão, e só havia um lugar para ele ir dali. Um ácido fervente rasgou meu peito, e minha garganta apertou violentamente enquanto eu lutava para segurar.

---

[13] *Netball*: jogo parecido com o basquete e muito popular nas escolas britânicas, praticado principalmente por meninas. (N.T.)

— Ei, o que está fazendo aqui? — perguntou ele, seguindo na minha direção enquanto eu sentava na ponta da cama, meu pé lentamente fechando a gaveta aberta que ele ainda não podia ver.

— Eu, eu apenas... — vacilei.

— Jesus, Em, você está pálida. O que foi?

— Eu... eu me senti um tanto estranha lá embaixo, uma enxaqueca ou algo do tipo, então subi para deitar aqui um pouco — dei uns tapinhas nos travesseiros embaixo da colcha bordada, ainda intocados e perfeitos.

— Ah — disse Adam, sem perceber. — Como se sente agora?

— Um pouco melhor, mas acho que sentei rápido demais quando ouvi você me chamar. Você voltou logo. Pammie está bem? Espero que ela não se importe que eu esteja aqui em cima.

— Ela ainda não voltou, preciso voltar para pegá-la em algumas horas. Está a fim de um sanduíche ou uma xícara de chá?

— Desculpe-me, você deixou a Pammie lá? — perguntei seca.

— Sim, ela não gosta que eu vá com ela.

— Mas você entrou com ela na última vez.

— Não, fiz a mesma coisa — disse Adam. — Mamãe não quer que eu a veja daquele jeito, toda ligada a aparelhos e tudo mais que fazem. Tola na verdade, porque tenho certeza de que é quando mais precisa de mim, mas ela é inflexível e não me quer lá.

— Mas... na última vez... você me falou sobre outras senhoras, como conversavam umas com as outras?

— Foi o que ela me contou — disse ele, sem entender por um segundo a implicação do que eu dizia. — Sem dúvida para que eu me sinta melhor por não entrar. Aparentemente estão todas sozinhas, não encorajam visitantes porque é apenas uma sala pequena e não há espaço suficiente.

— Então para onde ela vai quando você a deixa? — perguntei, minha boca se movia muito rápido para meu cérebro acompanhar. — Para onde ela vai?

— Para a ala 306, ou seja lá qual for — riu Adam. — Não sei. Só faço o que ela diz e a levo à entrada principal.

— Então você nunca foi com ela além desse ponto?

— O que foi, Em? — perguntou, ainda rindo um pouco, mas uma tensão começava a se infiltrar.

Eu precisava sentar, ficar quieta e pensar. Meu cérebro parecia que ia explodir com todas essas novas informações bombardeadas de todos os ângulos. O inalador, a foto de Rebecca e a imagem de Pammie caminhando direto pelo hospital e saindo pelo outro lado entupiram qualquer sentido.

— Você realmente não parece bem. Por que não deita e eu vou fazer uma xícara de chá?

— Não posso — eu disse, sentindo a necessidade repentina de dar o fora dali. — Preciso sair daqui. Preciso de ar fresco.

— Ei, espera aí — disse ele. — Vá devagar. Aqui, apoie-se no meu braço. Vou ajudá-la a descer as escadas.

— Não, eu quero dizer, não posso ficar aqui.

— Que diabos há de errado com você? — perguntou Adam, com a voz um pouco mais alta. — Preciso voltar e pegar minha mãe, então tome o chá e se acalme.

— Deixe-me na estação quando for. Vou pegar o trem para casa.

— Isso é loucura — disse ele. — Você terá de seguir todo o trajeto até Londres e voltar para Blackheath. Isso não faz sentido.

Eu sabia que não fazia sentido, mas nada mais fazia. Depois de tudo que Pammie tinha feito, eu tinha dado a ela o benefício da dúvida e estava totalmente preparada para deixar tudo no passado e enfrentar com eles o tratamento dela, como uma família. Mas isso? Isso era algo completamente diferente, algo que eu nem conseguia começar a contemplar.

— Vamos lá — disse Adam, chamando-me em sua direção. — Foram semanas difíceis e estamos sentindo a tensão.

Ele esfregou as minhas costas enquanto me segurava, alegre pela inconsciência da descoberta que lentamente envenenava meu cérebro. A constatação de que Pammie não era apenas uma mentirosa, desonesta e conspiradora que havia se comprometido a arruinar a minha vida, mas uma verdadeira assassina repugnante que privara Rebecca da vida dela.

34

Observei do carro enquanto ela cambaleava pelo estacionamento, segurando no braço de Adam, e me senti fisicamente enjoada. Ela o deixou esperando na recepção cheia do hospital enquanto terminava sua "quimioterapia". Ele me ofereceu um café da cafeteria, enquanto Pammie demorava, sem dúvida para dar mais autenticidade à cena, mas eu não tinha estômago. Queria ser deixada na estação para não precisar encará-la, para que não fizesse mais parte de suas enganações e suas mentiras maléficas. Mas Adam se recusara a permitir que eu fizesse isso.

— Você parece nova em folha — insistiu ele, passando direto pela estação no caminho até o hospital. — Já está corada novamente.

— Eu realmente não me sinto bem. Não pode só me deixar lá? — pedi.

— Mas minha mãe vai ficar desapontada. Ela ficará chateada se você não puder pelo menos tomar uma xícara de chá com ela. — Se eu me sentisse mais forte, eu o teria arrastado até o hospital, exigiria ser levada até a ala da quimioterapia e a chamaria. Só então Adam saberia o que Pammie fez e do que ela era capaz. Ela não seria a mais esperta, tenho certeza, se enquanto ele furiosamente a procurasse na lista de pacientes em tratamento, recusando-se a acreditar que não estava ali, Pammie estivesse alegremente circulando pelas lojas da cidade, sem dúvida dando a si mesma uma blusa de presente. Mas apenas isso o faria enxergar a situação. Só assim ele começaria a entender o que ela me fez passar, e só assim nós dois poderíamos começar a juntar as peças do que ela fez com Rebecca.

Uma vez que o fio da meada fosse puxado, a trama se desenrolaria em uma rapidez alarmante, mas eu precisava de tempo para descobrir qual fio puxar primeiro. Adam precisava vê-la pelo que era, acreditar na possibilidade de que sua mãe poderia causar um dano real. Ele pensaria que eu estava perturbada se começasse a acusá-la pelo assassinato de Rebecca sem uma evidência plausível e, se não acreditasse em mim, isso seria o nosso fim. Eu não estava preparada para deixar isso acontecer, não apenas porque o amava, mas porque me recusava a deixá-la vencer.

Queria que a raiva que eu carregava há tanto tempo ainda estivesse aqui, forçando-me a levantar e fazer o certo enquanto ainda tinha chance. Mas esse ressentimento enlouquecedor que sempre esteve a ponto de estourar foi substituído pelo medo: não apenas por colocar em risco o relacionamento com o homem que eu amava, mas por mim. Essa mulher, que a princípio pensei ser não mais que uma mãe irritante e superprotetora, porém inofensiva, era uma psicopata ciumenta que não permitiria que qualquer obstáculo atrapalhasse seu caminho para ter o que desejava.

Pensar isso, olhando para ela agora, era risível. Toda arqueada, com a saia plissada, o cardigã certinho e todo abotoado, arrastando-se lentamente, como se cada passo doesse. Se eu não estivesse tão amedrontada, seria engraçado.

— Você se importaria de sentar no banco de trás, querida? — perguntou ela quando chegou no carro. — É que me sinto terrivelmente enjoada depois de cada sessão, e é melhor eu sentar na frente.

Eu não disse uma palavra. Apenas saí e fui para o banco de trás.

— Muito obrigada. Honestamente, não consigo descrever como me sinto.

Vai, tenta, eu quis dizer. *Explique-me como é fingir que tem câncer, andar sem rumo pelas lojas enquanto seus amigos e sua família deixam suas vidas em suspenso e rezam pela sua recuperação.*

— Como foi? — preferi perguntar, com o tom de voz normal, mesmo que meu coração batesse fora do peito.

— Não é muito legal — disse ela. — E dizem que vai piorar. Não consigo imaginar o que farei quando isso acontecer.

— Você vai ficar bem — respondi, brusca. — As pessoas reagem de maneiras diferentes à quimioterapia. Depende do indivíduo. Você deve ser uma das que têm sorte.

— Ah, duvido disso — disse ela.

— Duvida do quê? — perguntou Adam gentilmente, enquanto sentava no banco do motorista.

— Emily acha que passarei facilmente pelo processo, mas eu penso que ela está subestimando meu desconforto.

Sorri para mim mesma e balancei a cabeça incrédula, assim que Adam se virou para olhar para mim, o rosto dizendo, *o que há de errado com você?*

— Como foi, mãe? — perguntou ele. — Você está bem?

Ela puxou a manga do cardigã outra vez, como se mostrar uma bola de algodão fosse tudo que precisava para provar que tinha câncer.

— Eu me sinto um pouco tonta — disse ela. — Acho que até o lugar me faz sentir estranha. Todas as histórias que você escuta… são, por si só, suficientes para enlouquecer.

— Por que não deixa Adam entrar com você na próxima vez? — perguntei. — Pode ser que ele consiga distraí-la.

— Ah não, não quero que me veja lá daquele jeito — respondeu.

— Eu gostaria, mãe, se ajudar você.

— Não, você é muito mole — disse ela, inclinando-se para dar um tapinha na coxa dele. — Não quero que se chateie. Agora, basta de toda essa desgraça e melancolia. Vamos voltar para casa e tomar um belo chá.

Eu preparei o chá enquanto ela ficou no sofá, instruindo Adam sobre como arrumar seus travesseiros para que ficasse sentada, mas não reta.

— Bem, isso não é adorável? — comentou, enquanto eu carregava a bandeja com as xícaras. — Só queria estar me sentindo melhor.

— Não se preocupe, mãe, tenho certeza de que você estará nova em folha em pouco tempo. Mas com certeza cuidaremos de você até lá.

— Bem, eu ia dizer isso — disse ela, enquanto pegava uma xícara e o pires da bandeja, tremendo. — Não estou tão bem, como pode ver. — Ela ergueu a mão debilitada para provar. — E eu caí no dia em que você voltou a morar com Emily.

— Ah, não — disse ele, ansioso. — Você está bem?

— Bem, eu estou e, como você sabe, sempre fui muito independente, mas... — diminuiu a voz.

Eu me virei para olhar pela janela, esperando pelo que já sabia que viria.

— Mas estou achando muito difícil — continuou. — É difícil admitir, mas isso é um fato. Realmente ajudaria se você ficasse mais aqui. Eu me acostumei a tê-lo aqui nessas últimas semanas – é errado, eu sei, mas não posso evitar. Eu me sinto vulnerável agora que você se foi.

Eu me forcei a ficar onde estava, a concentrar-me nos girassóis que estavam em plena floração no final do jardim, seu brilho contrastava com as nuvens escuras que pairavam acima.

— Não posso mais ficar — disse Adam. — Eu preciso ficar em casa com Emily. Mas eu vou aparecer, e James sempre está por perto.

— Eu sei, eu sei — suspirou Pammie. — Mas James não é muito confiável nesses últimos dias, agora que conheceu essa moça nova.

Eu me virei muito mais rápido do que deveria.

— Moça nova? — Meu estômago revirou com a ideia de ele estar com outra pessoa, não porque o queria, mas porque não queria que mais ninguém o tivesse.

Ela olhou para mim.

— Ele conheceu uma moça em um bar na cidade há mais ou menos um mês. Parece tê-lo surpreendido.

Tentei manter a expressão neutra, mas cada músculo no meu rosto se contorcia.

— Não acho que alguma vez o vi assim.

— Ele vai com ela no casamento? — perguntei, indiferente.

— Não, conversamos sobre isso, mas achamos que é muito cedo. Só estão juntos há algumas semanas, e é muito cedo para jogá-la aos leões e apresentá-la a todo o clã.

— Você a conheceu? — perguntei.

— Não, ainda não, mas espero conhecê-la nas próximas semanas... quando James estiver pronto.

Pammie se fez parecer tão sensata, tão razoável. Olhei para ela e imaginei o que se passava pela sua cabeça. Que diabos planejava para essa pobre garota, se o relacionamento ficasse sério?

— Ele parece apaixonado — continuou ela. — Vocês dois terão de ficar atentos – eles podem muito bem se casar antes de vocês, se continuarem nesse ritmo.

— Mãe! — riu Adam, fingindo estar chateado.

Eu me perguntei quando nosso casamento, cancelado apenas vinte e quatro horas antes do que deveria acontecer, tinha virado uma piada aceitável. Especialmente para o noivo.

— Bem, pelo jeito a dieta do coração partido obviamente não funcionou para você, não é? — perguntou ela, assim que Adam saiu da sala.

Eu sorri e bati na minha barriga lisa.

— Ou talvez eu esteja grávida graças a todo o incrível sexo de reconciliação que fizemos, quem sabe?

Ergui as sobrancelhas enquanto Pammie franzia as suas de desgosto.

— Não estão preocupados com os efeitos desse tratamento na sua asma? — perguntei, corajosa.

— Asma? — perguntou Pammie, genuinamente surpresa pela pergunta. — Eu não tenho asma.

— Ah, pensei que me lembrava de Adam me contando que você teve asma quando era mais nova. Li em algum lugar que alguns tipos de quimioterapia podem ter efeitos adversos em asmáticos.

— Eu estava jogando verde, mas precisava saber com toda a certeza que o inalador não era dela, como eu já sabia que não era.

— Não, nunca — afirmou Pammie, ofegando e se inclinando para bater na madeira.

— Nunca o quê? — perguntou Adam quando voltou à sala.

— Nada, filho.

— O que eu perdi? — perguntou ele, sorrindo. — Parece que as duas têm um segredo.

Eu sorri de volta e balancei a cabeça.

— Só estava dizendo que tenho certeza de que você me disse que sua mãe tinha asma quando era mais jovem, mas eu devo ter sonhado. — Capturei um lampejo de tensão no queixo dele, e sabia que havia testado a sorte, então ri para descontrair o ambiente. — Vocês ficariam surpresos com as coisas que sonho.

— Então, quando os dois pombinhos marcarão novamente o casamento? — perguntou Pammie, claramente desesperada para mudar de assunto. — Será difícil reorganizar tudo tão rápido e convidar todos outra vez... Isso se o hotel ainda tiver data disponível.

Ela estava ruminando, respondendo às próprias perguntas com o que gostaria de ouvir. Mas eu não era do tipo que dava à Pammie o que ela queria.

— Não, acho que será em breve — respondi, sabendo muito bem que o hotel não tinha vaga para os próximos seis meses. Senti o formigamento de lágrimas quentes surgindo inesperadamente nos meus olhos e as afugentei. Jamais daria a ela a satisfação de pensar que suas ações me fizeram chorar. — Espero que aconteça no próximo mês ou no seguinte — observei o rosto dela se contrair.

— Ah, isso será um alívio enorme, querida — chorou, puxando um lenço de uma caixa próxima e o encostando nos olhos. — Isso vai, de alguma forma, servir para amenizar minha culpa.

— Não sei, Em — disse Adam, com a testa franzida. — Há muito a se fazer. — Ele se ajoelhou ao lado de Pammie. — E você não precisa se sentir culpada por coisa alguma, mãe. A decisão foi minha.

Ele olhou para mim. Se esperava um sorriso, uma sugestão de perdão, estava enganado. Eu me virei para Pammie, entretanto, ajoelhando-me ao lado de Adam e pegando a mão dela.

— Mas obviamente não faremos nada até que se sinta melhor. — Sorri piedosa. — Precisamos saber que você passou pelo tratamento e está bem.

— Ah, você é uma moça adorável — disse ela, dando tapinhas na minha mão.

Minha pele arrepiou com o toque dela.

— Ela é — concordou Adam, puxando-me em sua direção e beijando meu rosto. Virei o rosto para que nossos lábios se encontrassem e abri um pouco os meus, convidando para mais. Ele se afastou, mas o ato não foi ignorado por Pammie, que desviou os olhos com desgosto.

35

dam havia dormido no quarto de hóspedes nas duas noites desde que tinha voltado para casa, enquanto eu ingenuamente acreditava que me negar a transar com ele faria com que entendesse a severidade do que havia feito e os riscos que correu. Mas isso era infantil e não era o que nenhum de nós queria. Mesmo assim, só percebi que jogava o jogo de Pammie quando estávamos voltando para casa. Ela queria que o cancelamento do casamento nos arruinasse, apostava nisso, então eu precisava ter certeza de que o que ela fez não teria efeito adverso sobre nós como casal. Ela já tinha me mudado como pessoa, fez com que me visse de outra forma. Tinha retirado toda a minha confiança e me causara uma dor que eu carregaria até o dia da minha morte, mas *não* permitiria que ela tirasse a única coisa que eu desejava. Ela nunca tiraria Adam de mim. Eu usaria a única arma da minha artilharia que Pammie nunca seria capaz de desarmar.

A porta ainda não tinha fechado direito quando empurrei Adam de costas contra ela e o beijei, procurando furiosamente pela língua dele. Ele não disse uma palavra, mas eu podia sentir que sorria enquanto me beijava de volta, de maneira suave primeiro, e então com mais intensidade. Fazia muito tempo, e, com tantas emoções entre nós, aquilo parecia uma panela de pressão. Desabotoei a camisa dele, arrancando os dois últimos botões com a pressa, e ele alcançou minhas costas para abrir o zíper do meu vestido, a intensidade do nosso beijo sem se alterar um segundo sequer. Enquanto meu vestido caía no chão, Adam me fez virar e me jogou com força contra a porta, prendendo meus braços acima da minha cabeça. Eu estava indefesa enquanto ele beijava o meu pescoço, antes de ir para baixo e tirar do caminho o tecido do sutiã com seus dentes, circulando meus mamilos com a língua.

Eu tentei baixar meus braços, mas ele os segurou firme, mudando de duas mãos para uma só enquanto tirava o jeans e afastava minhas pernas com os pés. Não deve ter durado mais de três minutos, mas o alívio foi incrível, e nós dois ficamos imóveis contra a porta, nossa respiração pesada em uníssono.

— Bem, isso foi inesperado. — Adam foi o primeiro a falar. — Como provavelmente você concorda. Desculpe-me por isso.

Eu sorri e o beijei.

— Podemos fazer de novo mais tarde, com mais calma se preferir.

Ele me beijou.

— Deus, eu amo você, Emily Havistock.

Eu não disse que o amava, não sei por que, já que o amo. Talvez tudo seja parte daquele mecanismo de defesa inerente que parece nascer com as mulheres, que nos prende e impede de dizer o que realmente gostaríamos. Acreditando que nos conter, de alguma forma, nos deixa um passo à frente, nos torna melhores e mais fortes. Por que, então, fingir que era uma pessoa diferente me deixa fraca e carente? Esperei até estarmos aconchegados no sofá para abordar o assunto que fazia um buraco na minha cabeça.

— Posso perguntar uma coisa sobre Rebecca? — perguntei, com cuidado para manter a voz firme.

— Você precisa? — suspirou Adam. — Estamos em um momento tão bom. Não vamos arruiná-lo.

— Não vamos — respondi. — Estamos apenas conversando. — Ele suspirou resignado, mas eu continuei. — Você teve alguma chance de se despedir dela? Ela ainda estava viva quando a encontrou? Ela recobrou a consciência tempo suficiente para saber que você estava lá?

Adam balançou a cabeça.

— Não. Ela já tinha partido. Ela estava... fria, e os lábios estavam azuis. Eu a segurei e chamei o seu nome, mas não houve nada. Nenhuma centelha ou pulsação, nada.

Os olhos dele começaram a lacrimejar.

— Você teve de passar pelo inferno de um inquérito ou uma autópsia? — perguntei.

— Não, felizmente. Rebecca tinha um histórico tão detalhado de asma, ainda que não fosse tão grave. Bom, era o que pensávamos, então concluímos que essa era, obviamente, a causa da morte dela.

— E a sua mãe estava lá com você?

Adam assentiu, sério.

— Foi mamãe que encontrou Rebecca. Não consigo imaginar como foi para ela.

— Quem foi a última pessoa que a viu antes que ela passasse mal?

— O que é isso — perguntou ele —, a Inquisição espanhola?

— Desculpe, não foi minha intenção bisbilhotar, eu apenas... Não sei. Só quero me sentir mais próxima de você, saber o que se passa na sua cabeça. Esse relacionamento foi uma parte enorme da sua vida e quero estar nesse mesmo espaço, entender como foi para você, mesmo agora, anos depois. Faz sentido? — Franzi o nariz e ele o beijou.

— Minha mãe levou algumas caixas para cima naquele dia, e elas tomaram chá, acho, enquanto desencaixotavam as coisas. Rebecca parecia bem.

— Tipo, absolutamente normal? — perguntei.

— Sim, mas ela sempre parecia bem antes de um ataque. Simplesmente acontece.

— Então, você já a tinha visto antes de um ataque? — perguntei.

— Alguns, sim. Mas nós dois sabíamos o que fazer sempre que ela sentia que teria um, então nunca foi um problema, desde que tivesse o inalador consigo, e sempre o tinha. Rebecca sabia parar o que estava fazendo, sentar e inalar até ser capaz de regular a respiração de novo. Só foi assustador uma vez, depois de corrermos para pegar um trem. A distância nem era tanta, mas a corrida exigiu tudo dela, e precisei deitá-la no chão do vagão enquanto procurava desesperadamente por sua bombinha.

— Mas ela ficou bem, então? — perguntei.

— Depois, sim. Mas você sabe como são as bolsas de vocês, mulheres. — Ele tentou sorrir. — Rebecca tinha tudo lá, como se vivesse dentro dela, e precisei virar de cabeça para baixo para encontrar. A primeira coisa que ela disse, que conseguiu dizer, foi "Se era o meu batom novo da Chanel o que vi rolando, mato você!". Ela estava deitada no chão, sem conseguir respirar, e só estava preocupada com o maldito batom.

Adam sorriu com a lembrança. Eu sorri também. Gostava de como ela parecia ser.

— Se eu estivesse lá, poderia ter ajudado. Poderia ter encontrado o inalador e impedido a crise. — Ele inclinou a cabeça e seu peito subiu e desceu. — Mas você nunca sabe quando vai acontecer. Pode estar tudo bem, e então bum! Se perceber os sinais e não fizer nada a respeito, a coisa toda pode apagar você assim. — Adam estalou os dedos.

— Então, Rebecca devia estar fazendo muito esforço, não? — perguntei com delicadeza. — Talvez movendo caixas ou algo assim?

Ele assentiu.

— Havia uma caixa grande, cheia de livros, virada no saguão de cabeça para baixo. Era tão pesada, Rebecca jamais deveria ter tentado erguê-la, mas parece que tentou. Esse tipo de esforço colocaria uma pressão enorme nos pulmões dela, ainda mais se estivesse subindo e descendo as escadas o dia todo. — A voz dele falhou. — Acho que ela estava tentando organizar tudo antes que eu chegasse em casa.

— Mas você falou com ela naquela tarde, não? — perguntei.

— Eu liguei para Rebecca assim que saí do escritório, e ela parecia bem.

— Sua mãe estava com ela então? — perguntei. — A que horas ela foi embora?

— Ah, eu não sei — respondeu Adam, esfregando os olhos. — Podemos parar agora? Por favor.

— Desculpe-me, eu apenas não sabia que alguém poderia morrer assim — eu disse, minha voz soava um pouco mais alta em cada palavra. Ele me olhou, intrigado. — Isso me deixa apavorada.

Como ele não enxergava? Certamente, deve ter se perguntado a mesma coisa. Era tão óbvio. Pammie foi a última pessoa que viu a namorada dele viva e a primeira a encontrá-la morta, no dia em que ele estava se mudando para viverem juntos, no dia em que ele saiu de casa. Não havia motivo maior para Pammie fazer algo terrível, para interromper a realização de seu pior pesadelo. Ela sentiu que estava perdendo Adam, renunciando ao controle e não conseguiria aguentar isso. Só Deus sabe o inferno que fez Rebecca passar em sua tentativa de tirá-lo da vida dela. Quanto ela a pressionou? Estremeci com a ideia. Pobre Rebecca, que uma vez, como eu, esperava tanto. Uma vida com o homem que amava. Sua própria família. Mas ela não desistiu. Enfrentou Pammie e, com isso, involuntariamente, fez o maior sacrifício.

Eu corria o mesmo risco? Assinava meu próprio atestado de óbito?

Não queria carregar sozinha essa sensação de apreensão. Mas não tinha escolha. Uma coisa era contar à Pippa e ao Seb o que Pammie me fazia sentir. Eles viram por conta própria quão cruel ela podia ser. Mas acusá-la de assassinato? Isso era uma coisa completamente diferente e, até o dia em que eu tivesse certeza de que ela teve algo a ver com a morte de Rebecca, precisava ficar calada. Sorri para Adam.

— O que você está pensando? — perguntou.

Ah, se você soubesse.

Nas semanas seguintes, eu me joguei no trabalho, assumindo todos os compromissos de que pude dar conta. Isso ajudou a manter minha cabeça ocupada e impediu que o pânico assumisse. Eu estava despedaçada, tanto física quanto mentalmente, quando chegava todas as noites do trabalho, mas Adam nunca soube disso. Eu fiz tudo dentro do meu alcance para que ele me desejasse e precisasse ainda mais de mim do que antes.

— Que diabos aconteceu com você? — disse ele, sorrindo quando voltou do trabalho para me encontrar de sutiã de renda preto e calcinha, servindo filé com molho caseiro de pimenta.

Dei a ele meu melhor sorriso. Adam não precisava saber que eu não amaria nada mais do que um aconchego no sofá, de pijamas, assistindo a uma série enquanto comíamos macarrão instantâneo. Em vez disso, estávamos transando na mesa antes mesmo que eu servisse o jantar, e, depois da refeição, ouvi solidária as reclamações sobre um colega preguiçoso enquanto eu lavava a louça. Sou a junção de todas as celebrações de Natal, para que quando as cartas estiverem na mesa e Adam for forçado a tomar uma decisão, ele me escolha, porque jamais será capaz de me deixar.

36

Tenho um grande favor para te pedir — disse Adam, quando sentamos para o café na manhã de sábado.

Olhei para ele ansiosa.

— Você ainda tem folga na quarta-feira?

Assenti.

— Tenho folga todas as quartas-feiras, você sabe disso — disse, enquanto mordia um pedaço de torrada integral.

Ele fez uma careta, e eu sabia que não ia gostar do que ele estava prestes a dizer.

— Tenho uma reunião com um cliente muito importante... — eu esperei. Qualquer que fosse o pedido, queria que ele se esforçasse apenas um pouco. — E eu estava pensando se... É que minha mãe tem quimioterapia, e já falei com o James, mas ele está fora com a nova namorada...

— Ele está? Onde? — interrompi.

— Paris, acho — disse Adam, dando de ombros. — De qualquer forma, se você estiver disponível, pensei em como se sentiria levando minha mãe ao hospital.

Olhei para ele sem expressão.

— Já perguntou para ela?

— Não, estou perguntando para você primeiro. Veja como se sente. — Sorri por dentro. Um bom sinal. — Seria apenas buscá-la em casa e levá-la ao hospital. Talvez pudesse ir à cidade por algumas horas antes de levá-la de novo para casa — olhou para mim esperançoso.

Eu sabia que essa poderia ser a minha chance. Daria a oportunidade de que eu precisava para expor sua mentira, provar acima de qualquer dúvida que Pammie tinha enganado cruelmente todos ao seu redor, incluindo seus dois filhos amados. Mas também sabia o risco que corria e as potenciais consequências das minhas ações. Valia a pena? Eu não poderia salvar Rebecca, mas poderia me salvar. Assim que essa ideia passou pela cabeça, eu já estava convencida.

— Claro — respondi casualmente, embora meu coração batesse acelerado. — Seria bom passar algum tempo com sua mãe. Não conte a ela. Deixe que seja uma surpresa.

Adam olhou para mim, cético, sabendo tão bem quanto eu que não haveria nada de agradável para mim naquela experiência. Eu tinha tudo planejado, e me senti confiante e no controle enquanto dirigia até Sevenoaks, meu desejo de desmascará-la era muito maior do que o medo que eu tinha carregado nas últimas semanas. Mas, enquanto caminhava pela entrada da casa, toda a minha resolução desapareceu, e senti como se uma mão inspecionasse o meu estômago, puxando todo o conteúdo para fora. Lutei contra essa sensação, recusando-me a desanimar.

— Pamela! — exclamei enquanto ela abria a porta. Ela olhou ao meu redor, esperando ver Adam caminhando pela entrada. — Surpresa! — disse eu, animada. — Aposto que não esperava me ver.

— Onde está Adam? Achei que ele me levaria hoje — disse ela, ainda procurando ao redor.

— Não, ele precisou trabalhar, então temo que você só possa contar comigo hoje.

— Bem, não há necessidade. Posso ir até lá sozinha.

— Não seja boba — cantarolei. — Estou aqui agora, então vamos indo. Não queremos nos atrasar para o seu compromisso.

Observei enquanto Pammie remexia sua bolsa, sua cabeça distraída pela minha chegada inesperada. Ela não conseguia encontrar as chaves, ou lembrar qual livro estava lendo. Sorri enquanto escutava suas divagações.

Ela não disse outra palavra sequer até pararmos no hospital e eu sair do carro.

— O que está fazendo? — perguntou ela. Eu podia ouvir o pânico em sua voz. — Aonde você vai?

— Só vou entrar com você. Adam disse para ter certeza de que você chegou bem.

— Sou perfeitamente capaz de fazer isso sozinha — zombou Pammie. — Sei para onde ir.

—Sim, mas você estava cambaleando da última vez—eu disse em alto e bom tom, como se falasse com alguém com dificuldades auditivas.

— Não vou precisar da sua ajuda — disse ela, mal-humorada. — Sigo sozinha a partir daqui.

— Tem certeza? — perguntei. — Ficaria mais feliz em acompanhá-la.

Sorri enquanto ela pulou entorpecida do carro e seguiu o seu caminho através do estacionamento.

— Volto para pegá-la em algumas horas, então? — gritei, mas Pammie nem se importou em olhar para trás. Observei enquanto ela caminhava pela porta automática, na direção da recepção. Tinha feito o download do mapa do enorme prédio do hospital e vi que havia outras duas saídas, ambas nos fundos do lugar. Estimei que ela levaria de quatro a cinco minutos para navegar pelos vários corredores e departamentos em direção a qualquer uma das saídas. Pammie não sairia direto pela entrada, seria muito arriscado. Ela seguiria para uma das outras saídas – imaginei pela mais próxima do shopping center. Uma vez lá, poderia perder-se por horas, e essa era a razão pela qual eu precisava surpreendê-la antes que chegasse lá. Dei a volta no carro e fui em direção ao anel viário, pela rodovia estadual, por fim passei pelo Sainsbury's e entrei no estacionamento pago do centro da cidade. Fiz isso em menos de dois minutos.

Parei o carro onde pudesse ver a saída do hospital entre os carros estacionados e esperei. Minha boca estava seca, e eu tinha certeza de que estava esquecendo de respirar. Quando vi um flash cor de vinho, da mesma cor do cardigã dela, meu peito apertou enquanto buscava o ar.

Dei um murro no volante.

— Droga! — falei em voz alta, como se estivesse surpresa em vê-la, e repentinamente desejei que não tivesse visto. Por mais que soubesse que estava certa, a descoberta de que ela havia mentido sobre ter câncer fez tudo parecer muito mais complicado. Como eu contaria a Adam? Como ele reagiria? Acreditaria em mim? O que eu teria de fazer para provar que estava certa?

Fiquei lá sentada em silêncio. Não tinha pensado em muita coisa além desse ponto. Ela estava se aproximando demais da entrada do recinto e, se eu não me mexesse rápido, eu a perderia.

— Droga — falei de novo, enquanto tirava as chaves da ignição e abria a porta. Teria de me arriscar no parquímetro. Não havia tempo de pegar um tíquete.

Mantive uma distância razoável, seguindo seus movimentos. Não sabia o que estava fazendo, mas um senso iminente de terror começou a me esmagar enquanto percebia que teria de confrontá-la. Não havia sentido em fazer tudo isso se não a confrontasse. Tentei racionalizar, dizendo a mim mesma que poderia levar essa informação para casa e lidar com o assunto a partir daí, mas já sabia, enquanto pensava, que esse curso de ação não levaria a nada. Eu teria que lidar com isso aqui e agora.

Eu a segui por vinte minutos, saindo e entrando de lojas, escondendo-me atrás de pilares. Meu coração apertou quando a vi desaparecer dentro de um Café Costa.

— Apenas sente e observe a situação — disse para mim mesma, quando a segui cinco minutos depois.

O alívio me inundou quando a vi sentada de costas para a frente do café, dando outra chance de recuar, outros dez segundos para mudar de ideia.

— O que a senhora deseja? — perguntou a alegre barista.

Tarde demais.

— Um cappuccino para levar, por favor.

Olhei para Pammie, imaginando que ela devia ter ouvido a minha voz, mesmo sabendo que era quase impossível ouvir qualquer coisa sob o ruído do espumador de leite.

Não tomo café com açúcar, mas fui até o balcão de adoçantes para que desse de cara com Pammie quando saísse. Precisava parecer uma coincidência feliz.

— P... Pamela? — fingi gaguejar, enquanto me aproximava da mesa dela.

Ela olhou para cima, e a cor sumiu do seu rosto instantaneamente.

— Emily? — perguntou, como se esperasse que eu respondesse "não".

— Meu Deus, que surpresa! — disse, fingindo espanto. — Terminou mais cedo no hospital?

Observei enquanto sua cabeça e sua boca lutavam por controle, procurando as palavras certas.

— Cheguei muito tarde — disse ela. — Parece que a sessão estava agendada para esta manhã.

— Ah, é mesmo? — perguntei. — Isso é estranho.

— Sim, eu preciso voltar amanhã.

— Eles não avisaram com antecedência que seu horário havia mudado? — perguntei.

— Parece que mandaram uma carta... pelo correio — a voz dela falhou, e eu tive uma satisfação doentia com seu óbvio desconforto. Achei que estaria mais preparada do que isso. Preparada para essa eventualidade, caso acontecesse.

— Sério? Que estranho que você não tenha recebido.

Por quanto tempo eu manteria essa farsa? Puxei a cadeira oposta a ela e me sentei.

— Devo contar a você o que realmente está acontecendo aqui?

Ela olhou para mim, os olhos parecendo aço, desafiando-me a desistir.

Eu me inclinei sobre a mesa.

— O que acontece é que, em primeiro lugar, você nunca teve câncer, não é?

Parecia que tinha levado um tapa no rosto.

— O quê? — disse ela. — Que coisa cruel de se dizer.

Ignorei as lágrimas surgindo nos olhos dela. Estava acostumada com o drama. Pammie podia chorar à vontade.

— Você vai mesmo continuar com isso? — perguntei incrédula.

— Não sei o que está sugerindo — disse. — Não sei do que está falando.

— Eu acho que você sabe — disse. — Você nunca teve uma sessão de quimioterapia, teve?

— É claro que tive — disse. A voz subiu de volume. — E terei outra amanhã.

— Não, não vai, e sabe como eu sei? — disse, blefando. — Porque fui até lá e nunca ouviram falar sobre você.

Pammie enxugou uma lágrima e riu, irônica.

— Acredite no que quiser.

— Ah, sei no que acredito — respondi, sentindo-me um pouco desconcertada. Aquilo não estava acontecendo como eu tinha imaginado. — E me pergunto: o que Adam vai pensar sobre tudo isso?

Lágrimas escorreram pelo rosto dela.

— Ele não precisa saber — sussurrou Pammie.

Agora sim.

— Você não faz ideia de quanto tempo esperei por isso. Quanto esperei para mostrar a todo mundo como você realmente é.

— Você não pode contar a ele — disse ela, enquanto fechava os olhos. Os cílios molhados se aglomeraram. — Seria o fim de...

— Seria o fim das suas mentiras e armações. Ele verá quem você é de verdade, e não a mãe perfeita que finge ser.

— Você não pode contar a ele — repetiu.

— Apenas me observe — disse, empurrando a cadeira para trás e levantando. — Apenas observe.

Comecei a me afastar na direção de uma nova vida sem ela. Ousei imaginar no que meu mundo estava prestes a se tornar: livre do estresse e cheio de amor. Sequer havia passado por ela quando Pammie disse:

— E como *você* vai explicar o James?

Congelei.

— O quê?

— Como você vai explicar ao seu noivo que tem encontrado o irmão pelas costas dele?

Meu sangue gelou enquanto meu cérebro rastreava James: onde nos conhecemos, o que dissemos. Ninguém poderia ter nos visto, poderia? O que Pammie sabia? Eu imaginava se ela percebeu que todos os olhares duravam mais do que deveriam, ou, que sempre que nos víamos, o beijo no rosto era um pouco mais suave. Não era nada, mas significava tudo.

Ela estava blefando, atirando no escuro. Olhei para ela e, apesar do fluxo de imagens que bombardeavam minha visão, mantive o olhar firme.

— Você está sugerindo honestamente que há algo entre mim e James? — questionei com meia risada.

Ela assentiu.

— Ah, eu tenho certeza disso. E você sabe como eu sei? — disse, virando a mesa. — Porque eu disse a ele para fazer isso.

37

Fiquei acordada a noite toda, alternando entre chorar no sofá e vomitar no banheiro. Como minha vida tinha chegado a isso? Finalmente encontrei um jeito de destruí--la, derrubá-la de uma vez por todas, mas ainda assim à custa de mim mesma. Eu não poderia vencer essa, e ela sabia.

Além da raiva intoxicante e da repulsa asquerosa que sentia por Pammie pelo que fez com Rebecca, eu também estava profundamente triste ao pensar nas tentativas frustradas de sedução de James, em um esforço para me enredar e agradar a mãe psicótica. Como ela o manteve à disposição? Por que ele estaria preparado para fazer isso? Era como se ela tivesse algum tipo de controle sobre os dois filhos, do tipo que nenhum deles estava preparado para quebrar.

Eu me senti violada. A própria ideia de James vindo a mim sob instruções da mãe me fazia sentir suja e desrespeitada. Não havia nada que Pammie não fizesse para me arrancar de suas vidas.

Adam havia dormido profundamente a noite toda e, quando acordou, foi até a sala, deu uma olhada em mim e disse:

— Você parece um caco.

Eu não tinha energia para responder.

— Você quer café? — perguntou.

Balancei a cabeça. Não conseguia pensar em nada pior.

— O que há? — perguntou ele, enchendo sua caneca com água quente. — Você acha que é gripe ou algo assim?

Esfreguei os olhos: o rímel do dia anterior ainda estava borrando, mesmo depois de todas as lágrimas que chorei.

— Eu realmente não sei — respondi. — Sinto-me envenenada.

— O que comeu ontem? Comeu alguma coisa com a minha mãe?

Balancei a cabeça.

Adam se aproximou e se sentou ao meu lado no sofá, bebericando ruidosamente de sua caneca. O cheiro de café penetrou minhas narinas e eu coloquei a mão sobre a boca em uma tentativa fútil de agarrar o vômito que se projetou sobre a mesa de centro.

— Jesus! — gritou Adam, pulando do sofá, derramando o líquido repugnante no tapete.

— Ai, meu Deus, sinto muito! — eu falei, ainda que, mesmo quando pronunciava as palavras, eu me perguntasse por que meu primeiro pensamento era me desculpar. — Dê-me um minuto. Vou ao banheiro resolver isso.

Minha garganta queimava da bile quente, e lágrimas escorriam dos meus olhos enquanto eu batalhava para parar o vômito. Como uma mulher de sessenta e três anos fez meu corpo e minha mente falharem assim? Eu era uma mulher forte que nunca levava desaforo para casa, que seguia em frente em qualquer situação. Como uma coisa daquelas tinha acontecido comigo? Desafiava a lógica.

Eu ainda abraçava a porcelana quando me ocorreu que a raiz do meu estado físico poderia ser de fato algo mais lógico. Meu cérebro batia contra as paredes do crânio só de pensar na hipótese.

Foi necessária toda minha determinação para que eu me arrastasse até a cidade, não porque sentia a morte se aproximando, mas porque outra possibilidade muito real estava atormentando a minha cabeça. Comprei um teste de gravidez de preço exorbitante na farmácia da estação Charing Cross e gastei mais cinquenta centavos por um cubículo no banheiro para fazer xixi no teste. Pensei em caminhar até o trabalho enquanto os produtos faziam efeito, mas eu nem havia colocado a calcinha quando uma proeminente linha azul apareceu na janela de leitura. Minha visão embaçou enquanto tentava ler as instruções outra vez, procurando a pergunta "Uma linha significa que estou grávida ou não?", esperando contra todas as chances que fosse a última.

Liguei para Pippa enquanto eu me debatia repetidamente contra a catraca para sair do porão da conveniência. Uma garota com cabelo azul e goma de mascar na boca me observou com uma expressão tola enquanto eu tentava, por quatro vezes, passar por ali, meu humor se desgastava em cada tentativa.

— Esta é a catraca de *entrada*.

— Ótimo — disse eu, sarcástica.

— O que é? — perguntou Pippa, quando finalmente atendeu o telefone.

— Estou grávida — respondi fraca.

— Oh, merda! — disse ela. — E isso é ótimo como?

— Não, isso não é ótimo, eu estava falando com... Ah, esquece. Droga, Pippa, eu estou grávida.

— Bem, isso é uma surpresa — respondeu ela, lentamente.

— Quer dizer, que diabos...? — Minha cabeça não conseguia dimensionar o que estava acontecendo. Pippa permaneceu quieta do outro lado da linha até eu chegar à rua Strand.

— Como isso aconteceu? Poderia acontecer? — perguntou ela.

— Claro que não — esbravejei, ainda que não fizesse ideia do motivo de eu esbravejar com ela.

— Achei que você estava tomando pílula — disse Pippa.

— Eu estava. Eu estou. Mas esqueci de tomar por um tempo, quando as coisas do casamento explodiram. Provavelmente esqueci, sei lá, por uma semana, talvez mais. Adam não estava em casa, e eu não pretendia dormir com ninguém tão cedo, então...

— Então, o que foi? — perguntou ela. — Imaculada concepção?

— As coisas nos pegaram de surpresa uma noite, a primeira noite que nós... você sabe...

Gemi ao me lembrar de meu comentário para Pammie, sobre como eu poderia estar grávida com todo o sexo de reconciliação que tivemos. Jesus.

— Mas eu pensei que você queria remarcar o casamento para o mais breve possível...

— Eu queria, mas não posso agora, posso? Nunca vou conseguir reorganizar tudo antes que a barriga comece a aparecer. Não quero entrar na igreja grávida de sete meses. Ah, Deus, Pippa. Não consigo acreditar nisso. É demais. — Comecei a chorar, e o motorista do delivery que estava estacionando ao lado do correio perguntou se eu estava bem. Dei um meio sorriso.

— O que o Adam disse?

— Ele não sabe. Eu acabei de fazer o teste na Charing Cross. Espera um pouco. Ligo de volta.

Corri para a lixeira mais próxima e enfiei a cabeça. Ver uma caixa do KFC com ossos de frango mastigados só deixou dez vezes pior. Pedestres passavam por mim sem saber se deveriam seguir reto ou diminuir o passo, mas todos pareciam enojados.

— Você está bem? — perguntou Pippa, quando atendi o celular.

Resmunguei.

— Esse som era eu vomitando em uma lixeira de rua.

— Ah, que elegante — brincou ela. — Mas, sério, o que você vai fazer a respeito?

— Vou contar para Adam hoje à noite e falaremos a respeito. Honestamente, Pippa, não consigo dizer o quanto isso bagunça minha vida.

— Não, não bagunça, isso é uma bênção.

— Quero dizer, tudo — continuei. — Tudo ao meu redor é uma droga. Como posso pensar em ter um bebê quando Adam e eu ainda temos problemas para resolver? O que ele vai pensar? Ah, Deus!

— Acalme-se — disse Pippa. — Isso pode ser o que os dois precisavam. Certamente, vai mostrar a *ela* que não pode mais brincar com você. É como levantar dois dedos para ela.[14] — Pippa deu uma risadinha sarcástica.

Entendi o sentimento, mas sabia que a realidade de ter um bebê que fosse neto de Pammie significava que estaríamos unidas para todo o sempre. A ideia me aterrorizava.

---

[14] Mostrar o dedo do meio e o indicador com a palma virada para o sinalizador é considerado um insulto na Inglaterra. (N.T.)

— Honestamente, não consigo acreditar, Pip — eu disse. — O que vou fazer?

— Certo, um passo de cada vez. Fale com Adam hoje à noite e, quando soubermos como ele reage à notícia, saberemos o que fazer. Certo?

Assenti muda.

— Certo, Em?

— Sim, vou tentar e ligo para você depois, se eu puder. Se não for possível, ligo amanhã de manhã.

— Legal — disse ela. — Ligue quando puder.

Terminei a ligação e sequer me dei conta de que não estava indo em direção ao escritório. Passei direto pela Old Compton Street.

Cometi tantos erros no trabalho quando finalmente cheguei que meu chefe, Nathan, perguntou se eu não queria ir para casa mais cedo. Percebi então, enquanto ele falava comigo, que não tinha tirado nenhuma folga desde toda a história do casamento. Tinha meus dois dias de folga normais por semana, mas não aceitei a oferta de Nathan de tirar uma semana de férias, que seriam a segunda metade da minha lua de mel, afirmando que estava bem e só queria seguir em frente. Eu me ocupei como nunca, descartando o drama do meu casamento e tudo o que parecia acompanhar aquela história como se fosse um inconveniente ruído de fundo. Mas naquele momento, enquanto Nathan me encarava compreensivo, com a cabeça inclinada para um lado, finalmente entendi. Eu precisava de uma folga, um descanso da monotonia de ir e voltar do trabalho, dos clientes exigentes que pensavam que eram mais importantes do que os outros trinta com quem eu tinha de lidar, até mesmo do papo-furado dos colegas e da necessidade de manter a falsa aparência de que tudo estava bem no meu mundo. Não estava, e agora eu tinha um problema a mais. Um problema enorme.

— Podemos administrar as coisas por aqui — disse Nathan, encorajando-me quando percebeu minha hesitação.

Eu não queria que ele administrasse coisa alguma. Meu ego queria que todo o negócio desmoronasse se eu não estivesse lá.

— Vá! — ordenou ele. — Tire um tempo para você.

Eu precisava, mas não queria.

— Você soa como um *coach* motivacional norte-americano — disse eu, sorrindo.

— Se eu precisar pegá-la no colo e levar para fora, é o que farei — riu ele. — Saia daqui.

Apanhei a pomada labial, o Oyster Card[15] e um pacote de Digestives[16] de chocolate de cima da minha mesa e pendurei a bolsa no ombro.

— Você tem certeza? — perguntei uma última vez, enquanto me encaminhava para a porta.

— Vai! — gritou atrás de mim.

Ainda não eram quatro da tarde, então fui em direção à City pela linha Central, esperando encontrar Adam quando ele saísse do escritório. De alguma maneira, parecia que seria mais fácil contar a ele sobre o bebê em um território neutro, um bar ou um restaurante cheio, em vez da solidão de nossa casa. Eu esperava que a seriedade da situação parecesse menos real, menos aterrorizante.

— Ei — disse ele quando atendeu o celular.

— Ei — respondi, hesitante. — Vai sair do trabalho logo?

— Só estou terminando de digitar uma coisa, e então estarei de saída. Por quê? O que está acontecendo?

— Nada — disse. *Quando comecei a mentir com tanta facilidade?* — Estou em Bank, pensei se você gostaria de me encontrar para um drinque antes de irmos para casa.

— Ótimo, eu bem poderia tomar alguma coisa, meu dia foi uma droga. — Recuei. Talvez o dia dele já tivesse sido ruim o suficiente, talvez a notícia devesse ser dada em outra hora. Quando estivesse de cabeça mais aberta, mais relaxado. Imediatamente me castiguei por tomar a decisão por ele e prometi contar, apesar de tudo. O *meu* mês foi uma droga, mas isso não impediu ninguém de me chatear ainda mais.

---

[15] Oyster Card: cartão recarregável utilizado no transporte público em Londres. (N.T.)

[16] Digestives: bolacha inglesa que ajuda a digestão. (N.T.)

— Ótimo — disse Adam. — Encontro você no King's Head em dez minutos?

— Perfeito. Vejo você lá, então.

Cheguei com seis minutos de antecedência, tempo suficiente para tomar um drinque e acalmar os nervos.

— Eu gostaria de uma taça grande de Sauvignon Blanc, por favor — eu disse ao barman. Observei enquanto ele tirava uma taça do *rack* acima do bar, caminhava até a geladeira embaixo do balcão e media um grande tonel de néctar âmbar. Foi apenas quando ele a colocou na minha frente, e o doce aroma alcançou minhas narinas, que a estrondosa percepção de que eu carregava um bebê me atingiu.

— Ah... E eu também gostaria de um suco de tomate para acompanhar, por favor? — pedi, quase me desculpando. Ele olhou ao redor, deduzindo corretamente que eu estava sozinha.

— Essa é uma mistura interessante — comentou ele.

Sorri e balancei a cabeça. Deus, os próximos nove meses seriam assim? Andando por aí com o estômago parecendo uma máquina de lavar e o cérebro cheio de algodão?

— Oi, linda — disse Adam quando veio até mim e me beijou no rosto. — Está se sentindo melhor? — Balancei a cabeça, mas ele já estava pedindo um drinque. — Uma cerveja Fosters, por favor, colega.

Sorri de forma estranha enquanto ele esperava, agradecida por mais alguns minutos antes de bombardear o mundo do Adam. Observei-o dar três grandes goles da cerveja como se fossem água. Ele poderia precisar de mais uma bebida antes do que pensava.

— Tenho de contar uma coisa para você — comecei.

Adam olhou para mim e pegou minhas mãos.

— Ah, meu Deus, você não está doente, está? — perguntou, o pânico estampado em seu rosto. — Porque se você estiver, realmente não acho que posso enfrentar.

Engraçado como a possibilidade de eu estar doente era algo que o afetava mais do que a mim. Eu não tinha percebido isso antes.

Balancei a cabeça.

— Não, eu estou bem, nós estamos bem.

— É claro que estamos, não?

— Não você e eu — disse eu devagar, enquanto esfregava minha barriga. — Este aqui e eu.

— Desculpe, não estou entendendo — disse Adam, franzindo a testa.

— Estou grávida — falei baixinho, ainda que parecesse que eu estava gritando para o pub todo ouvir.

— O quê? — indagou Adam.

Observei a reação mudar de confusão para raiva, para alegria e de volta para confusão, tudo em meio segundo.

— Você está grávida? Como?

— Ah... você precisa mesmo que eu explique? — perguntei.

— Mas eu pensei que você... Achei que estávamos nos prevenindo.

— Nós estávamos, bem *eu* estava, mas me esqueci alguns dias depois do cancelamento, sabe, com tudo aquilo que estava acontecendo. Não me importei com isso.

— Quantos dias você esqueceu? — perguntou, como se isso importasse.

— Eu não sei... Talvez dez dias, algumas semanas? Não consigo me lembrar. Mas independentemente disso, de uma maneira ou de outra, agora estou grávida.

— Mas não deveria ter pensado em ser mais cuidadosa?

Isso não estava saindo como imaginei. Ou talvez fosse exatamente o que eu esperava, no fundo.

— Então, o que vamos fazer? — perguntou ele, coçando a ponte do nariz.

Olhei para Adam, sem ter certeza da natureza de sua pergunta. Eu não achava que tínhamos uma opção. Obviamente, ele pensava que sim.

— Nada — disse, firme. — Eu vou ter o bebê.

Os olhos dele se estreitaram, e Adam ficou em silêncio pelo que pareceu uma eternidade.

— Certo — disse ele, finalmente. — Então essa é uma boa notícia, não é?

— Não tive tempo de digerir ainda, só descobri esta manhã, mas poderia ser bom, não poderia?

Ficamos parados ali, estupefatos, incertos sobre o que fazer ou dizer. Ele passou a mão pelo cabelo enquanto eu esperava seu próximo movimento. Honestamente, não tinha certeza se ele me abraçaria ou iria embora.

Adam não fez nada disso.

— Então, o que vamos fazer a respeito do casamento?

Senti como se pisássemos em ovos.

— Eu não quero casar enquanto estiver grávida, então suponho que teremos de esperar.

— Certo, está decidido então — disse Adam, sem entusiasmo, antes de me puxar para um abraço estranho. — Isso é ótimo.

Seu rosto contava uma história diferente de suas palavras, mas eu tinha de dar tempo para que Adam entendesse o que essa gravidez significava para ele pessoalmente e para nós, como um casal. Tive quase oito horas para digerir essa notícia transformadora, e Adam sequer tivera oito minutos, então permiti a ele algum tempo, dando-lhe o benefício da dúvida.

— Sim — respondi hesitante. — É.

38

Como estou? — perguntei, sem tirar os olhos de meu reflexo no espelho.

Adam veio por trás de mim, colocou as mãos na minha barriga crescente e beijou o meu rosto.

— Você está muito atraente.

"Atraente" não era como eu me sentia, mas era óbvio que Adam claramente achava que meu corpo mudando era chamativo, já que não tinha me deixado em paz nas últimas semanas. Enquanto eu lutava para acomodar meus seios imensos em algo que lembrava uma rede, às vezes o encontrava sentado na ponta da cama, observando com espanto e desejo.

Levou algum tempo para nos acostumarmos com a ideia da minha gravidez, e já havíamos brigado e então feito amor, geralmente tudo em uma única noite.

Apenas algumas semanas antes, tivemos uma enorme discussão sobre o que eu estava vestindo.

— Você não vai sair vestida assim — disse Adam, enquanto me observava colocar um vestido preto novo, pronta para uma noitada com Pippa e Seb. Eu o adorei quando o vi na vitrine da Whistles, já que seu formato ajustado abraçava meus quadris magros – minha barriga ainda não estava visível.

— Desde quando? — provoquei. — Você sabe que me ama em um tamanho pequeno e justinho, e a beleza desse vestido é que ele vai crescer comigo. — Estiquei a lycra para longe da minha barriga, para demonstrar o que eu dizia.

— Isso foi antes, mas agora — disse ele, severo —, não quero que saia vestida assim.

Virei o rosto para Adam.

— Você está falando sério?

Adam assentiu e desviou o olhar.

— Você está carregando meu bebê agora, precisa se vestir de acordo.

— E o que é "de acordo"? — eu ri. — Devo supostamente vestir uma tenda, mesmo que a gravidez ainda não esteja visível?

— Apenas mostre algum respeito — disse ele —, por mim e pelo bebê.

— Ah, dá um tempo, Adam. Você parece a sua mãe. Como eu escolho ou não um vestido não tem nada a ver com você. — Olhei para meu reflexo. — Esse vestido o teria deixado louco há alguns meses. Nada mudou, ainda sou a mesma, mas você está dizendo, honestamente, que estou sendo desrespeitosa?

Adam veio até mim, e então agarrou o meu pulso.

— Você está grávida e ainda assim se sente feliz por sair vestida como uma prostituta, não é? Você atrairá o tipo errado de atenção, e não quero um bêbado devasso dando em cima de você, quando nem deveria sair de casa.

— Ah, já ouvi o bastante — gritei. — Estou grávida de dois meses e não devo mais sair de casa? Não vou trocar de roupa.

Apanhei a minha bolsa e me dirigi para a porta do quarto.

Adam ficou ali, sua figura volumosa preenchia a cena.

— Saia da minha frente — disse a ele, soando mais controlada do que me sentia.

— Você não vai.

Meu coração estava batendo fora do peito, e minha garganta parecia seca. O começo de uma dor de cabeça tensional retumbava contra meu crânio.

Olhei para Adam, meus olhos imploravam para que saísse da minha frente, mas ele não se moveu. Foi uma batalha de desejos.

— Saia — repetia.

— Não.

Bati no peito dele com meus punhos cerrados.

— Saia da minha frente! — gritei, lágrimas de frustração corriam pelo meu rosto. — Juro por Deus, se você não se mexer...

Ele agarrou meus pulsos e me empurrou contra a parede. Achei que fosse cuspir mais ácido em mim, ou pior, erguer a mão, e me encolhi, preparando-me para o ataque. Mas pelo contrário, ele me beijou, a língua mergulhando fundo na minha boca. Eu não queria reagir. Queria mostrar que ainda estava fula da vida, mas não pude me conter. Adam rasgou minhas meias enquanto as arrancava, como um homem possuído, e gritei enquanto ele entrava em mim.

— Isso dói? — perguntou.

Balancei a cabeça. Ele então olhou para mim, como se estivesse me vendo pela primeira vez.

— Desculpe — disse, e repentinamente tudo sobre ele parecia ser gentil e dócil. — Não sei o que aconteceu comigo. Você está tão incrível, e... — gemeu, e senti as pernas dele dobrarem, enquanto encostava a cabeça no meu pescoço, procurando apoio. Ele estava ofegante. — Ainda vai sair? — conseguiu perguntar entre suspiros.

— Sim — disse, abaixando o vestido. Não tinha muita certeza sobre o que acabara de acontecer. Isso era normal? Como era possível duas pessoas brigarem e se atacarem, apenas para fazerem amor alguns minutos depois?

Eu saí, mas não me diverti. Não beber quando seus dois amigos estão tomando todas não torna a noite incrível. Talvez Adam tivesse razão: as coisas *estavam* diferentes e seriam diferentes para sempre.

Olhei no espelho, enfiando a blusa dentro da calça e então soltando-a outra vez. Com apenas três meses, estava cada vez mais difícil disfarçar minha barriga saliente, mas hoje não importava. Hoje, pela primeira vez, eu poderia exibi-la. Estava grávida e orgulhosa, mas apenas me sentia gorda.

— Nada me serve — choraminguei enquanto vistoriava meu guarda-roupa, procurando uma inspiração, mas ainda assim não havia o que escolher ali. Eu podia sentir que estava ficando cansada, e tinha um nó no meu peito.

— O que você está vestindo está ótimo — disse Adam outra vez, enquanto me observava lutar com cabides e jogar blusas e calças na cama. Ele poderia dizer isso até ficar roxo, mas eu não estava ótima, não me sentia ótima ou que qualquer outra coisa fosse ótima. Só queria desabotoar os botões restritivos da minha calça, deitar na cama e chorar.

— Precisamos mesmo ir? — resmunguei, soando como uma criança de três anos.

— Você não vê minha mãe há muito tempo, e precisamos contar a ela nossa novidade — disse ele, enquanto, no íntimo, resmungava.

— Não pode contar a ela pelo telefone? — implorei.

— Em, vamos ter um bebê, e ela será avó pela primeira vez. Não é algo que se possa contar pelo telefone. E não vai ser tão ruim. James vai estar lá com a nova namorada, então isso vai mexer um pouco na dinâmica.

Eu queria gritar. Como é que eu enfrentaria essa situação? Não via Pammie desde o fiasco do hospital e ignorei suas mensagens de voz. Adam a deixou na última sessão de quimioterapia e ficou animado quando Pammie ligou uma semana mais tarde para dizer que os médicos estavam muito satisfeitos com o seu progresso e que parariam o tratamento por enquanto. Sorri tensa enquanto ele me dava a boa notícia, todo o tempo controlando o desejo imenso de gritar: "Ela está mentindo!".

Apenas a ideia de vê-la me fez estremecer. Não me sentia enjoada há semanas, mas podia sentir a torção familiar em meu estômago como reação à perspectiva de estar no mesmo ambiente que ela. Meus nervos estavam sensíveis, à flor da pele.

Imaginei suas feições retorcidas enquanto, sem dúvida, provocava-me na frente de James, desafiando-me a enfrentá-la, pronta para atacar com o golpe mortal que sabia que destruiria tudo que eu tinha com Adam. Ou talvez fosse James a me pressionar. Eu me senti tonta enquanto imaginava, não pela primeira vez, a motivação dele para ter feito o que fez. Dizer o que disse. O que aqueles dois tinham a ganhar trabalhando juntos para me destruir e nos separar? James contou a ela a verdade? Que eu o rejeitei? Ou ele era um mentiroso, como sua mãe, e contou uma versão diferente dos fatos? De qualquer maneira, não importava. Pammie poderia fazer da minha vida um inferno e me tornar refém, mas o que planejava? Certamente, percebeu que não seria sábio vir para cima de mim, sabendo o que sei sobre ela, mas qual seria a importância disso? Adam e eu teríamos terminado antes que eu tivesse a chance de contar como Pammie tinha mentido cruelmente sobre ter câncer.

— Não me sinto bem para ir — disse a Adam —, sinto-me enjoada. Por que você não vai e conta a novidade?

— Vamos lá, Em, recomponha-se. Você está grávida, e não doente. Serão algumas horas em um restaurante legal e então iremos embora. Tem certeza de que não consegue fazer isso?

Honestamente, não sabia como poderia me sentar ao lado de Pammie, Adam, James e a namorada sempre amedrontada e esperando a granada explodir. Quem de nós tiraria o pino primeiro ainda não estava claro.

— Vou cuidar de você — declarou Adam, como se lesse a minha mente. — Não será tão ruim.

Lágrimas brotaram dos meus olhos quando percebi que a pessoa que estava ao meu lado poderia ser roubada de mim a qualquer momento que Pammie escolhesse.

39

xcepcionalmente, Pammie já estava no restaurante, sentada à mesa, rindo de algo com James e a namorada enquanto andávamos até eles. Já me sentia como a estranha no ninho, de quem todos estavam rindo.

Pammie se levantou para nos cumprimentar.

— Querido — disse a Adam —, como é bom ver você!

Sorri, tensa.

— E Emily. Querida Emily, você está... — deu um suspiro proposital enquanto seus olhos me percorriam de cima a baixo — encantadora.

Adam me ajudou a tirar o casaco.

— Oi, Em, essa é a Kate — disse James, desajeitado. Ele se inclinou para um beijo, e usei toda a minha força de vontade para não me afastar dele. Dei a mão para Kate quando apareceu na minha vista. Era alta, loira e magra, e senti meu coração partir um pouco.

Eu sorri.

— Prazer em conhecê-la.

— Prazer em conhecer você também — respondeu. — Ouvi muito sobre você.

Eu quis dizer "Ouviu o quê?", mas, em vez de disso, dei a resposta-padrão:

— Só coisas boas, espero. — Ninguém responde a isso, mas mesmo assim é uma das únicas perguntas retóricas para a qual todos esperam uma resposta.

Rimos entre nós, enquanto Adam procurava um cabide.

— Então, como vão as coisas? — perguntou James, por fim. — Ocupada no trabalho?

Eu não o via desde o jantar de casamento para a cerimônia que nunca aconteceu. O cabelo dele estava mais comprido, a franja caindo sobre um dos olhos, os fios clareados pelo sol chegando a um tom de loiro escuro. Presumi que o bronzeado intenso se devesse aos dias passados cuidando dos jardins na Inglaterra, mas percebi que Kate também tinha cor no rosto. Meu coração encolheu quando imaginei que viajaram para um lugar romântico, uma vila ou um hotel privado na Itália ou na França, talvez, e que passaram os dias na piscina e as noites fazendo amor. Tentei banir esse pensamento, odiando-me por ainda me importar, mesmo depois do que ele fez.

— Sim, tudo bem — respondi. — Parece que você esteve fora.

— Fomos à Grécia — disse Kate, animada. — Foi incrível, não foi? — olhou para James, que devolveu o olhar e pegou sua mão. Será que Adam e eu nos olhávamos assim?

— Aqui está o grande homem — disse James, quando Adam se aproximou sorrindo para nós.

Apertaram as mãos enquanto Adam era apresentado a Kate, e acompanhei uma tentativa de cumprimento estranha, porque ele deu dois beijinhos enquanto ela esperava apenas um. Podia sentir uma ponta de embaraço entre os dois. Kate era toda sorrisos, e puxei conscientemente minha blusa desalinhada, desejando que estivesse usando o vestido pelo qual Adam e eu brigamos há algumas semanas. Ao menos, então, poderia começar a competir.

— Ela não é deslumbrante? — sussurrou Pammie, enquanto estava ao meu lado, observando-os. — Ela tem tudo.

Eu não reagi. Continuei observando os dois homens caídos por ela. Isso seria pior do que eu imaginei.

— Então, qual é a novidade? — perguntou James, finalmente me trazendo de volta à conversa.

— Bem, vamos apenas pedir uma garrafa de vinho e eu conto — disse Adam, chamando o garçom.

— Parece algo mortalmente sério — riu James.

— Nem um pouco — disse Adam. — Na verdade, temos uma grande notícia.

Observei o rosto de Pammie, os músculos contraindo enquanto se esforçava para parecer sem expressão.

— Ah, sim? — conseguiu dizer. — Marcaram uma data nova para o casamento?

— Não exatamente — disse Adam. — As coisas evoluíram. — Ele olhou para mim e pegou minha mão, e dei a ele o meu maior sorriso vitorioso.

— Ah, parece excitante! — animou-se Kate.

Adam olhou ao redor da mesa e sorriu.

— Bem, vamos ter um bebê — disse.

James ficou boquiaberto. Kate reluziu batendo palmas e Pammie ficou lá sentada, impassível, com a papada contraída.

— Nossa, gente, isso é incrível! — disse James. — Isso é muito legal. Uau!

— Está de quanto tempo? — perguntou Kate. — Quando vai nascer? Sabe se é menino ou menina?

Rebati as perguntas com a mesma rapidez.

— Três meses. Primavera. Não.

James apertou outra vez a mão de Adam e deu a volta na mesa para me dar um beijo.

— Parabéns! — sussurrou, e meu corpo enrijeceu.

— Mãe? — disse Adam, ainda esperando uma reação.

— Bem, é que é um choque — disse, lamuriosa. — Um choque bom, mas um choque de qualquer forma. — Ela tentou sorrir entre as lágrimas que não alcançaram seus olhos. — É uma notícia maravilhosa, filho, de verdade. — Pammie não estava tentando se levantar, então Adam foi até ela. Não me importei. Ela se pendurou nele, como uma lapa.[17]

— Mãe, você deveria estar feliz, e não chorando — riu ele. — Ninguém morreu.

— Eu estou bem, filho — disse ela, dando uma fungadela. — Terei que me acostumar a ser avó. Estou feliz por você, estou mesmo.

_____

[17] Molusco aquático. (N.T.)

Pammie se desprendeu do abraço de Adam e capturou meu olhar. Eu não queria olhar para ela. Mas forcei aquele sorriso outra vez, para fingir para o mundo que tudo estava bem, e fixei meu olhar no dela. Senti um baque. A raiva e a fúria que esperava ver não estavam ali. Tudo que encontrei foi medo.

— Ainda sobre boas notícias — disse ela, desviando o olhar do meu. — James também tem algo para nos contar, não tem, querido?

Ele sorriu, enquanto sua mão procurava pela de Kate outra vez.

— Sim, eu pedi Kate em casamento e ela aceitou.

Um fluxo repentino de sangue quase fez minha cabeça explodir.

— Isso não é maravilhoso? — disse Pammie, deliciada, enquanto ia ao outro lado da mesa para pegar nas mãos de James e Kate. — Seremos grandes amigas, já posso ver.

Olhei para Kate, procurando por algum reconhecimento, um sinal de que éramos espíritos semelhantes lutando furiosamente contra o poder de Pammie. Mas não havia nada além de devoção inocente nos olhos dela e uma crença distorcida de que Pammie dizia a verdade.

Eu não sabia de quem sentir mais pena. De Kate, com sua ingenuidade desavisada, alegremente inconsciente de como essa mulher, que se proclamava sua amiga, estava prestes a se tornar sua arqui-inimiga, ou de mim, cuja vida Pammie já havia tentado destruir. Eu era uma sombra do meu antigo eu, insegura e paranoica, tentando me manter em pé pelo amor de um homem em quem esperava me apoiar quando tudo fosse pelos ares.

Observei Kate que se aninhava no abraço de James cheia de animação e paixão. Pammie estava certa. Aquela garota tinha tudo, e eu quis ser como ela. Lembrei-me de uma época, não há muito tempo, quando eu era tomada pelo encanto de um novo relacionamento, aproveitando cada momento de minha vida sem nunca pensar que alguém, muito menos a mãe de Adam, poderia causar toda a dor que me causou.

— Vamos pedir uma taça de champanhe para celebrar! — exclamou Pammie, puxando o saco.

Ninguém perguntaria o motivo da pressa deles? Como poderiam ter certeza de que desejavam passar o resto das suas vidas juntos, quando se conheciam há apenas alguns meses? Com certeza Pammie interviria, faria seu ato, como fez comigo – mas ela permaneceu imperturbável. Observei enquanto ela servia quatro taças de champanhe, e ofereceu a todos, menos a mim.

— Parabéns! — disse Pammie, erguendo sua taça. — A James e Kate!

Olhei para James. Os olhos dele saltavam do irmão para a mãe e de volta para Adam sem jamais se concentrarem em mim, que estava entre os dois.

— Mãe, Emily pode tomar uma taça? — perguntou Adam.

— Ah, desculpe. Eu não achei que quisesse — disse ela. — Achei que não deveria beber quando se está grávida. Bem, não era permitido na minha época.

— Os tempos mudaram — eu disse, seca. — Quero um pouco, obrigada.

— Um brinde ao bebê Banks! — disse James.

Fechei os olhos e saboreei aquele primeiro gole, a efervescência estourando na minha língua.

— Bem, já marcaram a data? — perguntou Pammie, animada.

— Bem, estávamos pensando na primavera do próximo ano, se conseguirmos nos organizar a tempo — disse James.

— Ah, a tempo de o pequeno nascer — disse Pammie, inclinando a cabeça na direção da minha barriga. Sorri para mim mesma, sabendo que então ou eu estaria do tamanho de um ônibus, ou teria um bebê agarrado ao peito. Nenhum cenário faria me sentir muito glamorosa.

— Tenho um álbum de recortes em casa, cheio de fotos — disse Kate. — Eu o tenho desde os nove ou dez anos. Algumas pessoas pensam que sou um pouco maluca. — Ela deu uma risadinha. Outra vez, recuei, esperando o desdém de Pammie, mas nada aconteceu.

— Isso é tão fofo! — disse ela, ao contrário do que eu imaginava. — Fiz exatamente isso quando era jovem. Mostrei ao meu Jim, e ele prometeu que eu poderia ter tudo aquilo.

Kate sorriu para ela.

— Bem, então mostre-nos o seu anel — disse Pammie.

— Fiquei tão surpresa — disse Kate, enquanto empurrava um solitário de diamante na nossa direção. — Não fazia ideia.

— Estou mesmo muito feliz por você — disse Pammie, acolhedora. — Bem-vinda à família.

Eu estava perdendo alguma coisa aqui? Senti que estava me intrometendo no momento especial entre uma mãe e uma filha. Pammie foi assim comigo, alguma vez, no início?

Pensei em nosso primeiro encontro na casa dela, quando ela enfiou o álbum com a foto de Rebecca no meu nariz. Ela quis que eu visse, ficou fazendo joguinhos comigo, ousando questionar-me sobre coisas das quais eu não queria saber a resposta. Ela plantou uma semente e sentou para observar o crescimento, esperando que, durante esse tempo, se tornasse demais para lidar com as consequências. Pammie pensou que poderia me deixar de lado, como tinha feito com Rebecca, mas errou ao calcular meu amor por Adam. Eu o amo mais do que a vida e sei que não há nada que ela possa fazer para tirar isso de mim.

40

Prometo que não será nada exagerado — disse
Pippa, quando franzi o nariz para um chá de
bebê. — Apenas alguns amigos, alguns balões e
muito *prosecco*.

Revirei os olhos e apontei para minha barriga imensa.

— Ah, é claro — disse ela, como se de repente percebesse meu dilema. — Apenas *alguns* amigos, *você* é o balão e *eu* beberei o *prosecco*!

Duas semanas depois, ela e Seb apareceram no meu apartamento com uma torre de cupcakes cor-de-rosa e uma faixa de três metros de comprimento onde se lia: "Futura Mamãe". O "clube da luluzinha" prosseguiu, com exceção de Pammie, que não tinha sido convidada.

— Não acha louco que a avó do seu bebê não venha, mas a mulher que dormiu com o seu ex-namorado sim? — observou Pippa alguns dias antes. — Você não poderia imaginar.

Eu precisava concordar com ela; nunca poderia imaginar Charlotte na minha vida outra vez, mas agora as coisas são diferentes. Eu estou grávida e uma parte de mim quer dividir isso com ela.

— Ei, como se sente? — Charlotte perguntou quando passou pela porta, carregada de guloseimas cor-de-rosa. Ela me puxou contra seu corpo e me prendeu em um abraço por um bom tempo, como se nunca quisesse que eu me afastasse.

— Gorda! — eu ri.

— Gorda e maravilhosa — juntou-se Seb, enquanto se espremeu entre nós ao chegar.

Eles beberam gim, enquanto minha mãe e eu embebíamos bolachas recheadas em nossa xícara de chá.

— Nunca mais vou beber — disse ela, quando Pippa ofereceu um *prosecco*. — Não depois do fim de semana da despedida de solteira.

Nós todas rimos com a memória de minha mãe saindo do quarto às onze da manhã, depois da farra no BJ's, reclamando porque nós a deixamos dormir demais, antes de perguntar se tínhamos os ingredientes para fazer um sanduíche de bacon.

— Ah, o que Gerald vai pensar sobre isso? — resmungou, enquanto se retirava em busca de comida caseira em uma cozinha desconhecida.

— Então presumo que não ouviu nada sobre Pammie desde que contou que está grávida? — perguntou ela baixinho, enquanto os outros jogavam "Adivinhem o peso do bebê".

Balancei a cabeça.

— Ela ligou algumas vezes e deixou mensagens de voz pedindo que eu retornasse as ligações, mas além disso...

— E você não retornou? — perguntou mamãe. — Não ligou para Pammie, quero dizer?

— Não. Não tenho nada a dizer para ela — disse.

Minha mãe assentiu. Eu havia lhe contado tudo sobre a briga no café, menos a parte sobre James. Não queria que ela pensasse mal de mim e não podia explicar a situação sem correr esse risco. Seb e Pippa sabiam e, por mais que tentassem me convencer de que não fiz nada de errado, ainda me sentia constrangida.

Estávamos assistindo ao filme *O que esperar quando você está esperando*, encolhidos sob edredons, quando ouvi a porta da frente bater com força, e meu coração afundou um pouco enquanto ouvia os passos pesados subindo as escadas. Eu podia arriscar um palpite do quanto Adam estava bêbado por aqueles primeiros passos, e raramente eu me enganava.

— Ei, ei, ei! É o encontro anual das parceiras — anunciou, falando alto. Captei um brilho no olhar enquanto inspecionava a sala e parou em Seb. Tive certeza de que vi seus lábios se contorcerem de desgosto.

— As senhoras estão se divertindo? — continuou Adam, dando ênfase à palavra "senhoras".

Todos murmuraram seus cumprimentos, rapidamente seguidos por reflexões como "Já está na hora?" e "Preciso ir".

Eu pude ver Seb se atiçar, lancei a ele um olhar de aviso e chacoalhei a cabeça.

— Adam, poderíamos conversar, por favor? — pedi, tentando me levantar do sofá com um empurrão extra de Pippa.

— Você está bem? — perguntou ela, discretamente.

Assenti. Entrei no nosso quarto sem dizer uma palavra, e Adam me seguiu.

— O que há de errado com você? — perguntei, equilibrada e calma.

— O que há de errado *comigo*? — disse, gargalhando para si. — Você é que tem *As Supergatas* ocupando a nossa sala. E vejo que *ele* está aqui de novo.

— Fale baixo.

— Esta é a minha casa, e eu vou falar no volume que eu quiser.

— Ah, cresça.

— E desde quando concordamos em anunciar o sexo do nosso bebê? — perguntou.

Ele obviamente não estava tão bêbado a ponto de não perceber os enfeites cor-de-rosa adornando a sala.

— Ainda não contei para a minha mãe, mas aqui está você, gritando para todos do telhado. É claro que se minha mãe tivesse sido convidada para essa bobagem de chá de bebê, ela poderia ter descoberto com o resto da turma, acho. — Adam olhou para mim com verdadeiro desdém, e eu me virei para sair do quarto.

— Não vou fazer joguinhos com você, Adam — avisei, farta. — Sua mãe não está aqui porque não a quero aqui, e o sexo do nosso bebê nunca foi um segredo. Suponho que, se fosse um menino, você ficaria mais feliz em dar a notícia.

Eu me lembrei de nosso ultrassom de vinte semanas há alguns meses e do olhar de decepção de Adam quando a ultrassonografista disse que apostaria em uma menina.

— Com que frequência você erra? — perguntou ele para ela, dando uma risadinha.

— Eu me esforço bastante para não errar — respondeu ela.

— Mas qual é a estatística? — pressionou Adam.

— Se tivesse que quantificar, diria que um erro em vinte. Algo do tipo. — Ele olhou para mim presunçoso, antes que ela acrescentasse: — Mas, no seu caso, tenho certeza de que pode começar a tricotar sapatinhos cor-de-rosa.

Vi os ombros dele caírem outra vez.

— Eu só acho que deveria ter alguma consideração por mim e pelos meus sentimentos quanto a… tudo isso… — disse ele, gesticulando violentamente pelo quarto.

— Ah, pelo amor de Deus, Adam, você parece uma criança — falei para ele, antes de sair dali.

Seb estava vindo em minha direção no patamar da escada, com o rosto carrancudo.

— Se me der licença — disse ele, enquanto passava por mim.

— Seb, por favor — pedi, agarrando o braço dele, mas, em vez de descer as escadas e ir embora, ele foi direto ao nosso quarto.

— Qual é o seu problema? — disse Seb, enfrentando Adam.

— Seb, esqueça isso — implorei, enquanto observava Adam se recompor em toda a sua estatura, a expressão incrédula. Puxei-o de volta, e Adam sorriu condescendente.

— Ora, não achei que você fosse capaz disso — rosnou Adam, ainda que eu não tivesse certeza de a quem ele se referia.

— Ela é boa demais para você — disse Seb, enquanto eu o empurrava para fora do quarto.

ouve uma sucessão constante de visitantes na casa quando voltei do hospital com Poppy. Meus pais, Pippa, Seb e até mesmo James, que apareceu com uma cesta cor-de-rosa cheia de coisas de bebê.

— Muito bem — disse James, afetuosamente, enquanto beijava minha testa, assim como Adam fez na sala de cirurgia quando tiraram Poppy de um corte na minha barriga. Nosso plano de um nascimento na água foi pelo ralo após as dezesseis horas de trabalho de parto resultarem em sofrimento fetal.

Eu recebi todos envolta em uma névoa; o tempo todo esperando, temendo a visita de Pammie. Ela não quis vir nos primeiros três dias porque estava gripada e não queria infectar o bebê. Mas eu desejava que ela acabasse logo com isso, para que eu pudesse relaxar e aproveitar o meu tempo com Poppy.

— Tudo bem se minha mãe vier amanhã? — perguntou Adam, assim que Pippa saiu pela porta. — Ela provavelmente vai passar a noite, e a levo de volta na manhã seguinte.

Suspirei.

— Estou exausta. Não pode levá-la de volta amanhã logo após o chá da tarde?

— Vamos, Em — disse ele. — É a primeira neta dela, e ela será a última a conhecê-la. Mamãe pode até ser útil.

Era exatamente isso que eu temia. Olhei para o rosto perfeito de Poppy, seus olhos grandes olhavam para mim, enquanto um tremor percorria meu corpo.

— Prefiro que sua mãe volte para a casa dela — pedi. — Por favor.

— Vou ligar para ela, ver como fica isso — disse ele. — Não vou oferecer se ela não perguntar.

Eu sabia antes mesmo de Adam voltar ao quarto que a conversa não foi como eu queria.

— Então, vou buscá-la perto do meio-dia e a levarei de volta na manhã seguinte.

— Você tentou — suspirei.

Se Adam me ouviu, não reagiu.

— Eu vou ao pub depois, brindar ao bebê e tudo o mais — disse ele. — Você não tem problemas com isso, tem?

Ele estava perguntando ou me informando? De qualquer modo, colocou de tal maneira que me faria parecer possessiva ou controladora se ousasse dizer sim.

— Por que essa cara? — perguntou, firme. — É só um drinque rápido, pelo amor de Deus.

Engraçado, nem havia falado nada, mas ele estava feliz em começar uma discussão, para se sentir vingado ao ir.

— Quando isso foi combinado? — perguntei.

Ele fez um som de desaprovação.

— Ontem. Mike sugeriu um drinque e todos os outros entraram na onda. É um rito de passagem.

Eu conhecia a tradição, claro, então por que Adam tentava se justificar só Deus sabe. Eu podia sentir meus pelos se eriçando, não porque ele ia sair, mas porque ele estava na defensiva a respeito. Ele sentia culpa e ainda assim tentava jogá-la em mim, fazendo-me parecer a vilã.

— Tudo bem, legal — concordei, indiferente. — Tente não demorar muito, pois posso precisar de ajuda para arrumar o apartamento para a sua mãe.

Quando Adam ainda não estava em casa à meia-noite, não pensei que seria irracional ligar. Poppy não estava se acalmando e, entre amamentar, embalar e dar banho, estava lutando para fazer o resto.

— Ligo depois — balbuciou ele, quando atendeu no quarto toque. Havia muito ruído de fundo, conversas, tilintar de copos e música alta.

— Adam? — O celular ficou mudo.

Dez minutos depois, ainda não tinha voltado a ligar, então liguei outra vez.

— Oi — foi tudo que conseguiu dizer quando atendeu. Soava mais quieto agora, e eu pude ouvir sua respiração cortada, como se estivesse tragando e exalando.

— Adam?

— Sim — disse, soando impaciente como se tivesse outro lugar para estar. — O que é?

Lutei para ficar calma, mesmo com Poppy gritando com toda a sua força, e meu novo cérebro de mãe lutava para manter tudo em perspectiva.

— Só estava pensando quanto tempo mais vai demorar — disse.

— Por quê? Estou perdendo alguma coisa?

Forcei uma respiração profunda.

— Não, só queria saber se devo ir para cama.

— Bem, você está *cansada*? — Podia dizer pelo seu tom de voz que tentava soar brincalhão.

— Sim, estou despedaçada.

— Então, o que está esperando?

— Esquece — respondi, sentindo minha paciência acabando. — Faça a porcaria que quiser.

— Obrigado, farei — eu o ouvi dizer antes de desligar.

Eu poderia ter reclamado e esbravejado, mas Adam estava bêbado demais para se importar, e só o teria chateado. Ele poderia ficar fora quanto tempo quisesse se fosse apenas incomodar. Seria um obstáculo se estivesse bêbado, e eu já tinha o bastante para me preocupar com a chegada iminente de Pammie.

Estranhamente, assim que acalmei Poppy, meu instinto foi andar pelo apartamento para ter certeza de que tudo estava pronto antes de ela chegar. Eu não queria que tivesse qualquer motivo para me atacar, para dizer que não estava fazendo o certo e que tudo que fazia era errado. Mas quando senti os puxões nos meus pontos, enquanto lutava para colocar a capa do edredom na cama do quarto de hóspedes, perguntei-me por que estava fazendo tudo isso. Ela não precisava de uma razão para me diminuir e solapar. Se não tivesse uma, inventaria.

Adam chegou em casa pouco depois das três da manhã e fez tanto estardalhaço que acordou Poppy, que então chorou para valer até a próxima mamada.

— Muito obrigada — rosnei, enquanto embalava o bebê, andando de um lado para o outro pelo quarto. Ele arrotou, grunhiu e virou de costas.

Não o vi por outras oito horas, quando ele acordou, tomou dois Alka-Seltzers, e disse:

— Eu me sinto péssimo. — E voltou para a cama outra vez.

Eu não podia fingir que não sentia uma minúscula lasca de satisfação enquanto o seguia até o quarto, escancarei as cortinas e disse:

— Bom dia, flor do dia! Você precisa sair da cama para buscar a sua mãe.

Adam deu o maior suspiro do mundo e, naquele momento, eu imaginei que temia a visita dela ainda mais do que eu.

Quando ele voltou com ela, o apartamento estava impecável. Poppy estava dormindo nos meus braços, e havia uma garrafa de café fresco. Eu me senti como uma mulher superpoderosa e presunçosa enquanto estava sentada na poltrona, esperando minha nêmesis, com uma almofada triangular de amamentação embaixo do braço dolorido.

— Ah, garota esperta — disse Pammie quando entrou na sala. — E não é que se saiu bem?

Ela não se importou em me cumprimentar, preferindo se concentrar em Poppy.

— Que bonita — murmurou. — Ela se parece tanto com você, Adam.

— Você acha? — respondeu ele, orgulhoso, sua voz ainda estava irritada. Ele a tirou de mim e a colocou nos braços de Pammie.

Cada parte de mim formigou, incitando a pegá-la de volta. Ela caminhou pela sala, de costas para mim enquanto olhava pela janela para a rua lá embaixo. Eu me aproximei como uma leoa, incapaz de tirar os olhos delas. Pammie estava sussurrando e a sacudia para cima e para baixo, mas eu não conseguia ver Poppy. Eu sabia que ela estava lá, é claro que estava, mas eu precisava vê-la, segurá-la.

— Eu a pegarei agora — disse, indo em direção a elas. — Preciso trocá-la.

— Mas eu acabei de pegá-la! — riu Pammie. — E o que é uma fralda suja entre a vovó e sua neta? — Ela olhou para Poppy como se esperasse uma resposta. — Eu nem consigo sentir o cheiro de nada e tenho certeza de que consigo trocar a fralda dela se precisar.

Olhei para Adam, implorando com os olhos para pegar o meu bebê de volta, mas ele apenas se virou.

— Alguém gostaria de uma xícara de chá? — perguntou.

— Eu gostaria, filho — disse Pammie. — Você mesma a alimenta?

— Sim — respondi.

— Se quiser tirar um pouco de leite, ficaria mais do que feliz em alimentá-la hoje à noite se você quiser. Para lhe dar um descanso.

Balancei a cabeça.

— Isso não será necessário.

— Bem, talvez eu possa levá-la para dar uma volta no carrinho? Para que você e Adam tenham algum tempo? Eu lembro como era difícil para mim e Jim quando os meninos chegaram. Tudo muda, e você tem de se esforçar em dobro para que as coisas funcionem. — Eu apenas sorri, tensa. — Ah, comprei uma coisinha para Poppy, se você não se importar.

— Por que me importaria? — perguntei, cansada.

— Bom, algumas mães ficam um pouco afetadas, não ficam? Sobre o que querem que o bebê vista e como querem que o bebê pareça. — Dei de ombros. — Mas eu tive de comprar quando vi, porque me fez rir tanto!

Pammie entregou uma sacola e observou enquanto eu puxava um minúsculo pijama branco.

— É adorável — forcei-me a dizer. — Obrigada.

— Espere, ainda não viu tudo — disse. — Olhe o que diz na frente.

Eu virei e ergui. "Se mamãe diz não, eu peço para a vovó" estava estampado no peito. Eu me encolhi.

— Não é uma graça? — riu Pammie.

Ela poderia também ter comprado uma medalha canina com *Devolva à vovó, se encontrar.*

— Olha o que a sua mãe comprou para a Poppy — disse a Adam, erguendo de frente para ele. — Não é uma graça? — Esperei que ele entendesse o meu sarcasmo. Adam sorriu para mim. — Eu fico com ela enquanto toma o seu chá — disse, indo de encontro à Pammie.

Ela riu.

— Eu mesma tive dois bebês, não esqueça, e ainda conseguia beber uma xícara de chá. Eu *posso* fazer duas coisas ao mesmo tempo, você sabe.

Os dois riram de mim. Segurei a respiração enquanto ela levantava a xícara de líquido quente até seus lábios, silenciosamente implorando para que não derramasse.

Assim que Poppy começou a chorar, eu estava em pé e pairando sobre Pammie, implorando para que a entregasse a mim. Em vez disso, ela enfiou o dedo na boca da Poppy.

— Meu Deus, Emily, você é como gato em telhado de zinco quente. Ela está bem, olhe, não vê?

— Eu preferia que você não fizesse isso — falei, com a calma que podia, enquanto meu interior borbulhava furioso.

— Só porque ela chora não quer dizer que esteja com fome — disse Pammie. — Às vezes, ela só quer conforto, e, se isso a acalma, então não pode ser ruim, não é?

— Eu não quero que dependa de uma chupeta — disse eu, calmamente. — E também não é muito higiênico.

— Honestamente, é uma loucura hoje em dia — comentou Pammie. — Dizem para comprar equipamentos caros de esterilização e todos esses equipamentos modernos, mas, na nossa época, era um tablete Milton[18] e um pouco de água fervida, se tivesse sorte. Se uma chupeta caísse no chão, você só recolhia, enfiava na própria boca e

---

[18] Método Milton: Método de esterilização de utensílios de bebê por meio de uma pastilha bactericida Milton dissolvida em água. (N.T.)

devolvia direto ao bebê. E olhe para meus dois meninos agora. Não fez nenhum mal, fez?

— Somos novatos nisso, mãe — disse Adam, finalmente me defendendo. — É tudo tentativa e erro para ver o que funciona e o que não funciona.

Olhei para ele com agradecimento.

— Tudo que estou dizendo é para não exagerar. São criaturas fortes e não requerem muito. Se ela chorar, deixe chorar um pouco. Vai arranjar mais trabalho sem necessidade se for correndo alimentá-la todas as vezes.

Olhei para o meu relógio. Não fazia quinze minutos que Pammie havia chegado.

Mais tarde, após uma conversa forçada, enquanto comia massa com frango feitos por Adam, dei uma desculpa e fui para a cama, levando Poppy comigo. A última coisa que ouvi quando fechei a porta para meu santuário foi a voz de Pammie dizendo:

— Ela não está comendo direito. Precisa de todos os nutrientes para o bebê.

Adam ainda não estava na cama quando Poppy acordou para se alimentar à meia-noite, mas eu pensei ouvir a TV na sala. Vagamente me lembrei dele vindo até mim mais tarde, mas eu não tinha certeza da hora. Eu nem tinha certeza de que dia era, pois todos pareciam se fundir em um. Se Poppy dormia, então eu dormia, e tudo ainda estava quieto quando acordei às seis da manhã. Meu primeiro pensamento foi: *Oba! Ela dormiu por mais de cinco horas.* O segundo foi: *Droga, será que ela está respirando?*

Eu me debrucei no berço e vi a manta rosa e a fralda de algodão. Procurei por suas fungadelas à meia-luz, mas ouvi apenas o som dos passarinhos cantando nas primeiras horas da manhã. Tentei ajustar meus olhos, esfregando-os quando o foco ainda estava borrado. Eu podia ver a manta e a fralda, mas pareciam retos, como se estivessem no colchão sem um bebê no meio. Sentei e enfiei a mão no berço, mas estava frio e imóvel.

Corri até o interruptor ao lado da porta, minhas pernas tremiam enquanto era tomada pela adrenalina.

— Mas o que... — gritou Adam, quando o quarto foi iluminado. Arfei quando cheguei ao berço vazio.

— O bebê. Onde está o bebê?

— O quê? — disse Adam, ainda confuso e atordoado.

— Ela não está aqui. Poppy não está aqui. — Eu soluçava e gritava na mesma medida, quando esbarramos em nosso esforço de sair pela porta.

— Pammie! Poppy!

— Mãe? — gritou Adam, enquanto pulava do mezanino para o quarto de hóspedes. Eu podia ver de onde estava, no topo do patamar, que as cortinas estavam abertas e a cama estava arrumada e vazia.

Afundei no chão.

— Ela levou meu bebê — disse.

Adam passou por mim correndo em direção à sala e à cozinha, mas eu sabia que ela não estava lá. Podia sentir.

— Ela levou o bebê — gritei de novo e de novo. Adam veio a mim e me colocou de pé, segurando firme meus braços.

— Controle-se! — disse ríspido.

Apenas queria que ele me tirasse daquele sofrimento. Para que eu pudesse acordar quando o pesadelo terminasse, com Poppy segura de volta aos meus braços.

— A desgraçada — gritei —, eu sabia que ela faria isso. Foi o que planejou o tempo todo.

— Pelo amor de Deus, controle-se — disse Adam.

— Eu disse. Eu disse que ela era uma louca. Você não acreditou em mim, mas eu estava certa, não?

— Você precisa se acalmar e ver o que está dizendo — disse ele. — Estou avisando. — Adam ligou para o celular de Pammie, mas ela não atendeu.

— Chame a polícia — pedi, rouca. — Chame a droga da polícia agora.

— Escute o que está dizendo — berrou. — Não vamos chamar a polícia. Nossa filha saiu com a avó. Não é um crime.

Eu me sentei no sofá, soluçando histérica, meus seios vazavam leite pela camisola.

— Ela vai fazer uma loucura, sei que vai. Você não sabe do que ela é capaz. Eu juro por Deus, se ela machucar a Poppy, vou matá-la.

Todas as emoções reprimidas surgiram: o ódio, a mágoa, mas, principalmente, o medo. O medo que carreguei comigo desde que descobri o que ela fizera com Rebecca. Não havia ninguém no mundo que eu odiasse mais e ninguém no mundo que temesse mais.

— Você precisa encontrá-la, Adam, juro por Deus.

— Quem você está ameaçando? — sussurrou Adam, com o rosto perto do meu. — Nem mesmo vou ouvir seus delírios psicóticos até que você se acalme.

Observei, impotente, enquanto ele vestia um jeans e uma camiseta.

— Aonde você vai? — disse.

— Bom, mamãe não pode ter ido longe, não é? Você provavelmente vai descobrir que ela a levou para um passeio. Isso seria incrível, não é?

— Ela fez isso de propósito — gritei, enquanto Adam descia dois degraus por vez. — Espero que esteja feliz. Você e sua família maluca.

Perambulei pelo apartamento enquanto esperava Adam ligar; quanto mais demorava, mais eu me convencia de que ela fizera alguma coisa. Tudo que via era Pammie embalando Poppy, dizendo que tudo acabaria bem, o tempo todo sabendo que não. O celular de Adam foi direto para o correio de voz e joguei o aparelho contra a parede, gritando de frustração.

— Onde você está? — uivei, caindo de joelhos. Eu me encolhi e deitei no tapete. Não conseguia imaginar dor maior.

Não sei quanto tempo se passou antes que meu celular tocasse, e engatinhei para alcançá-lo, a tela estava rachada em pedacinhos.

— Ela está bem? Você está com ela? — perguntei. Segurei o fôlego enquanto esperava a resposta.

— É claro que estou com ela — disse Pammie, depois de uma longa pausa.

Eu me sentei, meu coração batia duas vezes mais rápido do que deveria. Esperava ouvir a voz de Adam e parecia que todo o ar era sugado de mim.

— Traga ela de volta — disse entre dentes cerrados. — Traga-a de volta agora.

Pammie riu levemente.

— Ou o quê?

— Ou eu vou matar você — eu disse. — Você tem três minutos para voltar aqui com o meu bebê ou vou chamar a polícia, e é melhor torcer para que cheguem até você antes de mim.

— Céus — murmurou. — Não entendo por que está tão alterada. Você não recebeu a mensagem que enviei mais cedo?

— Que mensagem? — berrei.

— Espere — disse. Ouvi o celular apitar — Esta.

Olhei para a tela despedaçada e pude ver as palavras:

Não quis acordá-la. Poppy está acordada, então vou levar o bebê ao Parque Greenwich. Deixo você dormir um pouco mais. Com amor, Pammie.

— Você só enviou agora — chiei.

— Não, querida, mandei há uma hora, antes mesmo de sair do apartamento. Eu não queria que você ficasse nervosa. Talvez não tenha enviado imediatamente.

Olhei para o celular sem entender. Não tinha palavras.

— De qualquer maneira, já estamos voltando, então devo chegar aí em dez minutos. Tenho certeza de que ela estará faminta.

Ela desligou, e abracei meus joelhos, balançando para a frente e para trás, pensando se estava enlouquecendo.

Pouco tempo depois, ouvi o som abafado de Adam subindo as escadas. Eu não tinha ideia se haviam passado dez minutos ou dez horas.

— Não há sinal delas, mas tenho certeza de que há uma razão válida.

Ele olhou para mim no chão, encharcada de leite, lágrimas e insanidade.

— Estão voltando para casa — eu disse, baixinho.

Observei os ombros dele relaxarem, a tensão desaparecer gradualmente, provando que não estava tão despreocupado quanto parecia.

— Onde estão? — perguntou ofegante.

— No Parque Greenwich. Parece que Pammie nos fazia um favor. — Dei uma risada sem alma. — Quem poderia imaginar que sua mãe poderia ser tão atenciosa? Levar nosso bebê do lado da nossa cama e desaparecer.

— Acho que já disse o bastante — rosnou ele. — Suba e vá se limpar.

Controle-se, foi o que disse para mim mesma repetidamente, enquanto jogava água fria no meu rosto inchado. Mas enquanto me enxugava, já chorava de novo. A quem eu estava enganando? Eu não tinha o controle – era Pammie quem o tinha, como sempre. Enterrei o rosto na toalha mais uma vez, disposta a convocar toda a coragem de que precisava.

— Chega, Emily! — disse em voz alta. — Sem mais discussão.

Ouvi o choro de Poppy antes de vê-la e corri pelas escadas em direção ao som. Pammie estava lá, sem qualquer cuidado, com Poppy encostada em seu ombro.

— Acho que esta senhorita está com fome — disse ela, com uma ponta de sorriso nos lábios.

— Saia da minha casa — chiei.

— Como é? — disse, antes de imediatamente dissolver-se em soluços altos.

Adam veio correndo pelas escadas.

— O que está acontecendo?

— Ah, querida, sinto muito… — disse ela. — Nunca quis chatear ninguém. Pensei que estava ajudando…

Pammie olhou para Adam, seus olhos imploravam para que ele acreditasse, mas eu já sabia o que ela havia feito. Arranquei Poppy da mão dela e voltei para cima.

— É melhor que a desgraçada não esteja mais aqui quando eu voltar — falei para Adam.

Corri para o quarto, batendo a porta atrás de mim, agarrei-me a Poppy e solucei até não poder mais.

42

Adam e eu mal havíamos trocado uma palavra nas duas semanas entre a visita de Pammie e o casamento de James e Kate. Eu queria falar com ele, contar tudo, mas, enquanto percorria o catálogo de eventos na minha cabeça, ocorreu que Pammie tinha se certificado de que eu parecesse uma mentirosa compulsiva maléfica todas as vezes. Não havia uma ocasião em que não fossem minhas palavras contra as dela, e minhas afirmações não apenas me fariam parecer amarga, mas me fariam soar como uma psicopata. Eu precisava pensar em Poppy agora, não podia arriscar.

— Não vou hoje — disse, enquanto Adam vestia o terno do dia.

— Tudo bem — disse ele —, mas vou levar Poppy.

Minhas pernas tremeram. Era isso o que mais temia.

— Você não vai querer Poppy lá — disse, suave. — Ela só vai atrapalhar, você deveria se divertir. É o casamento do seu irmão.

Ele balançou a cabeça enquanto abotoava o último botão da camisa.

— Você pode fazer o que quiser, mas eu vou levá-la.

Poppy não sairia sem mim de jeito nenhum. Lentamente, fui até o guarda-roupa e peguei meu vestido roxo estampado, ainda no pacote da lavanderia. Só o usara uma vez, no início da gravidez, e a cintura amarrada dava espaço para manobrar a barriga pós-gravidez sem me fazer parecer muito gorda.

— Este serve? — perguntei, segurando o vestido contra o corpo, sabendo que precisava fazer um esforço. Se tivesse que aguentar um dia com a família dele, ao menos precisava que ele estivesse falando comigo.

Adam assentiu com uma ponta de sorriso, ainda que eu não tivesse certeza se por satisfação pessoal ou alívio.

Conversamos bobagens no carro durante o trajeto, comentando coisas ridículas como o clima e o preço das propriedades. Esperei na calçada enquanto Adam tirava Poppy da cadeirinha; ele tomou minha mão e caminhamos até a igreja. Eu me permiti um pequeno sorriso com a ideia de Pammie nos vendo juntos, mesmo quando eu mesma já não acreditava nisso. Com certeza o rosto dela se contorceu quando nos viu caminhando até ela e James, os braços já estavam esticados para abraçarem o seu filho. Sequer nos preocupamos em nos cumprimentar.

— James — cumprimentei, tensa. Ele se inclinou para um estranho beijinho no rosto.

— Olá, homem de sorte — disse a Adam, cumprimentando o irmão.

— Nervoso? — disse Adam.

— Apavorado — riu James.

— Como está Kate? — perguntou Adam.

Não ouvi a resposta dele. Pensei no e-mail esperando na pasta de rascunhos.

Querida Kate, desculpe-me por demorar tanto tempo para escrever para você, mas estava pensando nas palavras certas.

Mal nos conhecemos, mas já dividimos tanto. Você provavelmente já sabe agora que se comprometer com o clã Banks traz problemas que jamais devem ser subestimados.

O seu amor por James será questionado várias vezes quando encontrar os obstáculos colocados à sua frente. Nenhuma peça do tabuleiro será deixada em paz na tentativa de tirá-lo da sua vida. Nenhum ato será cruel demais para diminuí-la, intimidá-la ou fazê-la sentir-se inútil.

Não é tarde demais para perceber o erro que está cometendo. Só estou pensando em você. Vá embora enquanto pode.

Emily

Lembrei das ligações que fiz, apenas para desligar quando ouvia a voz dela do outro lado. Queria estar lá por Kate, dizer que entendia tudo que ela estava passando, para pôr um fim no inferno que sem dúvida ela já esperava. Mas eu estava fraca demais. Não desejava que a vida dela fosse arruinada como a minha. Não queria que sua personalidade fosse completamente transformada. Era tarde demais para mim e era tarde demais para Rebecca, mas eu poderia salvar Kate se encontrasse forças. As palavras do vigário giravam na minha cabeça, como se ele falasse embaixo d'água. Ou talvez fosse eu me afogando.

— Se qualquer pessoa aqui presente sabe de algum impedimento legal para este casamento, ele ou ela deve falar agora.

Eu me apoiei em Adam quando minhas pernas ameaçaram dobrar, apoiando-me na figura rígida dele, tentando fingir que tudo estava bem. Ele sentiu meu peso e se virou para mim com um erguer de sobrancelhas preocupado, mas eu sorri com fraqueza. Ele não sabia dos pensamentos zumbindo freneticamente no meu cérebro, desesperados, tentando encontrar uma saída, procurando uma válvula de escape para a amargura e a traição que me envolviam.

O sangue fazia minha cabeça latejar, espremendo-se em seu caminho através das capilaridades labirínticas em uma velocidade que provocava um repentino calor no meu rosto e no meu pescoço.

Rezei para que alguém, em algum lugar, se levantasse e declarasse a razão pela qual esta união não deveria prosseguir. Mas não houve nada além de um silêncio ensurdecedor.

Houve uma tossida estranha de alguém em meio à centena de convidados. Sem dúvida alguém desconfortável com a pressão do silêncio imposto, e então um pequeno riso se seguiu, mas o som foi abafado pelas pancadas na minha cabeça.

Olhei para a ordem do cerimonial nas minhas mãos trêmulas. *Kate & James* estava lindamente escrito no topo com letras em itálico prateadas, mas a foto dos dois embaixo oscilou na frente dos meus olhos, suas feições ficaram nebulosas.

Os segundos passavam como horas enquanto a quietude estrondosa ressoava ao redor da igreja. Era isso. Foi minha única chance.

Eu podia interromper antes que fosse tarde demais. A adrenalina tomou meu corpo quando dei um passo à frente. Olhei ao redor, para o homem ao meu lado, para o bebê nos braços dele e para os amigos e a família reunidos para esta ocasião importante, todos assistindo com olhos marejados e sorrisos orgulhosos.

Eu segui o olhar deles até Kate, que estava com os olhos bem abertos e maravilhados com o homem ao lado dela. A percepção de que estava estrelando seu próprio conto de fadas ficava evidente em seu sorriso. James, com os olhos azuis profundos, olhava para a noiva fascinado, e senti um tranco no coração.

Tive tempo suficiente para impedir que isso acontecesse. De deixar chegar tão longe. Kate merecia saber a verdade. Eu devia isso a ela.

Mas não era corajosa o bastante antes e não sou corajosa o bastante agora.

O vigário limpou a garganta para continuar, e Kate olhou ao redor com falsa modéstia, antes de dar um suspiro exagerado de alívio. Os convidados riram, e os ombros de James relaxaram visivelmente. O momento havia passado, e com ele minha última chance.

A soprano fez uma interpretação tocante de "Jerusalém", de Charles Hubert Hastings Parry. Enquanto o sol entrava pelos vitrais, senti meu coração afundar com a ideia do que mais eles poderiam estar fazendo nesse dia quente e claro, incomum para o mês de abril. Porque, apesar dos sorrisos armados, há sempre um aborrecimento oculto em casamentos.

Todos nós corremos para mostrar apoio a essa demonstração de amor e compromisso, mas arranhe a superfície e descobrirá que nos sentimos mais obrigados do que verdadeiramente dispostos. Há sempre algo melhor que poderíamos estar fazendo em uma tarde de sábado ensolarada do que passá-la sentados ao lado de um estranho sem graça em um jantar prolongado. Especialmente quando, para fazê-lo, gastamos o dinheiro que não temos em uma roupa que usaremos apenas uma vez e no presente mais barato que pudermos encontrar na lista caríssima de presentes da John Lewis.

Eu podia literalmente sentir o ciúme e a insegurança emanando das pessoas ao meu redor. Sem dúvida havia alguém entre os bancos da igreja que ainda era amigo da ex-namorada do noivo e lutava contra sua consciência, perguntando a si mesmo se deveria realmente estar ali. E com certeza haveria a mulher que estava namorando seu parceiro há muito mais tempo do que achava necessário para um pedido de casamento, e ainda assim nada tinha acontecido. Haveria o casal em que ambos olhavam desejosos para a noiva, os dois querendo o seu corpo, mas por razões completamente diferentes, e então haveria o resto dos convidados, que lembrariam quando foi o dia *deles*, o "felizes para sempre" *deles*, e imaginando onde foi que tudo deu errado.

Mas hoje havia alguém que sentiu isso muito mais do que qualquer outro. Que suprimiu a dor no peito enquanto o vigário declarava Kate e James marido e mulher e que sorriu docemente enquanto eles se beijavam.

Adam alcançou a minha mão e a apertou, e engoli as lágrimas que queimavam o fundo da garganta. Há um ano, esse deveria ser o nosso dia, nosso "felizes para sempre", e eu sabia exatamente onde tudo deu errado.

Observei Pammie, que andava com um sorriso fixo no rosto, enquanto agia como a mãe perfeita do noivo em um vestido de cetim rosa-framboesa combinando com uma jaqueta de mangas curtas. Eu queria ver a dor dela, saber que o casamento do filho mais novo a estava matando, mas a máscara era rígida.

Queria poder disfarçar meus próprios sentimentos, mas estavam próximo demais da superfície, muito crus. Chorei quando James e Kate caminharam juntos pela nave, com ciúmes pela união selada e com medo do futuro. Se Kate tinha preocupações, ela não as mostrava enquanto abraçava Pammie calorosamente fora da igreja.

— Isso foi bonito! — exclamou Pammie. — *Você é* bonita — acrescentou, enquanto tocava o rosto de Kate.

Kate sorriu e a abraçou outra vez.

— Deixe-me apresentá-la a todos — disse, levando Pammie pelas mãos e seguindo em direção ao maior grupo dali. Em um instante, fui de ver Kate como alguém parecida comigo, a única pessoa que poderia saber pelo que eu estava passando, a alguém do outro lado, do lado *dela*, e de repente me senti desesperadamente sozinha.

Adam passou o resto do dia sorrindo para mim o tempo todo, mas, sempre que podia, estava o mais longe possível. Agarrei-me a Poppy, minha barreira social, e a usei para me afastar de qualquer situação desconfortável. Os tios e os primos de Adam vieram admirá-la e perguntar se já tínhamos marcado uma nova data para o nosso casamento.

— Não, ainda não — falei, de novo e de novo. — Espero que em breve, mas agora estamos muito ocupados.

— Ah, sim, estão mesmo — respondeu a adorável Linda, a irmã de Pammie. — Mas os dedos estão cruzados para que até lá já saibamos se Pammie está curada. Aí teremos algo para realmente celebrar.

— Deram alta para ela há meses — disse, confusa.

Linda fez uma careta, como se repreendendo a si mesma.

— Desculpe, pensei que sabia...

— Sabia o quê?

— Que o câncer dela voltou. Eu não deveria ter falado nada...

— Você só pode estar brincando — ri.

Então, ela testou a sorte e fez o mesmo truque para tentar impedir o casamento de James e Kate? Senti um senso distorcido de satisfação de que isso não era pessoal, mas então tive de rir. Como poderia qualquer coisa que ela fez *não* ser pessoal?

Tive de tirar o meu chapéu para Kate e mais ainda para James, por não deixar sua mãe arruinar seu dia especial com suas mentiras cruéis. Eu me senti tocada e, para ser honesta, com inveja por James ter defendido Kate e ignorado a tentativa perversa de estragar a felicidade deles. Ele tomou uma posição contra ela, fez o que Adam deveria ter feito há meses.

— Então, o que ela tem desta vez? — perguntei a Linda.

Ela pareceu um pouco surpresa.

— Está nos pulmões.

— E quanto tempo deram para ela? — Não pude me controlar.

— Não deram. Ela está em tratamento, e teremos que ver aonde vai chegar. Se você me der licença...

— É claro — disse, enquanto a observava se afastar. Talvez fosse eu. Talvez Pammie não fosse o problema. E se fosse eu? Ou ainda pior: e se Pammie me tivesse feito acreditar que era eu?

Fui até Kate, que estava sendo a perfeita noiva modelo, certificando-se de falar com todo mundo para agradecer os votos de felicidade. Pensei como era engraçado, como convidada, não querer tomar muito tempo da noiva por sentir que a mantinha longe de algo ou alguém muito mais importante. Ainda assim, ela deve se sentir constantemente rejeitada, enquanto segue de convidado em convidado, cada um deles dizendo que não quer prendê-la. Cutuquei o ombro dela e, enquanto ela se virava, um grande sorriso apareceu em seu rosto.

— Você está deslumbrante — elogiei-a, mesmo sabendo que ela provavelmente ouvira aquilo milhares de vezes hoje, e estava começando a ficar cansativo.

— Obrigada — disse, aqueles dentes brancos perfeitos brilhavam. — Essa é a pequena Poppy? Ah, ela é linda!

Agora que ela estava finalmente na minha frente, eu não sabia o que dizer. Como articular tudo que precisava que ela soubesse. Será que agora seria tarde demais?

— Kate... desculpe-me por não ter entrado em contato nesses últimos meses. Eu poderia ter feito um trabalho melhor ao lhe dar boas-vindas à família Banks.

Ela riu.

— Não seja boba, você teve mais do que o suficiente, e, além disso, Pammie tem sido ótima. Não consigo descrever como foi solícita, especialmente com meus pais lá na Irlanda.

Eu não tinha consciência de que estava com uma expressão estranha, mas deveria estar, pois ela disse:

— O quê? Que há?

— Desculpe, estamos falando sobre a mesma mulher? — ri.

— Ah... Sim, acho que sim — respondeu ela, confusa.

— Pammie tem sido ótima, não? — perguntei. Pude sentir que a coloquei na defensiva.

— É, ela tem sido. Eu não sei o que teria feito sem ela, para ser honesta.

Era uma piada? Eu nos imaginava marcando um encontro depois que ela voltasse da lua de mel, para discutir o que faríamos sobre Pammie, como lidaríamos com ela juntas, como uma equipe, mas Kate soava como se Pammie pudesse muito bem acompanhá-los.

— Ela a ajudou? Sem incidentes? — perguntei. Eu não conseguia entender.

— Incidentes? — perguntou Kate. — Não tenho certeza se entendi o que você quis dizer.

— Pammie a ajudou, ela ajudou de verdade? Tipo, sem julgamentos ou comentários? Sem fazê-la sentir que estava enlouquecendo?

— Ah, sei do que você está falando! — riu, como se finalmente tivesse entendido. Respirei aliviada. Graças a Deus.

— Honestamente, pensei que estava enlouquecendo — disse ela. — Quando fui pegar meu vestido...

Acenei encorajando, estimulando-a a falar mais.

— Sim?

— Entreguei o cartão de crédito, mas a loja disse que já havia sido pago. Foi como, "Ei, não, preciso mesmo pagar", mas não aceitaram. Eu me senti como uma caloteira quando saí com um vestido de mil e quinhentas libras em meus braços. Não conseguia entender, mas, quando liguei para Pammie naquela tarde, ela contou que foi um presente dela. Sinceramente, não podia acreditar.

Nem eu. Fiquei boquiaberta enquanto ela continuava.

— Tentamos nos encontrar todos os sábados de manhã, apenas para um café e para comer alguma coisa. Por que não vem conosco, se tiver tempo? Sabemos o quanto é ocupada.

Conosco? Nunca imaginei usar a palavra "conosco" em uma sentença sobre Pammie.

— Ela diz alguma coisa? Sobre mim, quero dizer?

Kate parecia perplexa.

— De que maneira?

— Qualquer coisa. Vocês falam sobre mim? O que ela diz?

— Apenas que está se saindo muito bem com o bebê. Ela ama a Poppy.

Assenti.

— Ótimo. Bem, ligue-me quando voltar e podemos marcar alguma coisa.

— Legal — disse ela, antes de recolher a cauda do vestido e se afastar.

Procurei por Adam. Estava ficando tarde e precisava pôr Poppy na cama. Havíamos reservado um quarto em um hotel próximo dali. Mal tínhamos conseguido viver juntos em nosso apartamento durante a última quinzena, então não imaginava que dividir um quarto de hotel com ele pudesse ser muito divertido.

— Procurando por Adam? — perguntou James, aproximando-se.

— Sim — respondi franca.

— A última vez que o vi, estava saindo — disse. — Provavelmente para fumar.

Parei imediatamente e olhei para ele, como se fosse um estúpido.

— Engraçado, não sabia que ele fumava.

— Há muitas coisas que não sabe sobre ele — disse James, baixinho.

Ignorando-o, andei até a porta do pátio, em direção ao jardim, mas ainda podia senti-lo atrás de mim. Estava escuro lá fora e puxei a manta de Poppy ao redor dela. Os dias estavam quentes para abril, mas as noites ainda eram geladas.

Havia um bando de festeiros fumando à esquerda, o terreno atrás deles iluminado de forma tênue, mas Adam não estava lá. Virei à direita, passando pelas gárgulas no topo dos degraus, e fui em direção à escuridão, quando James puxou meu braço.

— Por que não volta para dentro? Está frio aqui.

Dei de ombros e continuei andando cegamente. Precisava criar o maior espaço possível entre nós. Vislumbrei a entrada para o labirinto coberto, onde mais cedo tinha visto os visitantes pagarem uma pequena fortuna para entrar. Eu não sabia para onde ir muito além daquele ponto. Sentia lágrimas brotando e abracei Poppy mais forte na vã esperança de que ela as esconderia.

— Dá para esperar um minuto? — pediu James. Virei para encará-lo.

— Por favor, James…

Acho que ele ouviu as risadas vindo de dentro das paredes do labirinto à minha frente.

— Veja, Em, por que não voltamos para dentro? — pediu, em voz baixa. — Está frio demais para a Poppy.

Olhei para ela dormindo tranquila em meus braços e sabia que ele provavelmente tinha razão, mas eu não conseguia me desligar do som.

— Shhhhh! — gritou uma voz feminina. — Perdi um sapato! — Mais risadas. — Encontrei, encontrei! — disse ela, bêbada.

— Certifique-se de que parece decente — disse a voz de um homem. — Não dá para voltar com a calcinha nos tornozelos.

Tudo pareceu acontecer em câmera lenta. Senti meu corpo desfalecendo e instintivamente me agarrei a Poppy para protegê-la. Eu podia ver flashes de cores e luzes enquanto afundava no que parecia um caleidoscópio em movimento. Apertei os olhos e imaginei um bloqueio em meus ouvidos, que impediam que ouvisse o que sabia que ouvi. Quis que meu cérebro embaralhasse as palavras para que não pudesse decifrá-las, alterando aquela voz para alguma outra desconhecida. Ainda estava caindo, preparando-me para o chão que nunca veio. Abri os olhos e vi James olhando para mim, com os braços envolvendo a mim e Poppy.

— Vamos voltar para dentro — disse ele.

— Não — falei, sem fôlego. — Quero esperar aqui. Ver o rosto dele.

— Por favor, Em — insistiu James. — Você não precisa fazer isso. Por favor, volte.

— Não se atreva a me dizer o que preciso fazer e o que não preciso — gritei. Ele tentou passar o braço ao meu redor, mas então o afastei.

Pode ter sido a escuridão ou a embriaguez, mas levou algum tempo para Adam registrar que era eu quando saiu do labirinto. Eu me senti anestesiada enquanto observava o cérebro dele entendendo a cena.

— Em? — balbuciou. Ele se virou para ver sua companheira desgrenhada, o cabelo em pé e as tiras do sutiã penduradas no meio do braço. Eu a reconheci como uma das convidadas. Mas antes o vestido de cetim rosado e o penteado sofisticado pareciam elegantes. Agora, o tecido estava amarrotado ao redor dos quadris e seu batom estava borrado por todo o rosto.

— O que está fazendo aqui fora? Poppy vai pegar uma gripe mortal.

Se não a tivesse em meus braços, teria partido para cima dele.

— Quanta gentileza — disse, fria. — Quanta consideração.

— Oi — disse a mulher ao lado dele, cambaleando para a frente com uma mão estendida. — Eu sou...

— Pare com isso — rosnou Adam para ela.

— Não, tudo bem — disse a ele. — Por que não me apresenta para a sua amiga?

— Deixe disso, Em — disse Adam.

— Apresente-me para a droga da sua amiga — gritei.

— Ah... essa é... essa é...

— Ah, não me diga... — disse ela, com a voz arrastada. — Estas são sua esposa e filha. — Riu para si mesma. — Isso seria incrível, hein?

Continuei quieta.

— Ah, céus, sério? — disse ela, repentinamente entendendo o óbvio.

— Temo que sim — disse firme.

— Desculpe — conseguiu dizer, antes de se afastar tropeçando. Observei entorpecida, enquanto ela voltava ao hotel, ziguezagueando pelo gramado.

— Todas as suas mulheres precisam estar nesse estado? — perguntei friamente.

— Em, vamos voltar — disse James, segurando o meu cotovelo e tentando me guiar para longe. Permaneci firme.

— Acredite ou não, também há algumas mulheres sóbrias que querem mesmo transar comigo. Diferentemente da minha noiva. — Adam pronunciou a última palavra enquanto fazia aspas com os dedos.

— Certo, isso é o suficiente, Adam — interrompeu James. — Emily, vamos.

Eu o afastei.

— Então, há mais de uma?

Adam riu.

— O que achou que ia acontecer? Você não me deixa chegar perto de você há meses. O que pensa que sou, um monge?

— Vá se foder! — gritei.

— Com prazer — gritou, enquanto me virava contra ele.

— Lamento que tenha visto isso — disse James.

— Importa-se de chamar um táxi, por favor? — pedi, tonta. — Eu gostaria de levar Poppy para casa.

43

Pippa foi o meu apoio nos cinco dias seguintes, enquanto eu digeria o que Adam havia feito e o que significava aquilo tudo. Eu costumava desprezar mulheres que descobriam que seus parceiros traíam e diziam coisas como "Eu não esperava que acontecesse. Ele não parecia ser capaz de fazer uma coisa dessas".

Eu tinha pena delas por serem incapazes de enxergar o que estava bem diante de seus olhos. Ainda assim, estou aqui pensando a mesma coisa. Eu sequer conseguia começar a processar os acontecimentos. Tínhamos passado por um momento difícil recentemente, a história de Pammie e o bebê, mas eu não pensava que havíamos chegado ao estágio em que ele alegremente arriscaria jogar tudo fora.

— O que você vai fazer? — perguntou Pippa, pela enésima vez. — O que você *quer* fazer?

— O que eu *quero* fazer e o que eu *devo* fazer são duas coisas completamente diferentes — respondi.

Ela sabia o que eu queria dizer. Tivemos conversas do tipo "O que você faria se o seu namorado a traísse?" a vida inteira, mas, quando se pensava que uma coisa daquelas não aconteceria com você, era muito mais fácil adotar uma moral elevada e declarar que, se alguma vez ele o fizesse, seria o fim; você cairia fora. Entretanto, no atoleiro, tendo amado essa pessoa e acreditado que passaria o resto da minha vida com ele, de repente as coisas não estão tão claras.

— Não foi *o que* ele fez, foi *como* ele fez — declarei.

— Faz alguma diferença? — perguntou Pippa. — Uma traição é uma traição.

— Foi o jeito como falou comigo, a forma como insinuou que havia outras. Muitas outras. Por que ele sentiria necessidade de me machucar assim?

— Ah… Porque ele é um cara realmente desprezível?

— Como isso poderia acontecer outra vez comigo? — choraminguei. — Como fui tola!

Pippa pôs uma mão tranquilizadora nas minhas costas.

— Não é você que é a tola — disse ela. — Se ele não consegue perceber o que arrisca perder…

— Então, para onde vou agora? — perguntei.

— Você o ama?

— É claro que o amo, mas não estou preparada para aceitar isso calada. Se ele voltar, será de acordo com os meus termos.

— Você não pode aceitá-lo de volta! — disse ela. — Simplesmente não pode.

— Mas preciso pensar na Poppy — eu disse. — Não posso pensar apenas em mim. Ela precisa de um pai.

— Em, acho que, se formos honestas, ele provavelmente já faz isso há algum tempo.

Assenti. Sabia que ela estava certa, mas não queria acreditar. Pensei sobre todas as "noites de quinta-feira" com os caras na City.

— É uma dádiva — disse ele, não muito tempo depois de nos conhecermos. — As "noites de quinta-feira" são o Santo Graal. Não podem ser alteradas por vida, amor ou morte.

Eu ri e pensei pouco a respeito. Sabia que era assim que a City funcionava, mas ele tinha dormido com outras mulheres esse tempo todo? Havia alguém especial que ele encontrava às quintas-feiras, alguém com quem se encontrava nas sombras, um casal feliz por ter uma noite por semana para ter seus encontros clandestinos? Muitas vezes ele não chegava antes das três da manhã, mas, no pior dos casos, podia imaginá-lo gastando seu dinheiro celestial em um clube de *striptease*, não nos braços de alguém com quem se importa. Mas, se esse foi o caso, por que Adam simplesmente não me deixou? Ele poderia facilmente ter ido embora antes do casamento, antes de Poppy.

— O quê? E não ter isso tudo? — exasperou-se Pippa, enquanto pacientemente me ouvia ruminar o assunto. — Não estou dizendo que ele não a ama, claro que ama. Por que motivo a pediria em casamento? E teria a Poppy?

— Sim, mas a Poppy não foi exatamente uma escolha de vida, para nenhum de nós dois — falei, sentindo-me instantaneamente culpada pelas palavras que escapavam de minha boca.

— É claro — reconheceu Pippa. — Mas você sabia os riscos que corria e tinha outras escolhas; escolher ou não continuar dependia de você.

Espiei o berço no qual Poppy dormia tranquila, os pequenos braços casualmente acima da cabeça. Eu nem podia imaginar a escolha de não ter minha filha.

— Mas o que estamos esquecendo sobre tudo isso — declarei — é que estamos considerando que ele pode querer voltar. O que eu quero pode nem ser considerado.

— Ah, acredite em mim, após alguns dias de volta, ele vai ver que a grama não é apenas "mais verde", mas está coberta de limo, ervas daninhas e canteiros devastados também!

Eu tive de rir. Estava cansada de chorar. Quando pensei sobre isso, vi que passei boa parte do ano me sentindo miserável e soluçando sobre uma coisa ou outra: o cancelamento do casamento, o comportamento detestável de Pammie agindo de maneira protetora a respeito de Poppy.

— Obrigada, Pip — eu disse, abraçando-a enquanto ela saía.

— Amo você — sussurrou em meu ouvido. — Não o deixe pisar em você.

Adam apareceu na porta naquela noite. Eu poderia ter xingado, socado e batido a porta na cara dele, mas, em vez disso, dei um passo ao lado e o deixei entrar. Qual era o sentido de tanto drama? Éramos pais agora, supostamente adultos responsáveis, então era hora de agir de acordo.

— Você parece um caco — ruminei. Os olhos dele estavam afundados na pele acinzentada, uma sombra de barba marcava seu rosto.

Sentei na mesa de jantar no lado oposto ao dele.

— Posso ver a Poppy? — perguntou.

— Não, ela está dormindo. O que você quer?

— Quero voltar para casa.

Apoiei as costas no encosto da cadeira e cruzei os braços.

— O que, então é isso? Você honestamente espera vir aqui e me dizer que quer voltar?

Assentiu.

— Então, vamos apenas repassar o pequeno detalhe de você dormir com outra pessoa? — perguntei. Estava a par de que o tom da minha voz aumentava e fiz um esforço para falar mais baixo. Não queria acordar Poppy.

— Não foi o que pareceu — afirmou ele.

Eu ri.

— Diga-me então com o que pareceu.

— Estávamos apenas de brincadeira — disse ele, sem constrangimento. — Só nos beijamos, e foi só isso.

— Isso é tudo? — explodi.

— Eu sei, eu sei que não corrige as coisas, mas foi tudo que aconteceu. Juro.

Adam deve pensar que sou estúpida.

— E você acha que isso está certo, não? Você acha que é aceitável tocar outra mulher no casamento do seu irmão, a um metro e meio da sua noiva e filha? Você acha isso *aceitável*?

Eu conseguia ouvir minha voz soar mais e mais alta a cada sílaba, como um sistema estéreo reverberando na minha cabeça, e ainda assim havia um som fraco vindo dos alto-falantes ocultos, como um aviso. *Quem tem telhado de vidro não deve atirar pedras no telhado do vizinho.*

— Quantas outras existiram? — perguntei. Adam deixou a cabeça cair, e olhou para o chão. — Então? — perguntei, quando ele não respondeu.

Ele olhou para mim.

— Ela foi a única. Juro a você. Não sei o que está pensando. Tem sido tão difícil…

Levantei a mão para fazê-lo parar.

— Não, escute — continuou Adam, ainda implorando. — Tem sido muito difícil para mim. Não sei o que está acontecendo entre nós. As coisas não andavam bem, não é? Você sabe que não.

Olhei para ele, desafiando-o a dizer a próxima frase.

— Você não tem sido a mesma já faz algum tempo, e isso me deixou bem para baixo. Você ficou grávida e teve uma época difícil ao ter Poppy, e então toda a coisa com a minha mãe. Eu não sei onde estou pisando, dia após dia. Não pareço figurar na sua lista de prioridades.

Eu me permiti um sorriso irônico.

— Pobrezinho — disse sarcástica. — Pobre Adam por ter uma namorada grávida, que tem de cuidar de um novo bebê e lidar com a sua mãe psicótica.

— Não comece, Emily — avisou.

— Contudo, apesar de todas essas coisas, nada disso é sobre mim, certo? — continuei, ignorando-o. — Você, de alguma forma, faz tudo ser sobre você. Como é difícil para *você*. Como *você* está perdendo.

Adam olhou para os próprios pés.

— Então, o que você faz a respeito? Você sai e transa com quem conseguir, para se sentir um homem de novo, para se validar como um homem saudável. Porque é sobre isso, não é? Provar a si mesmo que ainda pode.

— Eu me senti rejeitado, como se você não me achasse mais atraente.

Eu ri.

— Essa não deveria ser a minha fala? Mas em vez de me dar tempo, ou falar sobre o assunto, você decidiu que a maneira de resolver era dormir com outra pessoa.

— Você não sabe como me fez sentir.

— Pelo amor de Deus, Adam, escute o que diz. E quanto a mim? E quanto às minhas necessidades? Imagine como eu me senti, como foi difícil para mim. Tudo mudou no meu mundo: meu corpo, minha vida diária, minhas prioridades… Tudo. O que mudou para você? Um pouco menos de sexo, um bebê bonitinho para brincar por uma hora quando voltar para casa e então ir para a cama.

Ele começou a falar, mas eu o cortei.

— Mas você me vê vasculhando as ruas à noite, desesperada por uma transa? Escapulindo de um casamento para ter um encontro casual com um homem que sequer conheço?

— Não vai acontecer de novo — disse ele, como se eu devesse me sentir grata pela afirmação. — Eu estava bêbado, estava sozinho e foi um erro.

— É isso? — perguntei. — Você honestamente espera apenas voltar para casa e que tudo será cor-de-rosa outra vez?

— Jamais quis magoar você… Prometo que nunca mais a machucarei.

As palavras dele ecoaram na minha cabeça, mas era como se outra pessoa as pronunciasse. Fechei os olhos e a memória de James apareceu: ele diante de mim dizendo a mesma coisa: "Eu prometo que nunca a magoarei". Eu me senti enojada com a percepção repentina de que essas palavras nunca foram sobre ele fazer uma promessa de *não* me magoar. Era um aviso de que Adam me *magoaria*.

— O que você faria se estivesse no meu lugar agora? — perguntei a Adam. — Se você descobrisse que estive com outra pessoa?

O rosto de Adam se contorceu, e um espasmo estremeceu seu queixo.

— Eu o mataria — afirmou ele.

44

Adam voltou para casa duas semanas depois do casamento de James e Kate. Seus apelos para voltar ficavam mais intensos conforme se aproximava a volta deles da lua de mel, quando sem dúvida seria expulso do apartamento do irmão.

— Você sempre pode ir embora e ficar com a sua mãe — provoquei.

— Está brincando? Ela é louca de pedra — disse ele.

Estávamos chegando a algum lugar. Finalmente, estávamos chegando a algum lugar.

Pammie estava no topo da minha lista quando se tratava de estabelecer algumas regras quando Adam voltasse para casa. Ela poderia ver Poppy sempre que ele quisesse levá-la para a casa da avó, mas ela nunca poderia ficar sozinha com ela, sem supervisão.

— Mas e quando…? — começou a dizer.

— Sob *nenhuma* circunstância — disse, autoritária. Ele concordou, solene.

Não haveria mais quintas-feiras com os amigos, e ele poderia jogar rúgbi nos fins de semana, mas, após um drinque rápido, eu esperava que voltasse para casa, e não que continuasse bebendo por mais quatro horas.

Adam ficou no quarto de hóspedes por algumas noites, mas, se fosse para fazer funcionar, não havia nada a ganhar dormindo em camas separadas. Eu não me sentia pronta para estar perto dele, emocional ou fisicamente, mas senti que estava sentada em cima de uma bomba-relógio, imaginando quantas horas e minutos passariam antes que ele se sentisse justificado para conseguir atenção em outro lugar. Eu odiava que ele me fizesse sentir assim.

— O que você quer fazer sobre nosso casamento? — perguntou ele uma noite, enquanto jantávamos. Ele tinha acabado de voltar da casa de Pammie. Ele e James alternavam as idas à segunda leva das sessões de quimioterapia dela. Eu estava surpresa de vê-la mantendo a mentira, já que Kate e James agora estavam casados. Ela falhara na tentativa de impedi-los, então imaginei qual era o sentido de continuar mentindo.

— Não sinto que seja algo que devamos fazer em breve — disse. — Mas eu gostaria de batizar Poppy.

Ele assentiu.

— Como quer fazer isso?

— Pensei em uma cerimônia simples na igreja, e então um almoço em algum lugar.

— Eu gostaria de fazer isso o quanto antes — disse Adam. — Quero que minha mãe esteja lá.

Ignorei o comentário.

— Bem, vou ver isso quando tiver tempo — falei.

— Não acho que o tempo esteja a nosso favor — disse ele, com a voz fraquejando. — Não sei quanto tempo ela ainda tem.

— Ah, tenho certeza de que sua mãe ficará bem — disse com naturalidade.

Ele balançou a cabeça.

— Está mesmo fazendo um estrago dessa vez. Acham que está se espalhando. Eu não sei se ela é forte o bastante para passar por isso… — Ele engasgou na última sentença.

Eu meio que estendi a mão e coloquei acima da dele. Não podia oferecer-lhe a compaixão que não tinha.

Olhei para Poppy em seu balanço aos meus pés, os olhos confiantes rindo para mim, e imaginei como uma mãe poderia deixar seus filhos nesse inferno. Quão cruel ela teria de ser?

— O que eu vou fazer? — Adam começou a soluçar. — O que farei quando ela partir? — Seus ombros tremeram, e eu, a contragosto, fui até ele. — Ela não merece isso. Já sofreu bastante.

Beijei a cabeça dele enquanto o embalava em meus braços.

— Ela é durona, Adam. — Foi tudo que pude oferecer.

— Ela se faz de forte, mas não é. Não mesmo — disse ele. — Mamãe precisou endurecer, por causa do que ele fez a ela, mas por dentro está amedrontada como sempre esteve.

Eu o afastei para que pudesse ver o seu rosto.

— *Quem* fez isso a ela? — perguntei. Ele balançou a cabeça e se encostou em mim outra vez, mas eu me mantive firme. — Do que você está falando? — Ele limpou o nariz com o dorso da mão trêmula.

— Você poderia, por favor, me dizer o que está acontecendo? — disse, impaciente.

— Jim — disse ele. — Ou papai, se fingirmos que em algum momento ele foi um.

— O que o seu pai tem a ver com isso?

— Ele era um desgraçado — cuspiu.

— O quê? Por quê? — Minha boca se mexia mais rápido do que meus pensamentos.

— Ele a destruiu. Tirou tudo dela.

Senti como se tivesse levado um tapa no rosto. Caí no sofá.

— Do que você está falando? Pammie o amava. Ele a amava. O que está dizendo?

A cabeça de Adam caiu em suas mãos outra vez.

— O que ele fez? — pressionei.

— Ele voltava para casa e batia nela, era isso que fazia. Noite após noite, era como ver uma linda flor morrer um pouco de cada vez.

— Ela lhe contou isso? — perguntei, boquiaberta.

— Não precisou — disse Adam. — Vi com meus próprios olhos. Nós dois vimos, James e eu. Ele ia ao pub depois do trabalho, e ela já tinha colocado o jantar na mesa para quando ele voltasse para casa. Mas quase todas as noites ele dizia que ela havia preparado errado, jogava contra a parede e batia nela.

Sentei-me, imóvel.

— Eu via a mão dele se movendo no espaço, como em câmera lenta, antes de atingi-la. Ela dava esse pequeno ganido, mas engolia todo o resto, para não nos acordar, mas estávamos sentados no topo da escada, observando tudo pelo corrimão, rezando para que ele parasse.

— Tem certeza? Quero dizer, tem certeza de que viu o que pensa que viu? Você era pequeno. Talvez não fosse o que parecia. — Eu procurava uma razão, quando tudo ao meu redor era insanidade.

— Vi coisas que ninguém deveria ver, muito menos crianças pequenas como nós. Éramos novos demais para entender por que nosso pai estava batendo na nossa mãe e por que a fazia chorar, mas sabíamos que era errado. Inventávamos planos secretos para nós três fugirmos para a costa, de volta a Whitstable, onde passamos nossas férias de verão antes da morte de papai. Ele não veio conosco, fomos para a casa da tia Linda, Fraser e Ewan. Mamãe parecia tão feliz ali, longe dele.

— Como ele morreu? — perguntei, gentilmente.

Adam olhou para o chão, como se perdido nos pensamentos.

— Ele teve um ataque cardíaco uma noite, depois de voltar do pub. Caiu na cozinha e isso foi tudo. Minha mãe nos deixou faltar à escola no dia seguinte, nos vestiu com camisas e gravatas enquanto a casa fervilhava com policiais e os caras da funerária. — Adam sorriu com pesar. — Eu me lembro de como aquelas camisas pinicavam, o colarinho irritava o meu pescoço. E me lembro de me preocupar mais com isso do que com o meu pai morto, e pensei que deveria haver algo errado comigo. Não senti nada. Estava apenas anestesiado.

— Alguma vez ele bateu em você? — perguntei.

— Não, nunca tocou em Jamie ou em mim. Atuava como o pai e marido perfeito onde quer que estivéssemos, mas eu sabia. Sabia o que ele faria depois. Minha mãe sabia também, havia medo em seus olhos, mas ela se esforçou muito para não deixar transparecer.

— Você alguma vez contou a ela o que viu?

Balançou a cabeça.

— Partiria seu coração se soubesse que sei. Mamãe foi a extremos para fingir que ele era o melhor pai e marido. Mesmo naquela época, todos os amigos deles pensavam que ele era um partidão e ela era uma sortuda. Mas nenhum deles realmente o conhecia. Não sabiam como ele era na intimidade. Como poderiam? Mamãe o protegia e ainda o protege.

Pensei em todas as fotos que vi de um casal tão apaixonado. Os amigos pareciam enciumados do que tinham.

— Sinto muito — eu disse, indo até ele e segurando a cabeça dele contra meu peito. — Nenhuma criança deveria ver isso.

Nada disso fazia sentido. Como podia ser? Eu me determinei a encontrar uma forma de exonerar Pammie de tudo que ela fez. Certamente, havia uma razão em tudo isso, uma explicação de como ela é do jeito que é, mas, por mais que tentasse, não conseguia encontrar. Quanto mais eu pensava sobre o assunto, mais difícil era compreender suas ações. Se ela foi assim tão maltratada no passado, por que decidiu ser intencionalmente má com outras pessoas?

45

Quando chegou o batizado da Poppy, quase enlou-queci com a perspectiva de ver Pammie, James e, por alguma razão, Kate. Na minha cabeça, ela foi de aliada, a única pessoa que poderia se identificar comigo, a parceira nos crimes de Pammie. Deu mais poder para Pammie me provocar, e achei intimidante a ideia de vê-las juntas.

Comprei um vestido novo para a ocasião, algo para me dar confiança, pensei, para aliviar a culpa enquanto passava meu cartão de crédito.

— Caramba, esse vestido é um tanto claro, não é? — disse Adam. — Vou precisar de óculos de sol.

— Demais? — perguntei, olhando para o *chiffon* amarelo-canário. Sentia-me bem nele. O corte assimétrico devolvia minha forma pré-parto – ninguém precisava saber que eu usava uma cinta por baixo.

— Não, eu gosto — disse Adam. — Só estou feliz que a estação dos narcisos acabou, caso contrário teríamos um trabalho dos infernos para encontrá-la.

Ele riu enquanto eu o estapeava com a minha bolsa de mão.

Poppy olhava do meio da nossa cama, balbuciando alegremente enquanto seus pais discutiam.

— Que bom que coloquei um babador em você, senhorita — falei, envolvendo-a em um vestido de tafetá marfim. — Não podemos deixá-la babar no vestido, podemos?

— Tem certeza de que ela não ficaria mais confortável em um macacão da Gap? — perguntou Adam, enquanto a apanhava e lutava para colocá-la, com seu vestido enorme, na cadeira do carro.

Eu me adiantei e empurrei sua mão desajeitada para fora do meu caminho.

— Aqui está — ri enquanto me enterrava fundo no tecido para alcançar a alça. — Agora, onde está a outra?

— Deveríamos ter comprado uma carruagem de Cinderela para ela — brincou Adam. — Ela se sentiria em casa numa carruagem.

Não queria atrair má sorte, mas finalmente senti que estávamos nos aproximando do nosso antigo relacionamento, no caminho certo para nos tornarmos o casal que uma vez tínhamos sido. Mal podia esperar para chegar à igreja e mostrar aos que duvidavam de nós que conseguimos. Mostrar a eles que, apesar de tudo que tentaram, sobrevivemos. Não sei por que penso *neles* quando na verdade é apenas *ela*, mas às vezes parece que todo o mundo está contra mim, e luto para manter as coisas em perspectiva. Mas não hoje, porque tenho o que ela quer. Eu venci.

Cumprimentamos nossos convidados que se aproximavam da igreja, eu alegremente respondia às brincadeiras dos colegas de rúgbi de Adam, que diziam que eu parecia uma abelha. Vi James e Kate saírem do carro, na rua, e me ocupei com cumprimentos exagerados. Fiz uma festinha com o filho de Fran e me inclinei, com Poppy em meus braços, para apresentá-la a outro bebê em um carrinho. Qualquer coisa para tirar a minha cabeça da chegada iminente do clã Banks. Sem ao menos perceber, virei de costas, mas podia ouvir as pessoas dizendo oi e perguntando como Pammie se sentia.

Tossi para limpar o nó na garganta e comecei a contar até dez mentalmente, para que tivesse tempo de mudar minha expressão antes de me virar. *Apenas finja que tudo está normal*, disse a mim mesma. *Você consegue.*

— Bom ver você, Pamela — falei, virando-me, já em modo de defesa completo. — Você parece...

Engoli a palavra "bem". O que se apresentou diante de mim me deixou paralisada e muda. Pammie estava completamente careca, as sobrancelhas faltavam e seu rosto estava inchado. O choque me paralisou. Eu precisava dizer alguma coisa, qualquer coisa, já que três deles me observavam, mas não conseguia articular as palavras.

— Oi, Em — disse James, inclinando-se para me beijar. — Já faz algum tempo. Você está bem? — Não era uma pergunta que precisava de resposta.

— Em! — disse Kate. — Você está deslumbrante, e Poppy... uau!

Eu gaguejei uma resposta. Pammie e eu ficamos por meio segundo paradas, medindo uma à outra, nenhuma das duas certa de como reagir. Nós de alguma maneira nos encontramos no meio, nossos membros colidiam desajeitadamente. Ela me puxou para si e me segurou.

— É ótimo vê-la — sussurrou rouca. — Você está bonita.

Minha respiração ficou presa na garganta e lágrimas apareceram nos meus olhos. Não sei o que foi. Fui impactada pelas palavras dela; não pelo que disse, mas pelo jeito como disse. Pela primeira vez, quase pude ouvir sinceridade em sua voz, como se fosse realmente espontânea. Mas talvez eu estivesse permitindo que sua aparência brincasse com minha mente. Fixei um sorriso no rosto e procurei desesperadamente por Adam. Precisava dele ao meu lado.

— Se me der licença — falei, desprendendo a mim e Poppy. Fui em direção a Adam, mas minha mãe pegou minha mão enquanto eu passava.

— Aquela é Pammie? — perguntou, confusa. Eu assenti, desnorteada.

— Mas como...

Balancei a cabeça.

— Realmente, não sei — foi o melhor que pude dizer. — Pode pegar a Poppy um minuto?

— É claro — respondeu mamãe, a preocupação em seu rosto num instante fora substituída por um enorme sorriso, enquanto sua neta balbuciava feliz para ela.

Olhei nos olhos de Pippa enquanto me aproximava de Adam. Parecia tão chocada quanto eu. Não poderia fazer nada além de dar de ombros para ela.

Desejei que meu cérebro se concentrasse, mas os fios literalmente pareciam se embaralhar e faiscar com as conexões erradas. Precisava ver Pammie outra vez, apenas para ter certeza, mas não me atrevia a me virar, e tinha certeza de que sentia três pares de olhos nas minhas costas. Ela iria tão longe para convencer as pessoas de que dizia a verdade? Pensei em seu rosto inchado e os olhos encovados. Seria possível?

Eu precisava pensar nas palavras certas antes de me aproximar de Adam, sabendo que as erradas nos fariam regredir meses.

— Você não me disse que sua mãe estava… — não sabia como terminar a frase.

— Doente? — disse.

Assenti.

— Você não perguntou — disse ele, firme. — É porque você não se importa.

Pensei em todas as coisas que ele me disse e em todas as vezes que o impedi de continuar. Senti uma onda de culpa nauseante me invadir.

Todas as vezes que olhava para Pammie, ela estava me observando. Todas as vezes que percebia que ela estava vindo em minha direção, inventava uma razão para me mover. Não sei se tinha mais medo de falar com ela e descobrir que ela estava mesmo muito doente, ou de descobrir que aquela aparência tinha sido forjada para reforçar sua mentira. Não sabia como responder em nenhum dos casos.

James me alcançou enquanto eu ia ao banheiro.

— Foi uma cerimônia adorável, Em. Não tive tempo de agradecê-la por convidar Kate e eu para sermos os padrinhos.

— Não foi escolha minha — respondi, sem parar de andar.

— Como estão as coisas? — perguntou ele.

Eu me virei para encará-lo, procurar em seus olhos o reconhecimento pelo que fez comigo e por qual motivo. Mas os olhos dele eram os mesmos que sempre foram, calorosos e gentis.

— Bem — respondi, com sarcasmo.

— Você está bem? — perguntou ele. — Depois daquela história no casamento?

— Estamos nos resolvendo — respondi, seca.

— O que eu fiz para aborrecê-la?

— Sua mãe me contou tudo — eu disse. — Achei que estivesse ao meu lado. Ingenuamente, acreditei que o que tínhamos era...

— Sim, era — disse ele, interrompendo.

Dei uma risada forçada.

— Eu *estou* do seu lado — disse James. — E sempre estarei, mas você deixou seus sentimentos muito claros, lembra-se?

Estreitei os olhos.

— Então, quando começo a confiar em você, você corre direto para Pammie e conta tudo?

— O quê? Não! — disse ele. — Eu nunca repeti nada que você disse, só que você tinha declarado que nada poderia acontecer entre nós.

— Então, ela não pediu que você viesse até mim? Você não está agindo sob ordens dela?

— O quê? — perguntou James, fazendo uma careta, como se fosse incapaz de compreender o que eu estava dizendo. — Não. O que você pensa de mim? Nunca faria isso. Eu disse a ela que tinha sentimentos por você e como me sentia culpado... Confiei nela porque é a minha mãe.

Revirei os olhos e balancei a cabeça.

— Você precisa acreditar em mim — disse ele.

— Ei, irmãozinho — chamou Adam enquanto se inclinava na direção de James. — No que ela precisa acreditar?

O rosto de James corou.

— Nada, não era nada.

— Ah, vamos, sou todo ouvidos — continuou Adam, sua fala estava um pouco arrastada. — Por que minha adorável dama o chama de mentiroso?

— Estávamos apenas brincando — disse James, sem convencer.

— Nah, não aceito isso, companheiro — disse Adam. James e eu o conhecíamos bem o suficiente para saber que Adam estava irritadiço, cheio de álcool e paranoia.

Coloquei minhas mãos no peito dele e o olhei, tentando interromper.

— Só estamos brincando — adverti. — James está tentando me irritar. E está fazendo um ótimo trabalho. — Dei um tapa brincalhão no braço dele.

Tentei afastar Adam, mas ele não se moveu.

— Então, no que você não acreditou? — perguntou outra vez.

Dei um grande suspiro.

— Pelo amor de Deus, estávamos apenas brincando. Não foi nada.

— Não pareceu que era nada — disse, petulante.

Eu me adiantei e passei meus braços ao redor de sua cintura, enquanto ele se virava para mim.

— Eu amo você — falei, aproximando-me e beijando-o nos lábios. — Agora, vá ficar com seus colegas. Divirta-se, nós nos vemos mais tarde.

Ele me beijou de volta.

— Amo você também.

Quando eu estava voltando para dentro, deparei-me com Pammie, que estava na porta, praticamente pronta para se lançar sobre mim.

— Emily? — disse, quase surpresa, embora estivesse claramente ali à minha espera. Eu a ignorei, mas, quando Pammie me chamou uma segunda vez, alto o bastante para que os outros ouvissem, tive de atendê-la por medo do escândalo que ela poderia fazer.

Pammie se colocou na minha frente como se estivesse ali me esperando, e eu honestamente não sabia o que dizer. Havia tanta raiva fervendo dentro de mim, mas, quando olhei para ela, quando realmente a olhei, a raiva deu lugar à confusão. O branco dos olhos estava amarelo e sua pele inchada, macia e brilhante, estava repuxada nas maçãs do rosto. Não havia nada que eu não pudesse ignorar nela, mas isso?

— Pamela — foi tudo que pude pronunciar.

— Por favor, não me chame assim — disse, baixo. — Você sabe que não gosto muito disso.

— Olha, se vai começar, realmente não estou...

— Não vou. Há apenas algo que preciso dizer.

— O que quer que seja não estou nem remotamente interessada. Não há nada que possa dizer ou fazer que vai me surpreender. Você está aqui porque precisa estar, como a mãe de Adam, mas não pense por um segundo sequer que há algo além disso. Você pode ver Poppy sempre que Adam quiser levá-la, mas, honestamente, é aí que nós terminamos.

Ela passou a mão pelo seu crânio quase careca e ofereceu um pequeno sorriso.

— Desculpe-me — disse ela. — Sinto muito.

Não sei o que eu esperava que ela falasse, mas "desculpe" não estava na lista, especialmente quando não havia ninguém por perto para ouvir. Pammie baixou os olhos como se estivesse envergonhada, mas eu já havia visto aquilo milhares de vezes. Ela usava aquele truque sempre que estava contra a parede e prestes a ser desmascarada. Eu costumava cair no conto da Senhora Ingênua, mas isso foi há muito tempo. Ela não me enganaria outra vez.

— Não tenho tempo para isso — eu disse. — É o batizado da minha filha, e tenho um salão cheio de pessoas que merecem mais atenção do que você e com quem eu gostaria de falar e estar. Não vou ficar aqui e perder o meu tempo.

Tentei não olhar para ela enquanto falava porque sua aparência me tirava dos trilhos, fazendo-me sentir culpada.

— Compreendo — disse Pammie. — E não culpo você, mas só quero que saiba que, realmente, sinto muito. Nunca quis fazer o que fiz e sei que você jamais vai me perdoar, mas não tenho muito mais tempo e gostaria de ao menos tentar uma reconciliação antes que seja muito tarde. Por favor.

Ela estendeu a mão para mim e eu me afastei, mas ela continuava se aproximando, vindo na minha direção. Houve um silêncio de um segundo ao nosso redor, e então de repente uma correria súbita para segurá-la antes que caísse no chão. Se alguém tivesse filmado em câmera lenta, teriam me visto andando para trás, com as mãos no ar. Eu era a única que poderia ter aliviado a queda, mas ainda assim, enquanto todos se aproximavam, eu me afastava.

Houve um suspiro coletivo quando ela caiu no implacável piso de madeira.

— Mãe! — chamou James.

— Pammie! — gritaram todos os outros.

—Que diabos... — gritou Adam, enquanto corria e caía de joelhos. — O que aconteceu? — Ele virou para mim para obter uma resposta, mas eu dei de ombros. — Por que eu pensaria em perguntar a você?

Eu pude ouvir uma aguda ingestão de ar da multidão que agora estava ali reunida.

— Já chega! — disse James. — Mãe...

— Estou bem — ela conseguiu responder, enquanto era auxiliada a se sentar. — Eu me desequilibrei. Estou bem.

Pammie tinha feito de novo.

Passei pela multidão, tentando encontrar Poppy, que tinha visto pela última vez com minha mãe.

— Quero ir embora — disse, enquanto a pegava.

—Que diabos está acontecendo? — perguntou mamãe. — Pammie certamente não poderia fingir uma coisa dessas, poderia?

Balancei a cabeça. Não sabia mais o que pensar.

— Você e papai podem me levar para casa? — perguntei.

Meu pai olhou para o relógio.

— Está ficando tarde mesmo — disse ele, como se precisasse de uma desculpa. — Vou trazer o carro.

Juntei os presentes que Poppy ganhara e me despedi discretamente de Pippa e da tia Bet. Eram as únicas pessoas lá com quem ainda me importava; os outros ou eram parte da turma de rúgbi de Adam ou eram seus colegas de trabalho. Nenhum deles estava a par de que eu estava ali, muito menos de que eu ia embora.

— Você está bem? — perguntou Pippa, enquanto eu recolhia as coisas com pressa. — Você quer que eu vá com você?

Balancei a cabeça.

— Só quero ir para casa e vestir meus pijamas.

Ela sorriu.

— Conheço a sensação. Ligarei para você de manhã.

Dei um beijo nela e saí de fininho.

Mamãe insistiu em ir para o apartamento comigo para me acalmar.

— Tenho vinte e sete anos — dei uma risadinha.

— Você nunca está velha demais para a mamãe cuidar de você — disse ela. — Você tem certeza de que ficará bem?

Assenti.

— Adam não deve demorar. O bar fechará em mais ou menos uma hora.

— O que quer que esteja acontecendo, não permita que isso a abale — disse minha mãe, beijando-me na testa. — Você está fazendo um ótimo trabalho, e estamos orgulhosos de você.

Eu tinha lágrimas nos olhos enquanto a abraçava e relutantemente me despedia deles.

46

Devo ter caído no sono no sofá, já que a próxima coisa que lembrava eram as batidas na porta. Por um momento, fiquei completamente desorientada e pensei ainda estar sonhando. Podia ouvir o som distante de uma mensagem no meu celular, mas eu não tinha noção de horário nem de que dia era. Não sabia o que deveria responder primeiro, mas então me lembrei de Poppy. Era a hora de ela acordar? Será que eu a tinha alimentado antes de colocá-la para dormir?

Levantei rápido demais e caí outra vez no sofá, minha cabeça estava leve e tonta. Coloquei as duas mãos ao lado da cabeça, querendo juntar todas as peças mais rápido do que parecia conseguir. As batidas lá embaixo continuavam, as mensagens de texto exigiam a leitura. Espiei o quarto de Poppy e vi que ela estava em sono profundo. Batida na porta. Passava um pouco da meia-noite. Adam ainda não estava em casa. Batida na porta. Onde diabos ele estava? Eu o havia deixado há três horas. Procurei o telefone embaixo das almofadas na poltrona e lutei para focar nas mensagens que enchiam a tela. Eu rolei para ver as ligações perdidas, mensagens de voz e mensagens de texto. Pammie, Adam, James, Pammie, Adam, James.

— Jesus! — disse em voz alta, imaginando que diabos havia acontecido.

Confusa, com o celular na mão, fui até a porta. Havia alcançado o último degrau quando o celular tocou outra vez, mostrando o nome de Pammie na tela. Eu ia ignorar, mas pensei que poderia ser outra pessoa usando o celular. Obviamente, havia algo errado. Apenas rezei para que nada tivesse acontecido a Adam.

— Sim — esbravejei.

— Emily. Sou eu, Pammie. Adam está a caminho. Não o deixe entrar.

— O quê? — suspirei.

— Não o deixe entrar. Ele está muito bravo. Ele sabe, Emily. Sinto muito. Não o deixe entrar.

— De que diabos você está falando?

— Ele sabe sobre James — engasgou.

O sangue correu para os meus ouvidos enquanto ela continuava falando, e não conseguia ouvir nada do que dizia.

— O quê? — gritei, meu fôlego ficou preso na garganta.

— Eles tiveram uma briga — disse ela, ofegante. — Sinto muito.

Minha cabeça estava cheia de medo e o pânico não me deixa pensar direito.

Eu me aproximei da porta, minhas mãos tremiam enquanto agarravam a maçaneta, incapazes de segurá-la. Pulei para trás quando um punho golpeou o outro lado, a madeira de má qualidade mal contia a pancada.

— Adam — chamei, tremendo.

— Abra a porta! — gritou, tão perto que podia ouvir sua respiração.

— Não — respondi. — Não até que se acalme.

— Juro por Deus, Emily, abra a droga da porta agora!

— Não o deixe entrar — avisou Pammie outra vez.

— O que *você* fez? — gritei no celular, antes de atirá-lo ao chão. Eu não permitiria que suas mentiras me consumissem. Nos consumissem. *Eu precisava* trazê-lo de volta à razão.

— Você está me assustando — adverti. — Vai assustar o bebê.

Eu o ouvi respirar fundo e exalar devagar, deliberadamente.

— Emily — disse, com o tom medido. — Poderia, por favor, abrir a porta?

Tirei a corrente.

— Promete que ficará calmo?

— Sim, eu prometo.

Assim que girei a maçaneta, a porta levantou voo e a força bruta estalou a corrente da dobradiça. Caí no chão com o impacto, meus braços inúteis se debatiam contra o poder de Adam do outro lado. Ele pairava sobre mim e eu sabia que havia cometido um erro terrível. Tentei levantar, mas as pernas não funcionavam. Tropecei, meio que me arrastando pelas escadas, engatinhando até o topo e sabendo que, ao fazê-lo, bloqueava qualquer chance minha de escapar. Mas eu tinha que ser o obstáculo entre Adam e Poppy. Não poderia deixá-lo se aproximar dela.

Tentei alcançar o último degrau, ainda de quatro, quando Adam agarrou meu tornozelo, puxando-me para baixo. Parecia que meu couro cabeludo estava sendo arrancado da cabeça quando ele me agarrou pelos cabelos. Eu agitava um braço no ar, tentando me livrar do punho que torcia dolorosamente meus cabelos, enquanto tentava me agarrar às escadas com a outra mão. Meu quadril batia de maneira imperdoável contra cada degrau enquanto Adam me puxava. Eu só queria chorar, mas precisava ficar quieta por Poppy. Não sabia do que Adam era capaz.

Ele me puxou na queda. Tentei levantar, mas Adam era muito forte, e quanto mais eu lutava, mais força ele usava.

— Por favor! — gritei. — Por favor, pare!

Ele me jogou no chão da sala e me encarou. Foi a primeira vez que vi seu rosto, os olhos salientes de fúria, os traços distorcidos pela raiva.

— Por favor, ao menos me escute — implorei.

— Sua vagabunda — cuspiu, seu bafo cheirava a álcool. — Acha que pode me fazer de bobo? — Saliva escorria da sua boca.

— Não, nunca. Eu nunca faria isso.

A mão dele abaixou e me golpeou o rosto, atingindo-me na região da sobrancelha. Minha pele ardeu e pude sentir um calombo se formar na hora.

Ele andou para cima e para baixo, apertando e afrouxando o punho enquanto eu me encolhia na frente dele.

— Não é o que você pensa — eu disse. — Por favor, você precisa acreditar em mim.

— Sei exatamente o que é. Você está transando com o meu irmão! — Adam jogou a cabeça para trás e deu uma risada exagerada. — Minha noiva, mãe da minha filha, tem escapado pelas minhas costas para transar com o meu irmão.

— Não fiz isso! — gritei. — Você está sendo ridículo.

Ele parou imóvel e me encarou com olhos selvagens.

— Ela é mesmo minha filha? — berrou. — Poppy é minha?

Ajoelhei-me aos seus pés.

— Claro que é. Você sabe que é. Eu nunca fui infiel. Por favor, você precisa saber disso.

Adam se abaixou ao meu lado e segurou o meu rosto.

— Então por que James é tão ligado em você?

— Eu não sei do que está falando — consegui dizer.

— Ele acabou de me afastar da moça com quem eu estava e me dar um soco no rosto porque, aparentemente, eu estava sendo desrespeitoso com você.

A pequena parte do meu coração que não estava quebrada em mil pedaços espatifou.

— Você estava com outra garota? — perguntei, determinada a manter minha voz calma. — No batizado da nossa filha?

— Sim, e estávamos nos divertindo muito, muito mesmo.

— Seu desgraçado — cuspi.

Ele olhou para mim e riu.

— Ah, você acreditou em toda aquela besteira da outra vez?

Não disse uma palavra, apenas o observei, enquanto continuava a rir de mim.

— Você acreditou, não é? Ah, isso é mesmo incrível. Mas vamos lá. Vou contar um segredinho… — Ele se aproximou, com a respiração no meu rosto. — Nunca fui fiel a você. Como poderia? Não há nada em você que me atraia. Você me broxa. — Ele deu de ombros, como que para dar ênfase ao que dizia. — E, ainda assim, agradece pateticamente sempre que chego perto de você.

Cuspi nele, atingindo-o bem no rosto.

A mão dele veio do nada, pegando em cheio o lado da minha cabeça, jogando-me para trás. Senti os dentes caindo de minhas gengivas, um a um, como nos meus sonhos, e fechei a boca em um esforço para impedir isso de acontecer.

Adam me puxou para que eu ficasse de costas e sentou-se montado em mim, pregando-me no chão.

— Mas está tudo bem, porque agora sei que você tem transado por aí também.

Adam se lembrou por que estava com tanta raiva e se deitou em cima de mim, colocando as mãos contra a minha garganta. Meus olhos procuravam os dele, tentando encontrar um recuo para a loucura, buscando um feixe de luz para parar com tudo isso. Mas seus olhos estavam escuros como a noite, as pupilas tão dilatadas que quase tomavam toda a cor ao redor. Tentei enfiar os dedos entre a mão dele e a minha pele, mas sua pegada era muito justa. Ele ainda não estava apertando para valer, mas aproveitava o medo que provocava.

— Eu não, nós nunca... — O aperto ao redor da minha garganta ficava mais forte a cada palavra que eu murmurava. Eu sentia que ia para outro lugar, algum outro que não esse, mas à distância pude ouvir um choro, fraco a princípio, mas crescente. Abri os olhos com a noção de que era Poppy. Adam, cujos planos foram interrompidos pelo mesmo som, começou a sair de cima de mim.

— Não! — gritei, agarrando-o, puxando-o pelo cabelo, o colarinho, qualquer coisa que conseguisse pegar. Ele bateu nas minhas mãos para afastá-las, mas, quando foi se levantar, lancei-me sobre ele com toda a força. Não poderia deixá-lo se aproximar de Poppy. Pendurei-me nas costas dele, agarrando e arranhando qualquer parte que pudesse atingir. Alcancei seu rosto, meus dedos cegos procurando pelos olhos, o tempo todo seu corpo maciço lutando para se libertar de mim, mas não cedi. Não o deixaria chegar perto da minha filha. Ele se levantou e me esmagou contra o batente da porta da sala enquanto seguia em direção ao quarto de Poppy.

— Não! — gritei de novo. Puxei-o de volta com toda a minha força e ele perdeu o equilíbrio, tropeçando na queda, comigo abaixo dele. Adam se levantou enquanto eu me agarrei nas pernas dele, tentando me segurar, mas perdi a pegada. Ou o choro de Poppy ficava cada vez mais alto ou estávamos mais próximos dela, o que punha todos os meus sentidos em alerta. Podia ouvir as lágrimas, podia ouvir meus gritos, mas havia outra coisa, outro barulho que não conseguia decifrar.

Cega pelo sangue e pelas lágrimas, esperei que o choro de Poppy parasse e seu pai a pegasse. Ela não sabia que o homem que a confortava estava muito longe de ser o pai que alguém deveria ter.

— Acabou — disse uma voz. Uma voz feminina.

Meu cérebro lutava para entender o que estava acontecendo, tentando encontrar o sentido do que acontecia. Olhei para cima, através de uma fenda por um dos olhos que se fechava rapidamente, e vi uma figura de pé na porta do quarto de Poppy. Arrastei-me para me sentar e me obriguei a prestar atenção. Vi meu bebê primeiro, acomodado nos braços de uma entidade desconhecida, o pequeno corpo gentilmente balançava para a frente e para trás. Um medo quase tangível disparou em mim quando olhei para o rosto da pessoa que a segurava. Pammie. Não conseguia entender. Estavam juntos nisso? Foi o que planejavam o tempo todo?

— Devolva o meu bebê! — tropecei para levantar, mas Adam, de pé entre nós, empurrou-me.

— Acabou — repetia Pammie, com a voz trêmula.

— Dê ela para mim! — gritei outra vez, desesperada para senti-la em meus braços. Minha mente acelerou para ver Pammie descendo as escadas correndo e indo para a rua com o meu bebê. Para onde, não sabia. Meu coração parecia ter parado de bater – um peso morto no meu peito.

— Por favor — implorei, levantando minhas mãos em direção a ela.

— Mãe — disse Adam, o tom repentinamente ficou calmo. — Dê o bebê para mim.

— Eu sei o que você fez — disse ela. — Eu vi.

— Mãe, não seja estúpida — Adam disse, como se a advertisse. — Entregue Poppy para mim.

A porta da frente bateu outra vez.

— Mãe, Emily... a polícia está a caminho — disse James, sem fôlego, enquanto subia as escadas até o topo.

Ele me olhou pelo corrimão e disse:

— Jesus!

Nós quatro congelamos, como se mantivéssemos nossa posição, medindo um ao outro. Pammie foi a primeira a falar, mas, quando falou, foi a última coisa que esperava ouvir dela.

— Emily, levante-se e pegue Poppy — disse.

Olhei para Pammie, para James e então para Adam, que ainda pairava sobre mim. Engatinhei em direção a Pammie e, uma vez que eu estava encostada na parede ao lado dela, ela gentilmente me entregou o bebê. Eu a segurei e a acalmei.

— Eu vi você, Adam — disse Pammie. — E você me viu. Acabou.

— Que diabos está acontecendo? — disse James.

— Eu estava na casa aquela noite — disse ela para Adam. — Quando Rebecca morreu.

Os ombros de Pammie estremeceram e ela cedeu às lágrimas.

— Eu vi que você a provocou enquanto Rebecca lutava para respirar... Eu o vi negar o inalador a ela.

Eu suspirei, enquanto James dizia:

— O quê?

— Não sei do que você está falando — disse Adam, desafiando-a. Seus ombros estavam para trás e seu queixo traduzia sua tensão.

— Adam, eu estava lá. Ela implorou pela sua ajuda e você poderia ter ajudado. Você tinha a vida dela em suas mãos. Tudo que precisava fazer era entregar o inalador. Mas você apenas ficou ali, vendo-a morrer. Como pôde fazer isso?

— Você está louca, mamãe — sorriu Adam desdenhando, ainda que eu tivesse visto uma sombra de pânico nos olhos dele.

— E quando você desapareceu e voltou à estação de trem para começar sua caminhada até sua casa outra vez, fui deixada lá, desesperada tentando salvar a vida dela... — a voz de Pammie foi interrompida por um soluço. — Nunca vou me perdoar por não conseguir.

— Aonde você quer chegar? — rosnou Adam — Eu estava no trabalho. *Você me* chamou, lembra? Você foi a primeira a chegar. E também foi a última a ver Rebecca com vida. Alguns achariam que isso é muita coincidência, não acha?

— Não se atreva — cuspiu Pammie. — Eu carregarei a responsabilidade por fazer parte disso pelo resto dos meus dias, pelo que você se tornou e pelas crueldades que fez. Mas fiz de tudo para ajudar a pobre garota, assim como fiz por Emily.

Ela se virou para olhar para mim, implorando para que eu acreditasse.

— Sinto muito que tenha chegado a isso antes que eu a fizesse enxergar do que ele é capaz.

Eu conseguia ouvir as palavras dela, mas não faziam sentido algum.

— O que está dizendo? — perguntei.

— Tentei ajudar você — disse ela, através das lágrimas. — Fiz tudo para avisá-la, mas nunca foi suficiente. Você continuava voltando. Por que não conseguiu perceber o que eu tentava fazer?

— Mas você me odeia — eu disse, palavras se embaralhavam em minha boca, mais rápidas do que meu cérebro podia controlar. — Você fez as coisas mais perversas.

— Eu precisava fazer isso, não vê? — soluçou. — Precisava afastar você dele e achei que fosse a única maneira. Mas não sou assim. Isso não é o que sou. Pergunte a qualquer um... Você pode pensar que conhece o Adam, mas não faz ideia.

— Isso é loucura — disse ele, passando a mão furiosamente pelos cabelos, enquanto perambulava para cima e para baixo como um animal enjaulado.

Enquanto olhava para ele, cada conversa que já tivemos passou pela minha cabeça, suas palavras ecoavam em minha mente. *Você foi desrespeitosa. Não quero que saia vestida assim. Por que Seb foi embora? Vou cancelar o casamento. O que pensa que sou, um monge?* A força do soco ainda ardia, mas foram as memórias das palavras cruéis que cortaram mais fundo, a percepção do controle que ele exercia sobre mim causava a maior dor.

— Desculpe-me por magoá-la. De verdade — continuou Pammie. — Mas eu não consegui pensar em outra maneira. Pensei que estava fazendo a coisa certa. Eu sabia que eventualmente as coisas acabariam assim se você ficasse.

— Mas por que... Por que não me contou? — gaguejei, virando-me para Pammie — Se sabia o que ele fez com Rebecca?

Ela balançou a cabeça e não me encarou.

— Querida, ela não sabe o que está falando — disse Adam, olhando para mim, implorando. Ele estava claramente tentando se defender, tentando entender qual das duas mulheres à sua frente o apoiaria. — Ela é louca, insana. Você precisa acreditar em mim.

— Achei que você me amava... — comecei.

Eu me encolhi quando ele se abaixou na minha frente, ansioso sobre o que eu faria depois.

— Eu amo, você sabe que amo — disse ele. As mãos tremiam e um músculo saltava em seu queixo, um sinal revelador da adrenalina que tomava seu corpo.

— Mas agora tudo faz sentido — continuei, baixinho. — Você nunca me amou, só queria me controlar. — Puxei Poppy para mais perto, enquanto ela soltava um choro sonolento.

Fiquei de pé, na esperança vã de que com isso me sentiria mais forte, mas fui atingida por uma dor no quadril. Minhas pernas dobraram. James correu para me amparar e eu caí em seus braços.

Adam lançou-se contra nós.

— Tire suas mãos imundas dela! — gritou. — Ela é minha.

James se moveu para me proteger e me pressionou contra a parede, fora do caminho do perigo, enquanto lutava com Adam no espaço minúsculo.

— Você sempre quis tudo o que eu tinha — disse Adam a seu irmão com desprezo. — Mesmo quando éramos pequenos. Mas sempre será o segundo melhor. Sempre será o lado fraco da relação.

Enquanto escorregava pela parede, com um braço sempre protetor ao redor de Poppy, minha mente acendeu com a imagem de dois meninos correndo pela praia atrás de caranguejos. Eu podia ouvir a rachadura da concha e as lágrimas de James. Eu imaginava desde quando as tendências assassinas de Adam se manifestavam.

— Chega! — gritou Pammie, colocando seu corpo frágil entre os dois. — Não posso mais lidar com isso. Não consigo fingir que tudo está bem. Nada está bem desde que seu pai morreu. Você me ameaçou desde então, com seus comentários e lembretes cruéis. Todos feitos para que eu soubesse que você sabe. Eu lhe dei meus últimos centavos, tudo que eu pudesse bancar, mas ainda não era suficiente para fazer você parar. Desculpe-me pelo que fiz e por como o fiz se sentir, mas agora chega.

James pegou a mão de Pammie.

— Sshh, mãe, está tudo bem.

Ela caiu nos braços dele.

— Não consigo continuar, filho. Estou fraca demais.

O rosto de Adam encolheu com a visão de dois policiais correndo pelas escadas até nós.

— Não precisa ser assim — disse ele, olhando para mim como que implorando. — Temos que pensar em Poppy. Ela precisa de nós dois. Podemos ser uma família, uma família ajustada.

— Adam Banks? — perguntou o policial.

Ele olhou para mim outra vez e alcançou a minha mão.

— Por favor — implorou, com lágrimas nos olhos. — Não faça isso.

O policial segurou os braços de Adam atrás da cabeça e o algemou.

— Adam Banks, tem o direito de permanecer em silêncio, mas tudo que você disser pode e será usado contra você no tribunal.

— Vocês cometeram o maior erro de suas vidas! — Adam rosnou enquanto era levado pelas escadas.

Enquanto a porta se fechava atrás deles, nós três permanecemos onde estávamos, imóveis e paralisados pelo medo. James foi o primeiro a falar.

— Se sabia de tudo isso, por que não procurou a polícia antes, quando aconteceu? — perguntou a Pammie. — Por que colocou Emily em risco?

— E o inalador estava na sua casa — disse eu, quase em estado de transe, ainda tentando juntar as peças do evento e relembrando em voz alta. — Eu vi. Você escondeu o inalador da Rebecca na sua casa.

— Eu não podia contar à polícia — chorou Pammie. — E eu tinha que esconder o inalador, caso contrário por que ela não o teria usado? Ele deixou bem ao lado dela. Como em todos os outros ataques que Rebecca teve, se ela o usasse, teria se salvado. As pessoas sabiam disso, os pais dela sabiam disso e teriam começado a fazer perguntas. Eu precisava manter o Adam fora daquela história.

— Mas por quê? — perguntou James, parecendo tão confuso quanto eu.

— Porque ele me viu — disse Pammie, baixinho.

Nós dois olhamos um para o outro enquanto Pammie baixava a cabeça, o seu corpo todo tremia. James foi até ela, colocou um braço ao seu redor, mas ela o afastou.

— Não — disse ela. — Só vai piorar as coisas.

— Pode ficar pior do que isso? — perguntou James.

— Desculpe-me — choramingou. — Nunca quis que acontecesse.

— Diga-me. O que é? — perguntou ele, com terror na voz.

— Seu pai — soluçou — não era o homem que pensava que era... ele abusava de mim.

— Mãe... eu sei — disse James, baixinho.

Ela o olhou chocada.

— Mas como...?

— Nós dois sabíamos. Adam e eu costumávamos sentar no topo da escada tentando pensar em maneiras de fazê-lo parar, mas tínhamos muito medo.

Ela alcançou a mão dele.

— Uma noite, Jim veio até mim e... — As palavras ficaram presas na garganta. — Foi um acidente. Você precisa acreditar em mim. Ele estava bêbado e veio até mim. Eu estava tão assustada. Afastei-me, mas Jim me encurralou. Ele ergueu o braço para me bater e eu o empurrei. Não usei muita força, mas foi o suficiente para que ele perdesse o equilíbrio. Jim tropeçou e caiu, batendo a cabeça no piso.

James mordeu os lábios e lágrimas escorreram dos olhos dele.

— Seu pai estava tão quieto deitado ali — continuou Pammie —, e eu não sabia o que fazer. Sabia que ele me mataria quando acordasse, então precisava fugir. Eu precisava tirar todos nós de lá. Corri da cozinha, mas lá estava ele.

Os olhos dela vitrificaram.

— Quem? — perguntei.

— Adam — disse ela. — Sentado no topo da escada, observando pelo corrimão. Ele estava lá num minuto e, em seguida, sumiu. Em pânico, corri pelas escadas, mas ele estava de volta em sua cama, fingindo dormir. Eu me estiquei para tocá-lo, mas ele se agitou e se virou contra a parede.

— Foi um acidente, mãe — disse James, puxando-a para si. — Não foi culpa sua.

Pammie se permitiu um pequeno sorriso.

— Você sempre foi um menino bom — disse ela. — Mesmo naquela noite, quando fui ver como você estava, você acordou e disse: "*Eu amo você, mamãe*". Jamais saberei o que fiz para merecer você.

— Não foi culpa sua — disse ele outra vez, gentilmente.

— Foi! — Pammie estava soluçando. — Eu o transformei no monstro que é. Ele nunca disse uma palavra, mas sabe o que eu fiz. É por isso que fez o que fez com Rebecca. É por isso que eu temia que ele pudesse fazer o mesmo à Emily. Eu precisava levá-la para longe dele.

Deixei-me ficar ali, tonta e boquiaberta, enquanto tentava entender o que ela dizia.

— Preciso ligar para a polícia — disse, tremendo. — Preciso dizer a eles o que fiz antes que Adam o faça. Ele era tão jovem, não vai lembrar com clareza. Apenas dirá que matei o pai dele. Eu preciso estar lá para ter uma chance de lutar.

James a segurou pelos ombros e a forçou a olhar para ele.

— Adam não vai dizer nada.

Pammie tentou se afastar dele.

— Eu preciso ir — disse, impaciente. Havia nela uma urgência súbita, uma necessidade de contar a sua história.

— Adam não vai dizer nada — repetiu James.

— Ele vai, sei que vai — disse Pammie, em pânico.

— Não vai, porque fui eu — disse James. Um soluço ficou preso na garganta de Pammie enquanto ela o encarava, confusa. — Era eu, e não Adam, sentado no topo das escadas.

— Mas... não poderia ser — gaguejou ela.

— Eu vi o que aconteceu, e não foi culpa sua.

— Não, foi Adam. Tinha de ser, porque você me disse que me amava.

— Ainda amo — disse James, e Pammie caiu em seus braços.

Epílogo

Os narcisos floresceram e Poppy está engatinhando entre eles, para o desgosto da sua mãe. Ela me olha nos olhos enquanto a apanha e rimos dos joelhos enlameados da menininha. Poppy ri enquanto Emily a ergue no ar e assopra em sua barriga. Ela se parece com a mãe quando sorri, tem os mesmos olhos e o nariz de botão.

— Você vai passar por tudo isso — digo, enquanto acaricio a mão de Kate, que instintivamente toca sua barriga redonda e sorri.

— Eu, por exemplo, mal posso esperar — diz James, enquanto Emily coloca Poppy de volta na grama e ela imediatamente corre na direção do canteiro amarelo outra vez. Rimos enquanto James rasteja em sua direção fazendo um barulho estrondoso, e ela corre mais ainda.

— Ele será um pai maravilhoso — digo.

Penso em todas aquelas cartas de um pai que Poppy jamais conhecerá. Eu não sei o que elas dizem pois nunca as abri, mas ele deve saber o que está perdendo. Ela será adolescente quando ele sair, e então Emily terá seguido em frente, vivendo a vida que merece.

Eu espero que ela conheça alguém que ame a ela e a Poppy como eu amo.

Que se importe com ela do mesmo jeito que ela se importa comigo.

Nenhum dia passou sem que tenha vindo me ver, nem mesmo durante o julgamento, quando eu estava fraca demais para testemunhar.

— Você está bem? — pergunta Emily, e coloca a mão gentil no meu ombro.

Eu sorrio e alcanço a mão dela.

Sim. Eu estou bem.

Estou livre do medo com o qual vivi por tanto tempo.

Só queria ter mais tempo para viver.

Agradecimentos

Agradeço imensamente à minha agente Tanera Simons, que precisou me aguentar hiperventilando quando disse que eu tinha um contrato de publicação. Ela também precisou me convencer (várias vezes desde então) de que não seria o último. Obrigada a Tanera e a todo o pessoal da Darley Anderson – tenho muita sorte por ter encontrado vocês.

Minhas incríveis editoras, Vicki Mellor, da Pan MacMillan, e Catherine Richards, da Minotaur Books, que "compreenderam" *Tudo pelo amor dele* desde o começo. Foi um prazer trabalhar ao lado de vocês para tornar o livro o melhor possível.

Para o fabuloso Sam, que era meu ponto de apoio e que continuou me pressionando para escrever mais páginas, antes mesmo que eu as escrevesse. E aos meus amigos muito especiais, que, sem dúvida, encontrarão algo de si mesmos em *Tudo pelo amor dele* – seja uma memória compartilhada, um traço de caráter familiar ou um significado oculto. Obrigada pela inspiração, pelo apoio e pelo encorajamento.

Para minha saudosa sogra, que não poderia estar mais longe de Pammie nem se tentasse. E para minha mãe – bem, você terá que perguntar ao meu marido!

Para meus maravilhosos marido e filhos, que não faziam ideia de que eu estava escrevendo um livro – obrigada por me permitir continuar o que vocês acharam que eu estava fazendo. Era isso!

E finalmente para todos os que leram *Tudo pelo amor dele* – obrigada do fundo do meu coração. Espero que tenham gostado.

**Se você gostou deste
livro, leia também outros
títulos da Única!**

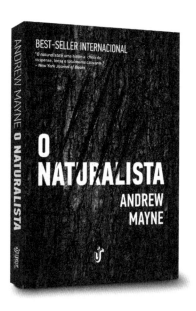

O professor Theo Cray foi treinado para ver padrões em lugares que outros veem o caos. Quando corpos mutilados são encontrados nas profundezas das montanhas de Montana, policiais procuram cegamente por pistas. Entretanto, Theo vê algo que todos ignoram. Algo não natural. Algo que só ele é capaz de deter. Biólogo computacional, Theo está mais familiarizado com códigos e microrganismos do que com a arte forense. Mas, uma viagem à Montana o coloca no meio de uma investigação sobre o assassinato sangrento de uma ex-aluna. À medida que mais detalhes e corpos vêm à luz, os policiais locais determinam que o assassino pode ser um urso, um serial killer... ou o próprio Theo. Correndo para ficar um passo à frente da polícia, Theo deve usar sua perspicácia científica para descobrir quem é o verdadeiro responsável por crimes tão terríveis.

SERÁ QUE ELE SE TORNARÁ TÃO ESPERTO QUANTO O PREDADOR QUE ELE CAÇA ANTES DE VIRAR SUA PRESA?

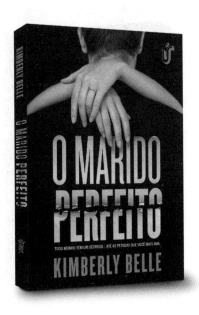

Todo mundo tem segredos... Iris e Will estão casados há sete anos e a vida não poderia ser mais perfeita. Até que, em uma manhã, quando Will voa para Orlando em uma viagem de negócios, o mundo feliz de Iris desmorona subitamente: um avião em direção a Seattle sofre um acidente matando todos a bordo com a queda e, de acordo com a companhia aérea, Will estava entre os passageiros. Entre dor e confusão, Iris está convencida de que tudo deve ser um enorme mal-entendido. Por que Will mentiria sobre onde ele estava indo? E sobre o que mais ele mentiu? Em sua busca desesperada para descobrir a verdade, Iris encontrará respostas que abalarão tudo o que ela acreditava saber, conhecer e amar. O que mais não sei sobre o meu marido? O que mais ele deixou de me contar? Existem quantas mentiras mais?

Como alguém desenvolve a habilidade de matar de maneira tão cruel? O ano é 1896. A cidade é Nova York. O repórter John Schuyler Moore é tirado de sua casa no meio da noite abruptamente. Nada poderia prepará-lo para o que encontraria em seguida. Convocado por seu amigo dr. Laszlo Kreizler, psicólogo ou alienista – especialista em doenças da mente –, Moore é levado para ver o corpo horrivelmente mutilado de um adolescente abandonado na inacabada Ponte de Williamsburg. Os dois então embarcam em uma tentativa que pode revolucionar a criminologia: criar o perfil psicológico do assassino com base nos detalhes de seus crimes. Sua busca perigosa leva-os ao passado de tortura e à mente problemática de um serial killer que pode matar novamente a qualquer momento. *O alienista* evoca a era dourada da Nova York do século XIX e nos faz questionar: uma pessoa capaz de cometer crimes hediondos já carrega tais impulsos desde seu nascimento ou é o meio em que ela nasce e vive que determina tal desfecho terrível? O livro perfeito para os fãs de *Mindhunter*, que levará os leitores a uma experiência intensa pela mente do assassino mais cruel do século XIX.

Este livro foi impresso pela gráfica Assahi em papel
norbrite 66,6 g/m² em agosto de 2019.